BIBLIOTECA DE BOLSILLO

La Chunga

MARIO VARGAS LLOSA nació en Arequipa, Perú, 1936. Cursó sus primeros estudios en Cochabamba, Bolivia, y los secundarios en Lima y Piura. Se licenció en Letras en la Universidad de San Marcos de Lima y se doctoró por la de Madrid. Ha residido durante algunos años en París y posteriormente en Londres y Barcelona. Aunque había estrenado en 1952 un drama en Piura y publicado en 1959 un libro de relatos, *Los jefes*, que obtuvo el Premio Leopoldo Alas, su carrera literaria cobró notoriedad con la publicación de la novela *La ciudad y los perros* (Seix Barral, 1963), que obtuvo el Premio Biblioteca Breve de 1962 y el Premio de la Crítica en 1963 y que fue casi inmediatamente traducida a una veintena de lenguas. En 1966 apareció su segunda novela, *La casa verde* (Seix Barral), que obtuvo asimismo el Premio de la Crítica en 1966 y el Premio Internacional de Literatura Rómulo Gallegos en 1967. Posteriormente ha publicado el relato *Los cachorros* (1967, edición definitiva junto con *Los jefes*: Seix Barral, 1980), la novela *Conversación en La Catedral* (Seix Barral, 1969), el estudio *García Márquez: historia de un deicidio* (1971), la novela *Pantaleón y las visitadoras* (Seix Barral, 1973), el ensayo *La orgía perpetua: Flaubert y «Madame Bovary»* (Seix Barral, 1975), la novela *La tía Julia y el escribidor* (Seix Barral, 1977), las piezas teatrales *La señorita de Tacna* (Seix Barral, 1981) y *Kathie y el hipopótamo* (Seix Barral, 1983) y las novelas *La guerra del fin del mundo* (Seix Barral, 1981), *Historia de Mayta* (Seix Barral, 1984), *¿Quién mató a Palomino Molero?* (Seix Barral, 1986), *El hablador* (Seix Barral, 1987) y *Elogio de la madrastra* (1988). Se han reunido sus textos ensayísticos en los tres volúmenes de *Contra viento y marea* (Seix Barral, 1983-1990).

Mario Vargas Llosa

La Chunga

BIBLIOTECA DE BOLSILLO

Cubierta: Ripoll Arias

Primera edición en
Biblioteca de Bolsillo:
octubre 1990

Córcega, 270 - 08008 Barcelona

ISBN: 84-322-3074-X

Depósito legal: B. 36.462 - 1990

Impreso en España

A Patricia Pinilla

LA CHUNGA

por MARIO VARGAS LLOSA

La anécdota de esta pieza se puede resumir en pocas frases. En los alrededores del Estadio de Piura, ciudad rodeada de arenales en el Norte del Perú, la Chunga, una mujer que regenta un barcito de gentes pobres y dudosas, ve entrar una noche a Josefino, uno de los clientes del lugar, con su última conquista: Meche, mujercita de formas duras y rasgos atractivos. La Chunga queda instantáneamente prendada. Josefino, para divertirse con sus amigos —un grupo de vagos que se llaman a sí mismos los inconquistables—, incita a Meche a provocar a la Chunga. En el curso de la noche, Josefino pierde a los dados hasta el último centavo. Para seguir jugando, alquila a Meche a la Chunga y ésta y aquélla pasan el resto de la noche juntas, en el cuartito de la Chunga, contiguo al bar. ¿Qué ocurrió entre ambas? Porque, luego de esa noche, Meche desapareció y no se ha vuelto a saber más de ella. La obra empieza mucho tiempo después de aquel suceso. En la misma mesa del bar, jugando siempre a los dados, los inconquistables tratan en vano de arrancar a la Chunga el secreto de lo sucedido. Como no lo consiguen, lo inventan. Las imágenes que cada uno de los inconquistables fragua, se materializan en el escenario y son, acaso, la huidiza verdad. Pero son, sobre todo, las verdades secretas que anidan en cada uno de ellos. En la casa de la Chunga, la verdad y la mentira, el pasado y el presente, coexisten, como en el alma humana.

Los temas que la obra desarrolla o roza, a través de esta historia, no deberían prestarse a confusión: el amor, el deseo, los tabúes, la relación entre el hombre y la mujer, los usos y costumbres de un cierto medio, la condición femenina en una sociedad primitiva y machista y la manera como estos factores objetivos se reflejan en el ámbito de la fantasía. Es evidente en la obra, creo, que la vida objetiva no condiciona y subyuga el deseo, sino, por el contrario, que, gracias a su imaginación y a sus deseos, aun el hombre más elemental puede momentáneamente romper los barrotes de la cárcel en que está confinado su cuerpo.

Igual que en mis dos obras de teatro anteriores —La señorita de Tacna y Kathie y el hipopótamo— he intentado en La Chunga proyectar en una ficción dramática la totalidad humana de los actos y los sueños, de los hechos y las fantasías. Los personajes de la obra son, a la vez, ellos mismos y sus fantasmas, seres de carne y hueso con unos destinos condicionados por limitaciones precisas —ser pobres, marginales, ignorantes, etc.— y unos espíritus a los que, sin embargo, pese a la rusticidad y monotonía de su existencia, cabe siempre la posibilidad de la *relativa liberación que es el recurso de la fantasía, el atributo humano por excelencia.*

Uso la expresión «totalidad humana» para subrayar el hecho obvio de que un hombre es una unidad irrompible de actos y deseos y, también, porque esta unidad debería manifestarse en la representación, enfrentando al espectador con un mundo integrado, en el que el hombre que habla y el que fantasea —el que es y el que inventa ser— son una continuidad sin cesuras, un anverso y reverso confundibles, como esas prendas de vestir que se pueden usar por ambos lados de tal modo que resulta imposible establecer cuál es su derecho y cuál su revés.

No veo por qué el teatro no podría ser un género adecuado para representar la objetividad y la subjetividad humanas conjugadas o, más bien, conjugándose. Prejuicios tenaces, sin embargo, tienden a considerar que el mundo ambiguo, evanescente, de matices y tránsitos súbitos, atemporal, arbitrario, que es el que construye la imaginación espoleada por el deseo, no puede coexistir en un escenario con el de la vida objetiva, sin crear insuperables dificultades de mise en scène. *No creo que este escepticismo tenga otra explicación que la pereza, el temor a ese riesgo sin el cual todo esfuerzo creativo se corta las alas.*

Se trata, simplemente, de lograr un teatro que juegue a fondo la teatralidad, la aptitud humana para fingir, para multiplicarse en situaciones y personalidades distintas a la propia. Los personajes, en las escenas en las que viven los sueños, deben mimarse, encarnarse a sí mismos, desdoblándose como se desdoblan los actores al subir a un escenario o como se desdoblan mentalmente los hombres y mujeres cuando apelan a su imaginación para enriquecer la existencia, protagonizando ilusoriamente lo que la vida real les veda o empobrece.

Encontrar una técnica de expresión teatral —una corporización— para esta operación tan universalmente compartida, la de enriquecer idealmente la vida mediante la fabricación de imágenes, de ficciones, debería ser un estimulante desafío para quienes quieren que el teatro se renueve y explore nuevos caminos, en vez de seguir transitando, cacofónicamente, los tres modelos canónicos del teatro moderno que, de tan usados, comienzan ya a dar señales de esclerosis: el didactismo épico de Brecht, los divertimentos del teatro del absurdo y los disfuerzos del happening y demás variantes del espectáculo desprovisto de texto. El teatro y su imaginería son, estoy seguro, un género privilegiado para representar el inquietante laberinto de ángeles, demonios y maravillas que es la morada de nuestros deseos.

Firenze, 9 de julio de 1985

Truth is rarely pure and never simple.

OSCAR WILDE

PERSONAJES

LA CHUNGA

MECHE

Los inconquistables: EL MONO
JOSÉ
JOSEFINO
LITUMA

LA CASA DE LA CHUNGA

Piura, 1945

El Bar-restaurante de la Chunga está en los alrededores del Estadio, en esa barriada de esteras y tablas que surgió no hace mucho en el arenal, entre la carretera a Sullana y el Cuartel Grau. A diferencia de las endebles viviendas del contorno, es una construcción de verdad —paredes de adobe y techo de calamina— amplia y cuadrada. En la planta inferior están las rústicas mesas, los banquitos y sillas donde se sientan los clientes, el mostrador de tablones. Detrás de éste, la cocina tiznada y humosa. En la planta alta, a la que trepa una escalerita de pocos peldaños, se halla el cuarto que ningún parroquiano conoce: el dormitorio de la propietaria. Desde allí, la Chunga puede observar todo lo que pasa abajo por una ventana oculta tras una cortinilla floreada.

Los clientes del barcito son gente de la barriada, soldados del Cuartel Grau en su día franco, aficionados al fútbol y al boxeo que hacen un alto para entonarse en su camino al Estadio o trabajadores de la Constructora de ese barrio nuevo, de blancos, que está ensanchando Piura: Buenos Aires.

La Chunga tiene una cocinera que duerme al pie del fogón y un chiquillo que viene en el día, para atender las mesas. En el mostrador siempre está ella, generalmente de pie. Cuando no hay muchos clientes, como esta noche, en que sólo se hallan en el lugar esos cuatro vagabundos que se llaman a sí mismos los inconquistables —juegan a los dados y toman cerveza hace buen rato—, se ve a la Chunga sentada en una mecedora de paja, balanceándose suavemente, con un chirrido idéntico, los ojos perdidos en el vacío, ¿sumida en recuerdos o con la mente en blanco, simplemente existiendo?

Es una mujer espigada y sin edad, de expresión dura, de piel lisa y tirante, huesos firmes y ademanes enérgicos, que mira a la gente sin pestañear. Tiene una melenita de cabellos oscuros, sujeta con una cinta, y una boca fría, de labios delgados, que habla poco y sonríe rara vez. Viste blusas de mangas cortas y unas faldas tan exentas de coquetería, tan anodinas, que parecen uniforme de colegio de monjas. Está a veces descalza y, a veces, con unas sandalias sin tacos. Es una mujer eficiente; administra el local con mano de hierro y sabe hacerse respetar. Su físico, su severidad, su laconismo, intimidan; es raro que los borrachos traten de propasarse con ella. No acepta confianzas ni galanterías; no se le conoce novio, amante, ni amistades. Parece decidida a vivir siempre sola, dedicada en cuerpo y alma a su negocio. Si se exceptúa la brevísima historia con Meche —bastante confusa para los clientes, por lo demás— no se sabe de nada ni de nadie que haya alterado su rutina. En la memoria de los piuranos que frecuentan el lugar, ella está, siempre, seria e inmóvil detrás del mostrador. ¿Va, alguna vez, al Variedades o al Municipal a ver una película? ¿Pasea por la Plaza de Armas alguna tarde de retreta? ¿Sale al Malecón Eguiguren o al Puente Viejo a recibir las aguas del río —si ha llovido en la Cordillera— al comenzar cada verano? ¿Contempla el desfile militar, en Fiestas Patrias, entre la muchedumbre congregada al pie del Monumento a Grau?

No es mujer a la que se le pueda arrancar un diálogo; contesta con monosílabos o movimientos de cabeza y si la pregunta es una broma su respuesta suele ser una lisura o una mentada de madre. «La Chunguita —dicen los piuranos—, no aguanta pulgas.»

Los inconquistables —tiran los dados, brindan y bromean en la mesa que está, justo, debajo de la lámpara de querosene colgada de una viga y en torno a la cual revolotean los insectos— lo saben muy bien. Son viejos clientes, desde los tiempos en que el barcito era de un tal Doroteo, a quien la Chunga primero se asoció y al que después expulsó (la chismografía local dice que a botellazos). Pero a pesar de venir aquí dos o tres veces por semana, ni siquiera los inconquistables podrían llamarse amigos de la Chunga. Conocidos y clientes, nada más. ¿Quién, en Piura, podría jactarse de conocer su intimidad? ¿La fugitiva Meche, acaso? La Chunga no tiene amigos. Es un ser arisco y solitario, como uno de esos cactos del arenal piurano.

La Chunga se estrenó el 30 de enero de 1986, en el Teatro Canout, de Lima, Perú, por el Grupo ENSAYO, Asociación de Estudio y Producción Teatral, con el siguiente reparto y ficha técnica:

La Chunga . . . . Delfina Paredes
Meche . . . . Charo Verástegui
El Mono . . . . Alberto Isola
José . . . . Ricardo Velásquez
Josefino . . . . Gianfranco Brero
Lituma . . . . Cipriano Proaño

Escenografía: Javier Sota; Realización: Miguel Cock
Iluminación: Samuel Adrianzén, Luis Moscoso
Vestuario: Sylvia Blume
Música y sonido: Pepe Bárcenas, Guillermo Vásquez
Maquillaje: Rossie Salinas
Producción general: ENSAYO, Asociación de Estudio y Producción Teatral
Producción ejecutiva: Gloria Recavarren de Solari
Asistente de dirección: Maryann Vargas

Dirección: Luis Peirano

La Chunga se estrenó el 7 de febrero de 1986, en inglés, en Nueva York, por el INTAR THEATRE, con el siguiente reparto y ficha técnica:

INTAR Hispanic American Theatre
Max Ferrá, Director Artístico
Dennis Ferguson-Acosta, Director Ejecutivo

La Chunga . . . . Sheila Dabney
Meche . . . . Maritza Rivera
El Mono . . . . Ralph Marrero
José . . . . Raúl Aranas
Josefino . . . . Shawn Elliott
Lituma . . . . Pepe Douglas

Traducción: Joanne Pottlitzer

Escenografía: Ricardo Morin
Iluminación: Beverly Emmons
Vestuario: David Velásquez
Sonido: Paul Garrity
Dramaturgia: Jim Lewis
Regidor de escena: Jim Di Paola

Dirección: Max Ferrá

PRIMER ACTO

I

UNA PARTIDA DE DADOS

EL MONO (*Antes de tirar los dados, con la mano en alto*)

Para que me traiga suerte, cantemos el himno, inconquistables.

JOSÉ, LITUMA, JOSEFINO, EL MONO (*Cantan en coro, con grandes aspavientos*)

Somos los inconquistables
Que no quieren trabajar:
Sólo chupar, sólo vagar,
Sólo cachar
Somos los inconquistables
¡Y ahora vamos a timbear!

EL MONO (*Sopla y besa la mano que empuña los dados y los lanza sobre el tablero. Los cubitos blancos y negros corren, brincan, chocan, rebotan contra los va-*

sos a medio llenar y se detienen, atajados por una botella de «Cristal»)

¡Ajajay! ¡Tres y tres! Qué contento estoy. Doblo la caja, señores. ¿Quién es quién? (*Nadie responde ni añade un centavo al pozo de billetes y monedas que el Mono tiene junto a su vaso.*) La mariconería está en su punto máximo, por lo que veo. (*Recoge los dados, los acuna, los sopla, los agita sobre su cabeza sin todavía lanzarlos.*) Y acá se van otra vez las senitas —cinco y uno, cuatro y dos, tres y tres— o este inconquistable se corta el quiquiriquí.

JOSEFINO (*Alcanzándole una navaja*)

Para lo que te sirve, aquí tienes mi chaveta. Córtatelo.

JOSÉ

Tira los dados de una vez, Mono. Que es lo único que tiras tú.

EL MONO (*Haciendo morisquetas*)

¡Y se fueron fufufuuuuú! Tres y seis. (*Se persigna.*) Y ahora el seis, San Puta.

LITUMA (*Volviéndose hacia el mostrador*)

¿No te parece que el Mono se ha vuelto muy lisuriento, Chunga?

La Chunga no se inmuta. Ni siquiera se digna mirar hacia la mesa de los inconquistables.

JOSÉ

¿Por qué no le contestas al pobre Lituma, Chunguita? Te está haciendo una pregunta ¿no?

EL MONO

A lo mejor se ha muerto. A lo mejor eso que se está meciendo es su cadáver. ¿Te has muerto, Chunguita?

LA CHUNGA

Es lo que te gustaría. Para mandarte mudar sin pagarme las cervezas.

EL MONO

Ajajá, te resucité, Chunga Chunguita. (*Sopla, besa los dados y los lanza.*) Y ahora el seis, San Puta. (*Las cuatro caras siguen el traumático recorrido de los cubitos blancos y negros entre vasos, botellas, cigarrillos y cajas de fósforos. Esta vez ruedan hasta el suelo de tierra mojada.*) Uno y tres son cuatro, inconquistables. Sólo me faltan dos. La caja sigue abierta por si alguien tiene huevos para apostar.

LITUMA

¿Y qué pasó esa vez con Meche, Chunga? Aprovecha que hoy estamos solos. Cuéntanos.

JOSÉ

Cuéntanos, cuéntanos, Chunga Chunguita.

LA CHUNGA (*Siempre indiferente, con voz soñolienta*)

Que te cuente la que ya sabes.

EL MONO (*Tira los dados*)

¡Y salió el seis! Muévanse, señores, que la tienen hasta la garganta. Hagan gárgaras, jajajay. (*Se vuelve hacia el mostrador.*) Tus requintadas me traen suerte, Chunguita. (*Levanta el pozo y besa los billetes y monedas con gestos extravagantes.*) Otro par de botellitas bien frías que este inconquistable paga. ¡Jajajay!

La Chunga se levanta. La silla queda meciéndose, con un crujido a intervalos regulares, mientras la dueña del Bar va a sacar un par de botellas de cerveza de un balde lleno de hielo que tiene bajo el mostrador. Las lleva a la mesa de los inconquistables con aire negligente y las coloca ante el Mono. Un bosque de botellas eriza la mesa. La Chunga regresa a la mecedora.

JOSÉ (*Aflautando maliciosamente la voz*)

¿Nunca nos vas a contar qué hiciste esa nochecita con Meche, Chunga?

JOSEFINO

Basta de hablar de la Mechita o uno de ustedes se baja el pantalón y me lo presta. Sólo su nombre me la pone al palo.

EL MONO (*Haciendo ojitos y afeminando la voz*)

¿Y a ti también, Chunguita?

LA CHUNGA

Alto ahí, concha de tu madre. Yo estoy aquí para servir cervezas, no para ser hazmerreír de nadie ni oír groserías. Cuidadito, Mono.

EL MONO (*Se echa a temblar; le castañetean los dientes, mueve los hombros, las manos, blanquea los ojos, presa de contorsiones histéricas*)

Uy, qué miedo, qué miedo.

Muertos de risa, los inconquistables le dan de manazos para hacerlo reaccionar.

LITUMA

No te calientes, Chunga. Aunque te hagamos renegar, tú sabes que te queremos.

JOSEFINO

¿A quién mierda se le ocurrió mentar a Meche? ¿Tú fuiste, no, Lituma? Me has hecho poner nostálgico, carajo. (*Alza su vaso, solemne.*) Brindemos por la hembrita más rica que pisó la tierra del Almirante Grau. ¡Por ti, Mechita, en el cielo, en Lima, en el infierno, o donde chucha estés!

II

MECHE

Mientras Josefino hace el brindis y los inconquistables beben, entra Meche, con la lentitud y el ritmo de un ser que viene al mundo desde la memoria. Es joven, de formas compactas y turgentes, muy femenina. Lleva un vestido ligero, ceñido, y zapatos de tacón de aguja. Camina luciéndose. La Chunga la mira venir con los ojos cada instante más abiertos, más brillantes, pero los inconquistables no advierten su presencia. En cambio, la Chunga está ahora concentrada en esta imagen con tal fuerza que es como si, para ella, el instante presente perdiera consistencia, se diluyera, cesara. También las voces de los inconquistables se atenúan, ralean.

EL MONO

Nunca me voy a olvidar de la cara que pusiste cuando entró aquí la Meche esa vez, Chunga Chunguita. ¡Quedaste petrificada!

LITUMA

Tú eres la única que sabe en el mundo dónde está, Chunga. Anda, sé buena, qué te importa. Sácanos de la curiosidad.

JOSÉ

Dinos más bien qué pasó esa noche entre tú y ella, Chunguita. Es algo que me quita el sueño, carajo.

EL MONO

Yo te voy a decir qué pasó. (*Canta, haciendo las monerías de costumbre.*)

Chunga con Meche
Meche con Chunga
Cheche con Menga
Menga con Cheche
Chu Chu Chu
¡Y que viva Fumanchú!

LA CHUNGA (*Con la voz desmayada, ausente, sin quitar un instante los ojos fascinados de Meche, quien ya está junto a ella*)

Acábense rápido esos vasos, que voy a cerrar.

Josefino se levanta, imperceptiblemente, y, saltando del presente al pasado, de la realidad al sueño, viene a colocarse junto a Meche, a la que toma del brazo con aire de propietario.

JOSEFINO

Buenas noches, Chunguita. Te presento a Meche.

MECHE (*Estirando la mano a la Chunga*)

Mucho gusto, señora.

Los inconquistables saludan con la mano a Josefino y a Meche, siempre enfrascados en su partida de dados.

LA CHUNGA (*Devorándola con los ojos, retiene la mano de Meche entre las suyas. Habla con voz conmovida por la impresión*)

Así que tú eres la famosa Meche. Bienvenida. Creí que éste no te iba a traer jamás. Tenía muchas ganas de conocerte.

MECHE

Yo también, señora. Josefino habla mucho de usted. (*Señalando a la mesa.*) Y ellos también, todo el tiempo. De usted y de este sitio. Me moría de ganas de venir. (*Señalando a Josefino.*) Pero él no quería traerme.

LA CHUNGA (*Resignándose a soltar la mano de Meche. Haciendo un esfuerzo por recobrarse de la impresión y mostrarse natural*)

No sé por qué. No me he comido a nadie todavía. (*A Josefino.*) ¿Por qué no querías traerla?

JOSEFINO (*Bromeando con obscenidad*)

Por miedo de que me la fueras a quitar, Chunguita. (*Coge a Meche de la cintura y la luce, envanecido.*) ¿Vale su peso en oro, sí o no?

LA CHUNGA (*Admirándola, asintiendo*)

Sí. Esta vez te tengo que felicitar, Don Juan de la Gallinacera. Vale más que todas tus otras conquistas juntas.

MECHE (*Algo cortada*)

Gracias, señora.

LA CHUNGA

Llámame Chunga, nomás. Puedes tutearme, también.

LITUMA (*Desde la mesa, llamándolo*)

Vamos a empezar otra partida, Josefino. ¿Vienes?

JOSÉ

Aprovecha que el Mono tiene los dados, Josefino. La plata siempre está botada con este salmuera.

EL MONO

¿Yo, salmuera? San Puta me protege y esta noche pelaré a todo el mundo. Tendrás que dejarme en prenda a Mechita por todo lo que vas a perder, Josefino.

JOSEFINO (*A la Chunga*)

¿Por cuánto crees que podría empeñar a esta muñeca, Chunguita?

LA CHUNGA

Por lo que quisieras. Es verdad, vale su peso en oro. (*A Meche.*) ¿Qué tomas? Es invitación mía. ¿Quieres una cerveza? ¿Un vermouth?

JOSEFINO

No me lo creo... ¿Están oyendo, inconquistables? ¡La Chunga invita!

La Chunga

A ti no. Tú eres cliente viejo. La invitada es Meche, que viene por primera vez. Para que vuelva.

Desde su mesa, los inconquistables hacen gran bullicio. El Mono grita «Ajajay, lo que estoy oyendo» y José: «Pídete un whisky y convida, Mechita».

Josefino (*Yendo hacia la mesa, a retomar el sitio que tenía entre los inconquistables*)

Bueno, a calentar la mano.

Meche

¿No me ibas a llevar al cine?

Josefino

Después. Primero voy a ganarme los frejoles, pelando a estos tres cojudos. La noche es joven, mi amor.

Meche (*A la Chunga, señalando a Josefino*)

Ya veo que hoy no iremos al cine. En el Variedades dan una de Esther Williams y Ricardo Montalbán, una en colores. De toros y música. Qué lástima que a Josefino le guste tanto el juego.

LA CHUNGA (*Alcanzándole el vermouth que le ha preparado*)

A ése le gustan todos los vicios. Es el peor sinvergüenza que ha parido madre. ¿Qué le has visto? ¿Qué le ven las mujeres a semejante vago? Dime, Meche. ¿Qué tiene?

MECHE (*Entre ruborizándose y jugando a ruborizarse*)

Qué va a ser, pues. Tiene... labia, sabe decir cosas bonitas. Y, además, es buen mozo, ¿no? Y, también, también. Bueno, cuando me besa y me hace cariños, tiemblo. Veo estrellitas.

LA CHUNGA (*Con una sonrisa burlona*)

¿De veras te hace ver estrellitas?

MECHE (*Riéndose*)

Bueno, es una manera de decir. Tú me entiendes.

LA CHUNGA

No. No te entiendo. No puedo entender que una mujer tan bonita como tú se enamore de un pobre diablo así. (*Muy seria.*) ¿Sabes lo que te espera con él, no?

MECHE

Yo no pienso nunca en el futuro, Chunga. El amor hay que tomarlo como es. Una felicidad de ahora, de este momento. Y sacarle el jugo mientras dure. (*Alarmándose, súbitamente.*) ¿Qué me espera con él?

LA CHUNGA

Te hará ver estrellitas un tiempito más. Y, luego, te meterá a la Casa Verde para que lo mantengas, puteando.

MECHE (*Escandalizada*)

¿Qué dices? ¿Bromeas, no? ¿Crees que yo podría hacer eso? Se nota que no me conoces. ¿Me crees capaz de...?

LA CHUNGA

Claro que te creo capaz. Como todas las tontas a las que ese cafiche hizo ver estrellitas. (*Estira la mano y acaricia a Meche en la mejilla.*) No pongas cara de susto. Me gustas más cuando sonríes.

III

UN GALLINAZO Y TRES MANGACHES

En la mesa de los inconquistables, la partida comienza a echar llamas.

EL MONO (*Superexcitado*)

¡Tres y cuatro, siete, jajajá! ¿O sea que yo era un salmuera, José? Pónganse de rodillas y récenme, huevas tristes. Cuándo en su perra vida han visto algo así: siete manos al hilo, sin fallar. Ahí queda toda la plata, para los valientes. ¿Quién es quién?

JOSEFINO (*Sacando unos billetes*)

Yo soy quien. ¿Crees que me asustas? A ver, cuánto hay. Doscientos, trescientos. Aquí están los trescientos. Tira los dados, mangache.

JOSÉ

Qué platudo, Josefino. (*Bajando la voz.*) ¿No será que ya la has puesto a trabajar a Mechita?

JOSEFINO

Calla, si te oye se me va a poner saltona. ¿Qué esperas, Mono?

EL MONO (*Se pasa los dados por los ojos, por los labios, los acuna, los exorciza*)

Que sufras un poco, gallinazo. Y ahora sí se van, fufufuuuú... (*Todos miran correr los dados, extáticos.*) ¡Once! Muévanse, señores, que se la emboqué otra vez hasta el guargüero. Ocho al hilo. ¡Chúpenmela, carajo! Más cervezas, Chunga, para regar este milagro.

JOSEFINO (*Atajando al Mono, cuando éste va a re-*

coger el dinero que ha ganado)

El pozo se queda en la mesa.

Los tres inconquistables lo miran, sorprendidos.

EL MONO

¿Quieres seguir perdiendo? Yo encantado, mi hermano. Ahí está, para que te hagas rico. Seiscientos soles. ¿Los vas a parar tú solito?

JOSEFINO

Yo solito, sí señor. (*Saca más billetes del bolsillo y los cuenta, aparatosamente. Los coloca en el pozo, despacio, con aire teatral.*) Ahí están. Seiscientos. La Gallinacera contra la Mangachería.

LITUMA

Puta, éste ha robado un banco o qué cosa.

JOSEFINO

Robar es cosa de mangaches, no de gallinazos. Los de la Gallinacera seremos cabrones, pero no ladrones.

JOSÉ

La Gallinacera es el peor barrio de Piura, Josefino, convéncete.

LITUMA

Trata de ocultar que eres gallinazo, hombre. Del barrio del Camal, de los cadáveres, de las moscas, de los buitres.

JOSEFINO

Pero tenemos calles asfaltadas y excusados. La Mangachería ni siquiera eso. Barrio de burros y mendigos. Y todo el mundo caga en el suelo, junto a la cama. Yo no sé por qué me junto con mangaches como ustedes, cualquier día me van a pegar su olor a caca. Espera, Mono, no tires esos dados. ¡Mechita! Ven, tráeme suerte. (*Meche se acerca a la mesa, al mismo tiempo que la Chunga, quien trae otras dos cervezas; Josefino rodea con su brazo el talle de Meche y la obliga a bajar la cara. La besa en la boca con fruición, exhibiéndose. Los inconquistables ríen y festejan. La Chunga mira, con los ojos brillantes.*) Ahora sí, Mono, tira esos dados.

JOSÉ (*A Josefino*)

¿No conoces el refrán? Afortunado en el amor, desgraciado en el juego.

EL MONO (*Lanzando los dados*)

¡Se fueron y este inconquistable se hizo rico!

JOSEFINO (*Feliz, exuberante*)

Uno y uno. ¡A cavar tu tumba, Mono! (*A José.*) No es ése el refrán, mi hermano. Sino: Afortunado en el amor, dichoso en el juego. Salud, por Mechita, que me trajo la suerte. Gracias, amor. (*La obliga a bajar la cabeza de nuevo y la besa, mirando de reojo a la Chunga como burlándose de ella.*) Salud, Chunguita.

La Chunga, sin contestarle, regresa hacia el mostrador.

El Mono (*Estirándole la mano a Josefino*)

Te felicito. Había que ser valiente para apostar todo el pozo después de ocho manos sin fallar. Serás de la Gallinacera, pero mereces ser un inconquistable.

José (*Malicioso*)

¿Viste la cara de la Chunga cuando Josefino te besaba, Mechita? Se le salían los ojos.

Lituma

Se moría de envidia.

Josefino (*Alzando la voz*)

¿Oyes lo que estos mangaches maricones andan diciendo de ti, Chunga?

La Chunga

Qué.

JOSEFINO

Que cuando yo la besaba a Meche se te salían los ojos. Que te morías de envidia.

LA CHUNGA

A lo mejor es verdad. ¿Quién no sentiría envidia de una mujer así?

Risas y exclamaciones de los inconquistables.

JOSEFINO

Y eso que no la has visto calatita, Chunga. Su cuerpo es todavía mejor que su cara. ¿No es cierto, Meche?

MECHE

Calla, Josefino.

LA CHUNGA

Estoy segura que, por una vez en tu vida, no estás mintiendo.

JOSEFINO

Claro que no estoy mintiendo. Álzate la falda, amor. Muéstrale tus piernas, para que se haga una idea.

MECHE (*Simulando más embarazo del que siente*)

Josefino, qué cosas se te ocurren.

JOSEFINO (*Subiendo un poco la voz. Con una firmeza que no quiere ser brusca, pero que disimula apenas la prepotencia. Ufanándose de su poder ante sus amigos*)

Hazme caso. Para que tú y yo llevemos siempre la fiesta en paz, tienes que hacer lo que te pida. Muéstrale tus piernas a la Chunguita.

MECHE (*Haciéndose la molesta, pero, en el fondo, atraída por el juego*)

Qué caprichoso y qué mandón eres, Josefino.

Se levanta la falda y muestra sus piernas. Los inconquistables aplauden.

JOSEFINO (*Riéndose*)

¿Qué te parecen, Chunga?

LA CHUNGA

Lindas.

JOSEFINO (*Chisporroteando arrogancia*)

A los inconquistables y a la Chunga, que son mis hermanos del alma, yo les puedo mostrar a mi mujer calata y no pasa nada. (*Comienza a guardarse el dinero del pozo, que acaba de ganar.*)

EL MONO

Alto ahí, mi hermano. Sólo los cobardes retiran la plata que han ganado si hay alguien dispuesto a parar el macho.

JOSEFINO

¿Quieres apostar el pozo? Son mil doscientos soles, Mono. ¿Tienes con qué?

EL MONO (*Se rebusca los bolsillos, saca todos los soles que tiene, los cuenta*)

Tengo quinientos. Te debo los setecientos.

JOSEFINO

A la hora de jugar no se presta plata, trae mala suerte. (*Cogiéndole la mano, donde lleva el reloj.*) Espera. Para eso tienes un reloj. Te lo acepto por los setecientos.

LITUMA

Tu reloj vale más que eso.

EL MONO (*Quitándose el reloj y poniéndolo junto con sus quinientos soles sobre el pozo*)

Pero si voy a ganar, hombre. Okay, Josefino, tira esos dados y, por favor, pierde.

JOSEFINO (*Empuja a Meche hacia el mostrador*)

Acompaña a la Chunga mientras yo gano estos solcitos y el reloj. Cuando tengo los dados, no necesito que me traigan suerte, me la fabrico yo solo.

JOSÉ

Ten cuidado que la Chunga trate de seducirte, Mechita. La has puesto como loca.

MECHE (*Transparentando una curiosidad algo morbosa, en voz baja*)

¿Es una de ésas?

LITUMA

Hasta ahora no se sabía que lo fuera. Más bien parecía sin sexo.

JOSÉ

Pero desde que te vio ha perdido la compostura. Se ha delatado: es marimacho.

MECHE

¿Será, de veras?

JOSEFINO

¿No te arden las orejas, Chunga? Si supieras lo

que están diciendo, les darías de botellazos y les prohibirías volver a poner los pies en tu casa.

LA CHUNGA

Qué dicen.

JOSEFINO

José dice que te has puesto como loca desde que viste a Mechita, que te has delatado como marimacho y Meche quiere saber si de veras lo eres.

MECHE

Mentira, Chunga, no le creas. Qué perro, Josefino.

LA CHUNGA

Que venga a preguntarme a mí. Se lo diré a ella solita.

Risas y bromas de los inconquistables.

JOSEFINO (*A Meche*)

Anda, amor. Coquetéale un poco, que se haga ilusiones.

EL MONO

¿Vas a tirar esos dados, Josefino?

Meche avanza hacia el mostrador, donde está la Chunga.

IV

MARIMACHOS Y MUJERES

MECHE (*Confundida*)

No le habrás creído, ¿no? Tú sabes que Josefino siempre está bromeando. No es verdad que yo haya dicho eso de ti.

LA CHUNGA

Bah, no te preocupes. Me importa un comino que la gente diga de mí lo que quiera. (*Se encoge de hombros.*) Si eso los divierte, que se diviertan. Mientras yo no los oiga...

MECHE

¿No te importa que hablen mal de ti?

LA CHUNGA

Lo único que me importa es que no haya peleas y que paguen lo que consumen. Mientras se estén tranquilos y no hagan perro muerto, que hablen lo que les dé la gana.

MECHE

¿Ni siquiera te importa que digan que eres... eso?

LA CHUNGA

¿Marimacho? (*Coge a Meche del brazo.*) ¿Y si lo fuera? ¿Te doy miedo?

MECHE (*Con una risita nerviosa, entre fingiendo y sintiendo lo que dice*)

No sé. Nunca he conocido a ningún marimacho de verdad. A pesar de que dicen que hay tantas, nunca he visto a ninguna. (*Examina a la Chunga.*) Siempre me las imaginé hombrunas, feas. Tú no eres nada de eso.

LA CHUNGA

¿Cómo soy?

MECHE

Un poco dura, tal vez. Me imagino que tienes que serlo, para administrar un sitio así, con toda clase de tipos y borrachos. Pero no eres fea. Si te arreglaras un poco, se te vería atractiva, guapa. Les gustarías a los hombres.

LA CHUNGA (*Con una risita seca*)

No me interesa gustarles a los hombres. (*Acercando a Meche la cara.*) En cambio a ti sí, ¿no es cierto? Es lo único que te importa en la vida, ¿no? Arreglarte, pintarte, ponerte bonita. Marearlos, excitarlos. ¿No?

MECHE

¿Acaso no es eso ser una mujer?

LA CHUNGA

No. Eso es ser una idiota.

MECHE

Entonces, todas las mujeres del mundo seríamos idiotas.

LA CHUNGA

La mayoría lo son. Por eso les va como les va. Se dejan maltratar, se vuelven esclavas de sus hombres. ¿Para qué? Para que, cuando se cansen de ellas, las tiren a la basura como trapos sucios. (*Pausa. Le acaricia otra vez la cara.*) Me da pena imaginar tu vida, cuando Josefino se canse de ti.

MECHE

Él no se va a cansar nunca de mí. Yo sabré tenerlo siempre contento.

LA CHUNGA

Ya he visto cómo: dejando que te maneje con el dedo meñique. ¿No te da vergüenza que te mandonee así?

MECHE

Me da gusto hacer todo lo que me pide. Eso es para mí el amor.

LA CHUNGA

¿O sea que harías por ese pobre diablo cualquier cosa que te pidiera?

MECHE

Mientras lo quiera, sí. Cualquier cosa.

Pausa. La Chunga la observa, muda, transparentando, a pesar de ella misma, cierta admiración. Ambas se distraen con el bullicio de los inconquistables.

V

UNA PRENDA

EL MONO (*Eufórico, levantando los billetes a puñados*)

¡Chucha, chucha, chucha! ¡Esto es histórico, chucha! Pellízquenme para saber que no sueño, inconquistables.

JOSÉ (*Dando una palmada a Josefino*)

La partida no ha terminado, Mono. Deja el pozo en la mesa.

EL MONO

¿Con qué vas a seguir apostando? Ya has perdido dos mil soles, tu reloj y tu pluma fuente. ¿Qué mierda más tienes?

Pausa. Josefino mira a un lado y a otro. Observa un momento a la Chunga y a Meche. Decidido, se pone de pie.

JOSEFINO

Tengo algo más. (*Dando unos trancos firmes, se acerca a la Chunga. Luce la expresión de un hombre dispuesto a cualquier extremo con tal de satisfacer su capricho.*) Necesito tres mil soles para parar ese pozo, Chunguita.

LA CHUNGA

Sabes muy bien que yo no presto un céntimo ni muerta.

JOSEFINO

Tengo una prenda que vale más que los tres mil soles que te pido. (*Coge a Meche por la cintura.*)

MECHE (*Tomándolo a broma y no, sin saber muy bien cómo reaccionar*)

¿Qué estás diciendo?

La Chunga se echa a reír. Josefino sigue muy serio. Los inconquistables han quedado mudos, las cabezas alargadas, intrigados por lo que ocurre.

JOSEFINO (*Amo y señor de Meche, sujetándola contra sí*)

Lo que has oído. ¿Tú me quieres, no es cierto? Yo también te quiero. Por eso te pido esto. ¿No me has jurado que serás siempre obediente? Bueno, ahora me lo vas a demostrar.

MECHE (*Boquiabierta, incrédula*)

Pero, pero... ¿Te has vuelto loco? ¿Sabes lo que estás diciendo? ¿O se te han subido las cervezas?

JOSEFINO (*A la Chunga*)

Es inútil que disimules, Chunga. Desde que la viste me di cuenta que se te cayó la baba por Meche. ¿Qué dices?

EL MONO

Carajo. Esto va en serio, inconquistables.

JOSÉ

Puta, se la está vendiendo, ni más ni menos.

LITUMA

Más bien cómprasela tú, Mono. ¿Acaso la Mechita no vale esos tres mil soles?

JOSEFINO (*Sin quitar los ojos a la Chunga y abrazando siempre a Meche*)

No, al Mono no se la prestaría ni por todo el oro del mundo. Ni a ningún hombre. (*Besando a Meche.*) Me daría celos. Le sacaría las tripas al que le pusiera un dedo encima. (*A la Chunga.*) Tú no me das celos. A ti sí te la presto, porque sé que me la devolverás intacta.

MECHE (*Lloriqueando, confusa, exasperada*)

Suéltame, quiero irme. ¡Desgraciado! ¡Desgraciado!

JOSEFINO (*La suelta*)

Puedes irte. Pero para siempre. Porque irte ahora sería una traición, Meche. No te perdonaría que me hubieras fallado cuando te necesitaba.

MECHE

Pero, Josefino, ¿te das cuenta lo que me estás pidiendo? ¿Qué crees que soy yo?

LA CHUNGA (*Burlona, a Meche*)

Ya ves, no era cierto que harías cualquier cosa que te pidiera este bandido.

JOSEFINO (*Abrazando a Meche*)

¿Eso dijiste? Entonces, es cierto. (*Besa a Meche.*) Yo a ti te quiero. Tú y yo estaremos juntos hasta que el mundo se acabe. No llores, tonta. (*A la Chunga.*) ¿Qué dices?

LA CHUNGA (*Se ha puesto muy seria. Larga pausa*)

Que diga ella, con su propia boca, que acepta. Que

diga que desde este momento hasta que salga la luz del día hará todo lo que yo quiera.

JOSEFINO (*A Meche*)

No me falles ahora. Te necesito. Ella no te hará nada. Es una mujer, qué puede hacerte. Dilo.

Pausa extática, en la que los inconquistables y la Chunga siguen la lucha interior de Meche, que se estruja los brazos y mira a uno y a otro.

MECHE (*A la Chunga, balbuceando*)

Haré lo que me mandes, hasta que salga la luz del día.

La Chunga va a sacar el dinero, de debajo del mostrador. Josefino le habla al oído a Meche y la acaricia. Los inconquistables comienzan a reaccionar de la sorpresa. La Chunga alcanza el dinero a Josefino.

EL MONO

Puta madre, esto sí que no me lo creo. Lo estoy viendo, pero no me lo creo.

LITUMA

Con una mujer así, yo hasta me casaría.

JOSÉ

La Mechita se merece que le cantemos el himno, carajo.

EL MONO

El himno y un brindis en honor de Mechita, inconquistables.

EL MONO, LITUMA Y JOSÉ (*Cantan*)

Somos los inconquistables
Que no quieren trabajar:
Sólo chupar, sólo vagar,
Sólo cachar
Somos los inconquistables
Y ahora vamos a brindar:
¡Por ti, Mechita!

Elevan sus vasos de cerveza hacia Meche y beben. La Chunga coge de la mano a Meche y la lleva hacia su cuarto. Ambas suben la escalerita. Josefino, contando el dinero, vuelve a la mesa de juego.

FIN DEL
PRIMER ACTO

SEGUNDO ACTO

I

LOS INCONQUISTABLES

Al levantarse el telón, la posición de los actores reproduce exactamente la del inicio del primer acto. Estamos en el presente de la historia, mucho después de aquel episodio de Meche. Los inconquistables juegan a los dados en su mesa, bajo el farol colgado de una viga, y la Chunga, en su mecedora, los ojos perdidos en el vacío, deja pasar el tiempo. La noche tibia trae y lleva, a lo lejos, los ruidos de la ciudad: el chirrido de los grillos, algún auto noctámbulo, ladridos, un rebuzno.

JOSÉ

¿Por cuánto creen ustedes que la Chunga me contaría lo que pasó esa noche entre ella y Meche?

LITUMA

Ni por un millón de soles. No te lo va a contar nunca. Olvídate, José.

JOSEFINO

Si yo quisiera, me lo diría. Gratis.

EL MONO

Ya sabemos que tú eres muy malo, Josefote.

JOSEFINO

No estoy bromeando. (*Saca su chaveta y la hace brillar, en el rayo de luz de la lámpara.*) La Chunga será muy macha, pero no hay hombre o mujer que no hable como una cotorra con esto en el cogote.

EL MONO

¿Oyes lo que dice, Chunga?

LA CHUNGA (*Con la indiferencia de siempre*)

Termínense rápido esas cervezas, que voy a cerrar.

JOSEFINO

No te asustes, Chunguita. Si me diera la gana, te haría contarme lo de esa noche. Pero no me da la gana, así que puedes meterte al culo tu secreto. No quiero saberlo. La Meche me importa un pito. Mujer ida, mujer muerta. No ha nacido la hembra que me haga correr tras ella.

José se ha puesto de pie y, sin que los inconquistables lo adviertan, avanza hacia la mecedora de la Chunga, con la mirada fija, la boca entreabierta, como sonámbulo. A lo largo de la escena que sigue, los inconquistables actúan como si José siguiera ocupando el sitio vacío: chocan sus vasos con ese invisible José, reciben sus apuestas, le pasan los dados, le dan palmadas, le bromean.

JOSÉ (*Con voz densa, afiebrada*)

Algo cambió en mi vida esa noche, Chunga, aunque nadie lo sepa. (*Se golpea la cabeza.*) Está aquí, clarita, como si todavía fuera. Me acuerdo de todo lo que dijiste y de todo lo que dijo Meche. Cuando la llevabas del brazo allá, a tu cuarto, a mí se me salía el corazón. (*Hace que la Chunga le toque el pecho.*) Toca, siente. ¿Ves qué fuerte late? Como si quisiera salirse o reventar. Así se pone cada vez que pienso en ustedes dos allá arriba.

La Chunga mueve los labios diciendo algo, pero sin articular ningún sonido. José acerca el oído, tratando de oír, pero en el acto lo retira, arrepentido. La Chunga, durante unos segundos sigue silabeando, en silencio, la misma palabra.

La Chunga (*Habla, por fin, de una manera extrañamente suave*)

Eres un pajero, José.

José (*Ansioso, impaciente, señalando el cuartito*)

Habla, habla. Cuéntame, Chunguita. ¿Qué pasó? ¿Cómo fue?

La Chunga (*Lo sermonea, pero sin severidad, como a un niño travieso*)

No son las mujeres de carne y hueso las que de verdad te gustan, José. Son las que recuerdas, las que inventas. (*Tocándole la cabeza como si lo acariñara.*) Las que tienes aquí. ¿No, José?

José (*Tratando de hacer que la Chunga se incorpore de la mecedora, cada vez más excitado*)

La cogiste del brazo, la fuiste llevando para allá. Fueron subiendo la escalera y tú la tenías siempre del brazo. ¿Se lo ibas sobando? ¿La pellizcabas despacito?

La Chunga se levanta y José ocupa su sitio, en la mecedora. La ladea, para ver mejor. La Chunga llena una copa de vermouth, sube la escalerilla y entra al cuartito, que se ilumina con una luz rojiza. Allí está Meche.

II

EL SUEÑO DEL MIRÓN

MECHE (*Con una risita nerviosa*)

¿Y ahora qué va a pasar? ¿Qué juego es éste, Chunga?

LA CHUNGA (*La fría mujer de las escenas anteriores parece haberse cargado de vida y sensualidad*)

Ningún juego. He pagado por ti tres mil soles. Y eres mía por el resto de la noche.

MECHE (*Desafiante*)

¿Quieres decir que soy tu esclava?

LA CHUNGA

Por unas horas, al menos. (*Alcanzándole la copa.*) Para que se te quiten los nervios.

MECHE (*Coge la copa y toma un largo trago*)

¿Crees que estoy nerviosa? Te equivocas. Yo no

te tengo miedo. Hago esto por Josefino. Si quisiera, podría darte un empujón y salirme corriendo.

La Chunga (*Se sienta en la cama*)

Pero no lo harás. Has dicho que me obedecerías y tú eres una mujer de palabra, estoy segura. Además, te mueres de curiosidad ¿no es cierto?

Meche (*Se toma el resto de la copa*)

¿Crees que me vas a emborrachar con dos vermouths? Ni te lo sueñes. Tengo una gran cabeza, resisto toda una noche tomando, sin marearme. Resisto incluso más que Josefino.

Pausa.

La Chunga

Hazme lo que le haces a él cuando quieres excitarlo.

Meche (*Con la misma risita nerviosa*)

No puedo. Tú eres una mujer. Tú eres la Chunga.

La Chunga (*Insinuante y a la vez mandona*)

Yo soy Josefino. Hazme lo que le haces a él.

Una música tropical, suave —boleros de Leo Marini o de Los Panchos— brota a lo lejos. Sugiere parejas apretadas, bailando en un lugar lleno de humo y alcohol.

MECHE (*Comienza a desvestirse, despacio, con cierta torpeza. Habla también forzándose, sin desenvoltura*)

¿Te gusta ver que me desvisto? ¿Así, demorándome? Así le gusta a él. ¿Te parezco bonita? ¿Te gustan mis piernas? ¿Mis pechos? Tengo el cuerpo duro, mira. Ni manchas, ni granitos ni rollos. Nada de esas cosas que afean tanto. (*Se ha quedado en fustán. Tiene un desfallecimiento. La cara se le descompone en un puchero.*) No puedo, Chunga. Tú no eres él. No creo lo que estoy haciendo ni lo que estoy diciendo. Me siento estúpida, todo esto me parece tan falso, tan... (*Se deja caer en la cama y queda cabizbaja, confundida, queriendo y no queriendo llorar.*)

LA CHUNGA (*Se incorpora y se sienta a su lado. Actúa con delicadeza ahora, como si la conmoviera la incomodidad de Meche*)

La verdad es que te admiro por estar aquí. Me has sorprendido, ¿sabes? No creí que aceptaras. (*Le alisa los cabellos.*) ¿Lo quieres tanto a Josefino?

MECHE (*Su voz es un susurro*)

Sí, lo quiero. (*Pausa.*) Pero creo que no lo hice sólo por él. También por eso que dijiste. Tenía curiosidad. (*Se vuelve a mirar a la Chunga.*) ¡Le diste tres mil soles! Es un montón de plata.

LA CHUNGA (*Pasándole la mano por la cara, secándole inexistentes lágrimas*)

Tú vales más que eso.

MECHE (*Un asomo de coquetería va abriéndose paso entre su resquemor y vergüenza*)

¿De veras te gusto, Chunga?

LA CHUNGA

Sabes de sobra que sí. ¿No te diste cuenta, acaso?

MECHE

Sí. Me miraste como no me ha mirado ninguna mujer. Me hiciste sentir... rara.

LA CHUNGA (*Le pasa una mano por sobre los hombros y la atrae hacia sí. La besa. Meche se deja besar, como un ser inerte. Cuando se separan, Meche se ríe, con una risita falsa*)

Menos mal, si te ríes no te pareció tan terrible.

MECHE

¿Desde cuándo eres así? Quiero decir ¿siempre fuiste marima...? ¿Siempre te gustaron las mujeres?

LA CHUNGA

No me gustan *las mujeres*. Me gustas tú. (*La abraza y la besa. Meche permanece inerte y se deja besar, sin responder a las caricias de la Chunga. Ésta aparta la cara ligeramente y, siempre abrazándola, ordena:*) Abre la boca, esclava. (*Meche suelta su risita forzada, pero separa los labios. La Chunga la besa largamente y esta vez el brazo de Meche se alza y rodea también el cuello de la Chunga.*) Vaya, ahora sí. Creí que no sabías besar. (*Con sorna.*) ¿Viste estrellitas?

MECHE (*Riéndose*)

No te burles de mí.

LA CHUNGA (*Teniéndola en sus brazos*)

No me burlo. Quiero que esta noche goces más de lo que has gozado nunca con ese cafiche.

MECHE

¡No es un cafiche! No digas esa palabra. A mí me quiere. Tal vez nos casemos.

LA CHUNGA

Es un cafiche. Esta noche te vendió a mí. Y después te llevará a la Casa Verde y putearás para él, como sus otras conquistas. (*Meche quiere zafarse de sus brazos, simulando más cólera de la que en realidad siente, pero, a poco de forcejear, se rinde. La Chunga le acerca la cara y le habla casi besándola.*) No hablemos más de ese vago. Sólo de ti y de mí.

MECHE (*Más dócil*)

No me aprietes tanto, me haces daño.

LA CHUNGA

Puedo hacer contigo lo que quiera. Eres mi esclava. (*Meche se ríe.*) No te rías. Repite: Soy tu esclava.

MECHE (*Pausa. Se ríe. Se pone seria*)

¿Estamos jugando, no? Bueno. Soy tu esclava.

LA CHUNGA

Soy tu esclava y ahora quiero ser tu puta. (*Pausa.*) Repite.

MECHE (*Como un susurro*)
Soy tu esclava y ahora quiero ser tu puta.

LA CHUNGA (*Tiende a Meche en la cama y comienza a desnudarse*)
Vas a serlo.

El cuarto de la Chunga queda de nuevo oculto, desvanecido. Desde la mecedora, José sigue mirando hipnotizado ese recinto a oscuras. Comienza a escucharse el ruido —brindis, cantos, juramentos— de los inconquistables en la mesa donde juegan a los dados.

III

ESPECULACIONES SOBRE MECHE

(*Todo este diálogo tiene lugar mientras los inconquistables siguen tirando los dados y bebiendo cerveza.*)

LITUMA
¿Quieren saber una cosa? A veces pienso que la desaparición de Mechita es un cuentanazo de Josefino.

EL MONO

Dímelo cantando y con música, porque no te entiendo.

LITUMA

Una mujer no puede hacerse humo así nomás, de la noche a la mañana. Al fin y al cabo, Piura es un pañuelo.

JOSEFINO

Si se hubiera quedado en Piura, yo la habría encontrado. Se mandó mudar. Al Ecuador, tal vez. O a Lima. (*Señalando la mecedora donde está José.*) Ésa lo sabe, pero te llevarás el secreto a la tumba, ¿no, Chunguita? Por tu culpa perdí a una mujer que me hubiera hecho rico y, a pesar de eso, no te guardo rencor. ¿Tengo o no tengo un corazón de oro?

EL MONO

No vuelvan con el tema de Mechita que se le va a parar a José. (*Dándole un codazo al invisible José.*) ¿Te vuelve loco imaginártelas allá arriba haciendo tortillitas, no, mi hermano?

LITUMA (*Sigue, imperturbable, con su tema*)

Alguien la habría visto tomar el ómnibus o el colectivo. Se hubiera despedido de alguien. Hubiera sacado sus cosas de la casa. Dejó toda su ropa, su maleta. Nadie la vio. Así que no es tan seguro eso de que se escapara. ¿Sabes lo que pienso a ratos, Josefino?

EL MONO (*Tocándole la cabeza a Lituma*)

¿O sea que piensas? Yo creí que los piajenos sólo rebuznaban, ¡che, gua!

JOSEFINO

¿Qué es lo que piensas, Einstein?

LITUMA

¿No le pegabas acaso? ¿No les pegas a todas esas que se mueren por ti? A veces pienso que se te pasó la mano, compadre.

JOSEFINO (*Riéndose*)

¿Que la maté, quieres decir? Qué pensamiento tan profundo, Lituma.

EL MONO

Pero si este pobre gallinazo no mata ni las moscas, mi hermano. Si es pura boca, ahí donde lo ves, con su chaveta y sus ínfulas de rey de los cafiches. Lo soplo y se cae al suelo. ¿Quieres ver? (*Sopla*) Cáete, pues, no me hagas quedar mal ante mis amigos.

LITUMA (*Muy serio, desarrollando su idea*)

Pudo darte celos que la Mechita pasara la noche

con la Chunga. Estabas furioso, acuérdate que habías perdido hasta la camisa. Regresaste a tu casa hecho una fiera. Necesitabas desfogarte. La Mechita estaba ahí y pagó el pato. Muy bien se te pudo pasar la mano.

JOSEFINO (*Divertido*)

¿Y después la corté en pedacitos y la eché al río? Puta que eres un genio, Lituma. (*Al ausente José, alcanzándole los dados.*) Al fin, José, ya te tocaba ganar. Los dados son tuyos.

LITUMA

Pobre Meche. No se merecía un conchesumadre como tú, mi hermano.

JOSEFINO

Las cosas que uno tiene que aguantarle a sus amigos. Si no fueras un inconquistable, te cortaría los huevos y se los echaría a los perros, mi hermano.

EL MONO

Qué te han hecho los perritos para que quieras envenenarlos, hombre.

José regresa a ocupar su asiento, tan discreto como lo dejó. A la vez, y con la misma inconsciencia de los otros tres, Lituma se levanta y aparta de ellos.

JOSEFINO (*A José*)

Qué pasa que está usted tan callado, compadre.

JOSÉ

Estoy perdiendo y no tengo ganas de hablar. Bueno, ahora cambiará la suerte. (*Coge los dados y los sopla. Pone un billete sobre la mesa.*) Ahí están cien solcitos. ¿Quién es quién? (*Se dirige al asiento de Lituma, como si éste siguiera allí.*) ¿Tú, Lituma?

En las dos siguientes escenas, José, el Mono y Josefino actuarán como si Lituma continuara con ellos. Pero Lituma está ahora al pie de la escalerilla, observando el cuartito de la Chunga, que se acaba de iluminar.

IV

ALCAHUETERÍAS

La Chunga y Meche están vestidas. No hay rastro de que hubieran estado desnudas y hecho el amor. La actitud de ambas es, también, muy diferente de la escena anterior que protagonizaron. Meche está sentada en la cama, un poco cariacontecida, y la Chunga, de pie ante ella, no parece ahora una mujer sensual y dominadora, sino, más bien, enigmática, maquiavélica.

MECHE (*Prende un cigarrillo. Da una larga pitada, tratando de disimular que se siente inquieta*)

Si crees que te va a devolver alguna vez esos tres mil soles, sueñas.

LA CHUNGA

Ya sé que no me los va a devolver. No me importa.

MECHE (*Escrutándola, intrigada*)

¿Crees que te voy a creer, Chunga? ¿Acaso no sé que eres la mujer más codiciosa, que trabajas día y noche como una mula para tener más y más?

LA CHUNGA

Quiero decir que, *en este caso,* no me importa. Mejor para ti ¿no es cierto? Si no le hubiera dado esa plata, Josefino se hubiera desfogado contigo.

MECHE

Sí. Me hubiera pegado. Cada vez que algo no le

sale, cada vez que está con cólera, yo pago el pato. (*Pausa.*) Un día de éstos me va a matar.

LA CHUNGA

¿Y por qué sigues con él, tonta?

MECHE

No sé... Por eso. Por tonta.

LA CHUNGA

¿Pese a las palizas todavía lo quieres?

MECHE

Ya no sé si lo quiero. Al principio, sí. Ahora, tal vez sigo con él sólo por miedo, Chunga. Es... un bruto. A veces, sin que le haya hecho nada, me hace arrodillar ante él, como si fuera un dios. Saca la chaveta y me la pasa por aquí. «Agradéceme el estar viva», dice. «Tú tienes la vida prestada, acuérdate siempre.»

LA CHUNGA

¿Y sigues con él? Qué brutas pueden ser las mujeres. Jamás entenderé que alguien se rebaje tanto.

MECHE

No habrás estado nunca enamorada.

LA CHUNGA

Ni lo estaré. Prefiero vivir sin hombre, como un hongo. Pero a mí nadie me va a hacer arrodillar jamás. Ni decirme que tengo la vida prestada.

MECHE

Ah, si pudiera librarme de Josefino...

LA CHUNGA (*Comenzando un juego de araña que atrae a la mosquita a la trampa que le ha tejido*)

Claro que puedes, tonta. (*Sonriéndole con malicia.*) ¿Te has olvidado lo bonita que eres? ¿No notas cómo pones a los hombres cuando pasas? ¿No se les van los ojos? ¿No te dicen toda clase de piropos? ¿No te hacen propuestas cuando él no oye?

MECHE

Sí. Si hubiera querido, hubiera podido engañarlo mil veces. Me han sobrado oportunidades.

LA CHUNGA (*Sentándose a su lado*)

Claro que te han sobrado. Pero tal vez no has visto la oportunidad mejor que tenías.

MECHE (*Sorprendida*)

¿De quién hablas?

LA CHUNGA

Alguien que está loco por ti. Alguien que haría lo que tú le pidieras con tal de estar contigo, porque, para él, tú eres la más bella, la más rica, una reina, una diosa. Lo puedes tener a tus pies, Meche. Él nunca te tratará mal ni te hará sentir miedo.

MECHE

¿Pero de quién hablas?

LA CHUNGA

¿No te has dado cuenta? Es posible. Porque es muy tímido con las mujeres...

MECHE

Ahora sé por qué le diste esos tres mil soles a Josefino. No por marimacha. Sino por alcahueta, Chunga.

LA CHUNGA (*Riéndose, cordial*)

¿Creías que yo iba a pagar tres mil soles para hacerte el amor? No, Mechita, no hay hombre ni mujer que valga para mí tanto. Esos tres mil no son míos. Son del hombre que te ama. Por tenerte está dispuesto a gastar todo lo que tiene y lo que no tiene. Trátalo bien. Acuérdate que has prometido hacer lo que yo te mande. Ahora tienes la ocasión de vengarte de las palizas de Josefino. Aprovéchate. (*Lituma ha subido la escalerilla y está en la puerta del cuarto, sin atreverse a entrar. La Chunga sale a su encuentro.*) Entra, entra. Ahí la tienes. Es tuya. Ya le he hablado, no te preocupes. Anda, Lituma, no tengas miedo. Es tuya, date gusto.

Con una risita burlona, sale del cuartito y va a sentarse en su mecedora. Los inconquistables siguen jugando y bebiendo.

V

UN AMOR ROMÁNTICO

MECHE (*Asombrada*)

O sea que eras tú. El último en quien hubiera pensado. El Mono o José, sí, ellos siempre me están piropeando y cuando no los ve Josefino hasta se propasan. Pero tú, Lituma, nunca me has dicho ni la menor cosa.

LITUMA (*Profundamente turbado*)

No me atrevía, Mechita. Yo, más bien, siempre he disimulado lo que siento por ti. Pero, pero, yo...

MECHE (*Divertida al ver su embarazo, su torpeza*)

Estás sudando, te tiembla la voz, te mueres de vergüenza. Ay, qué chistoso, Lituma.

LITUMA (*Suplicante*)

No te burles, Mechita. Por lo que más quieras, te ruego.

MECHE

¿Siempre has tenido miedo a las mujeres?

LITUMA (*Con gran pesadumbre*)

No es miedo. Es que... no sé hablarles. No soy como ellos. Ellos saben qué decir a una chica en la calle para sacarle un plancito. Yo nunca he sabido. Me pongo nervioso, no me salen las palabras.

MECHE

¿Nunca has tenido una enamorada?

LITUMA

Nunca he tenido una mujer gratis, Mechita. Sólo a las polillas de la Casa Verde. Siempre pagando.

MECHE

Bueno, por mí estás pagando también, como por ésas.

LITUMA (*Arrodillándose ante Meche*)

No te compares con las polillas ni en broma, Mechita.

MECHE

¿Qué haces?

LITUMA

Yo no te haría arrodillar nunca ante mí, como Josefino. Yo viviría de rodillas ante ti. Para mí, tú eres una reina. (*Se agacha y trata de besarle los pies.*)

MECHE

Jajá, en esa postura pareces un perro.

LITUMA (*Siempre traiando de besarle los pies*)

Siquiera eso déjame ser de ti. Tu perro, Mechita. Te obedeceré, seré cariñoso cuando tú quieras o me quedaré quietecito, si prefieres. No te rías, te hablo en serio.

MECHE

¿De veras harías cualquier cosa por mí?

LITUMA

Ponme a prueba.

MECHE

¿Matarías a Josefino si yo te lo pidiera?

LITUMA

Sí.

MECHE

¿No es tu amigo acaso?

LITUMA

Para mí, tú vales más que la amistad. ¿Me crees, Mechita?

MECHE (*Le pone la mano en la cabeza, como se acaricia a un animal*)

Ven, siéntate. No me gusta que nadie se humille así por mí.

LITUMA (*Sentándose a su lado, en la cama, sin atreverse a acercarse mucho a ella ni menos a tocarla*)

Estoy enamorado de ti desde el primer día que te vi. En el Río-Bar, en el Viejo Puente. ¿No te acuerdas? No, qué te vas a acordar. Siempre me ha parecido que no me veías, aunque me miraras.

MECHE

¿En el Río-Bar?

LITUMA

José, el Mono y yo estábamos timbeando. Y en eso entró Josefino contigo del brazo. (*Imitándolo.*) «Miren lo que me he encontrado. ¿Les gusta mi hembrita?» Te levantó de la cintura y te mostró a todo el mundo. (*Una nube le cruza la cara.*) Cuando hace esas cosas contigo, lo odio.

MECHE

¿Te da celos?

LITUMA

Me da envidia, más bien. (*Pausa.*) Dime, Mechita. ¿Cierto que la tiene de este tamaño? ¿Por eso se mueren todas por él? A nosotros nos farolea todo el tiempo: «Tengo una de burro, señores». Pero yo les he preguntado a las polillas y dicen que es mentira, que la tiene normal, nomás.

MECHE

Contándome porquerías no me vas a conquistar, Lituma.

LITUMA

Perdóname. Tienes razón, no debería preguntarte eso. Pero ¿no es injusto, acaso? Josefino se porta como un desgraciado con las mujeres. Las trata con la punta del pie, las enamora y, cuando las tiene bien templadas, las mete de putas. Pese a eso, consigue las que quiere. Yo, en cambio, que soy buena gente, un romántico, que trataría a la mujer que me quisiera como si fuera de cristal, a mí ninguna me hace caso. ¿Es justo eso?

MECHE

Quizá no sea justo. Pero ¿acaso la vida no está llena de injusticias?

LITUMA

¿Es porque soy feo que no me hacen caso, Mechita?

MECHE (*Burlándose*)

A ver, déjame mirarte. No, no eres tan feo, Lituma.

LITUMA

No me tomes el pelo. Te estoy diciendo cosas que nunca he dicho a nadie.

MECHE (*Lo observa un momento, cavilosa*)

¿Te enamoraste de mí la primera vez que me viste?

LITUMA (*Asiente*)

No dormí toda la noche. En la oscuridad, seguía viéndote. «Es la mujer más linda. Sólo en el cine hay mujeres así.» Me fui emocionando hasta que lloré, Mechita. No sabes cuántas noches me he pasado en vela, pensando en ti.

MECHE

Y dices que no sabes hablar a las mujeres. Eso que me estás diciendo es lindo.

LITUMA (*Mete la mano al bolsillo y saca una pequeña fotografía*)

Mira. Yo te llevo siempre conmigo.

MECHE

¿De dónde sacaste esta foto?

LITUMA

Se la robé a Josefino. Está medio despintada de tanto que la he besado.

MECHE (*Vuelve a acariciarle la cabeza*)

¿Por qué nunca me dijiste nada, zonzo?

LITUMA

Todavía tenemos tiempo, ¿no? Cásate conmigo, Mechita. Vámonos de Piura. Empecemos una nueva vida.

MECHE

Pero si eres un muerto de hambre, Lituma. Igual que todos los inconquistables. Tú tampoco has trabajado nunca.

LITUMA

Porque no tenía a nadie que me empujara a cambiar de vida. Pero no creas que me gusta ser un inconquistable. Casémonos y verás qué distinto voy a ser, Mechita. Trabajaré mucho, en cualquier cosa. Nunca te faltará nada.

MECHE

¿Nos iríamos a Lima?

LITUMA

A Lima, sí. O donde tú digas.

MECHE

Siempre he querido conocer Lima. En una ciudad tan grande, Josefino nunca nos encontraría.

LITUMA

Claro que no. Y además, qué importa que nos encuentre. ¿Le tienes miedo?

MECHE

Sí.

LITUMA

Estando conmigo, no le tendrías. Perro que ladra no muerde. Yo lo conozco muy bien, desde churres. Ése no es mangache, como nosotros, sino gallinazo. Y los de la Gallinacera son pura pinta.

MECHE

No es pura pinta conmigo. A mí me pega a veces hasta desmayarme. Si lo dejara para irme contigo, me mataría.

LITUMA

Tonterías, Mechita. Se conseguirá otra mujer ahí mismo. Vámonos a Lima. Esta noche.

MECHE (*Tentada*)

¿Esta noche?

LITUMA

En el nocturno de La Cruz de Chalpón. Vámonos.

MECHE

¿Nos casaremos?

LITUMA

Llegando a Lima, te juro. Es lo primero que haremos. ¿Te animas? ¿Nos vamos?

MECHE (*Pausa*)

Vámonos. No volveremos nunca a Piura. Espero que no tenga que arrepentirme de esto un día, Lituma.

LITUMA (*Se arrodilla otra vez*)

Te juro que nunca, Mechita. Gracias, gracias. Pídeme algo, lo que quieras, mándame algo.

MECHE

Levántate, no perdamos tiempo. Anda, haz tu maleta, compra los pasajes. Espérame en la oficina de La Cruz de Chalpón. A media avenida Grau, ¿no? Ahí estaré, antes de las doce.

LITUMA

¿Adónde vas?

MECHE

No puedo partir sin nada. Voy a sacar mis cosas. Por lo menos lo indispensable.

LITUMA

Te acompaño.

MECHE

No, no hace falta. Josefino está en la Casa Verde

y no vuelve nunca hasta el amanecer. Tengo tiempo de sobra. Que no nos vean juntos por la calle. Que nadie malicie nada.

LITUMA (*Besándole las manos*)

Mechita, Mechita querida. Tanta felicidad no puede ser cierta. (*Se persigna, mira al cielo.*) Gracias, Diosito. Ahora cambiaré, dejaré de ser vago, timbero, jaranista. Te juro que...

MECHE (*Empujándolo*)

Anda, apúrate, no perdamos tiempo, Lituma. Corre, corre.

LITUMA

Sí, sí, lo que tú digas, Mechita.

Se levanta, se apresura, corre, se precipita por la escalerilla, pero allí pierde ímpetu, se demora, se apaga. Pesado, lento, apesadumbrado, vuelve a la mesa de juego, sin que los inconquistables se inmuten. Los dados, los brindis, los juramentos son otra vez el centro de la escena.

VI

FANTASEOS SOBRE UN CRIMEN

EL MONO

¿Por qué no? Lituma tiene razón, pudo ocurrir así. Cierren los ojos e imagínense a la Mechita. Entra rápido a la casa mirando a un lado y a otro. Tiene el culito fruncido de miedo.

JOSÉ

Se pone a hacer su maleta a la carrera, temblabla-blando, tropo-po-popezándose, equivoca-ca-cándose, ante el terror de que llegue el Gran Cafiche. Y, con el susto, las puntitas de la tetitas se le han puesto como piedrecitas. ¡Ay, qué riquitas!

JOSEFINO (*Riéndose*)

¿Y qué más? Sigan. ¿Qué pasó entonces?

LITUMA

Entonces llegaste tú. Antes de que terminara la maleta.

JOSEFINO

¿Y la maté porque la encontré haciendo la maleta?

EL MONO

Ése sería el pretexto, más bien. Fue porque tenías rabia contra el mundo. Acuérdate que yo te había dejado más calato que un nudista. ¡Pucha si volviera a tener otra mano como esa noche, San Puta!

JOSÉ

O porque te dio un ataque de celos. De repente la Meche te dijo que la Chunga la había hecho tan feliz, que se iba a venir a vivir con ella.

JOSEFINO

Por eso no la hubiera matado. Más bien, le hubiera mandado flores a la Chunga. Y una tarjeta diciendo: «Tú ganaste. Felicitaciones». Yo soy un caballero de la puta madre, señores.

LA CHUNGA (*Desde su mecedora, bostezando*)

Van a ser las doce y ya tengo sueño. Último aviso.

LITUMA

Silencio, Chunga, que me quitas la inspiración. Al ver que tenía la maleta a medio hacer, le preguntaste: «¿Dónde es viaje?». Y ella te dijo: «Te voy a dejar».

JOSEFINO

¿Y por qué me iba a dejar? Estaba templada de mí hasta las cachas.

LITUMA (*Serio y reconcentrado, sin oírlo*)

«Te voy a dejar porque estoy enamorada de un hombre mejor que tú.»

JOSEFINO

¿Mejor que yo? ¿Y de dónde sacaba esa joya?

LITUMA

«Uno que no me pegará, que no me engañará, que será bueno conmigo, uno que no es un concha de su madre y un cafiche, sino un tipo derecho. Y que, además, se casará conmigo.»

JOSEFINO

Qué basura de imaginación, inconquistables. Ustedes no son capaces de inventar una buena razón para que yo matara a la Mechita.

LITUMA

Eso te hizo ver a Judas, Josefino. Te le fuiste encima, a la bruta. Quizá con la idea de darle sólo una paliza. Pero se te fue la mano y ahí quedó la pobre.

JOSEFINO

¿Qué mierda hice con el cadáver?

EL MONO

Lo tiraste al río, pues.

JOSEFINO

Era setiembre y el Piura estaba seco. ¿Qué hice

con el cadáver? Adivinen, adivinen mi crimen perfecto.

JOSÉ

Lo enterraste en el arenal, detrás de tu casa.

EL MONO

Se lo tiraste a esos perros alemanes que cuidan el depósito del Señor Beckman. No dejarían ni los huesitos.

JOSÉ

Bueno, ya me aburrí de jugar a los inventos. Vámonos a la Casa Verde a mojar, más bien.

JOSEFINO

Para qué tan lejos, si ahí tienes a la Chunga. Anda, dale lo que le gusta.

LA CHUNGA

Por qué mejor no va a darle lo que le gusta a la que ya sabes, Josefino.

JOSEFINO

No te metas con mi madre, Chunga. Eso es lo único que no aguanto.

LA CHUNGA

No te metas tú conmigo, entonces.

EL MONO

No le hagas caso, Chunguita, ya sabes que éste no es mangache, sino gallinazo.

JOSÉ

Lástima que seas tan malhumorada, Chunga. Hasta con nosotros, que te queremos como a nuestra mascota.

EL MONO (*Se pone de pie, sin que sus amigos lo noten, y va acercándose a la Chunga*)

Estos chuscos siempre te están dando colerones, ¿no, Chunga? Perdónalos porque no saben lo que hacen. Yo, en cambio, me porto bien contigo. Espero que te hayas dado cuenta. Yo no te hago renegar, ni me burlo, ni les sigo la cuerda cuando te fastidian. Yo a ti te quiero mucho, Chunga.

LA CHUNGA (*Mirándolo con compasión*)

No necesitas hacerme esa pantomima de niño bueno. Para qué, si de todas maneras te voy a dar gusto. Ven, dame la mano.

Lo coge de la mano y lo lleva a la escalerilla. Sube con él. El Mono va feliz, con los ojos encandilados, como un niño que fuera a realizar un codiciado anhelo. Los inconquistables siguen jugando con el fantasma del Mono.

VII

UN CHURRE TRAVIESO

MECHE

Hola, Monito.

EL MONO

Hola, Mechita.

LA CHUNGA

Entra, no tengas miedo, no te vamos a pegar.

EL MONO

Ya sé que ustedes dos son muy buenas.

MECHE

Ven, siéntate acá, junto a mí.

El Mono se sienta en la cama, junto a Meche, y la Chunga se coloca al otro lado. Las dos mujeres se conducen con el Mono como si fuera un niño mimado, y él también, en sus gestos y actitudes, parece haber regresado a la in-

fancia. Se le escapa un suspiro. Otro. Se diría que algo lo atormenta, algo que quisiera compartir con ellas, pero no se atreve.

LA CHUNGA

Con toda confianza. ¿Qué se te antoja? Estás en tu casa. Eres el Niño-dios. Manda.

MECHE

Estamos aquí para darte gusto en lo que sea. ¿Qué te provoca?

LA CHUNGA

¿Quieres que te hagamos un strip-tease, Monito?

MECHE

¿Que bailemos las dos calatitas, para ti solito?

EL MONO (*Tapándose la cara, escandalizado*)

¡No! ¡No! ¡Por favor!

LA CHUNGA (*Señalando la cama*)

¿Te gustaría que nos acostáramos los tres, tú en el medio?

MECHE

¿Que te hiciéramos cariños hasta que gritaras «Basta, basta, ya no más»?

LA CHUNGA

¿Quieres que te hagamos poses?

EL MONO (*Riéndose, muy nervioso*)

¡No hagan esas bromas que me da vergüenza! ¡Les ruego! (*Lo sobrecoge un arrebato de tristeza.*) Ustedes son lo mejor que hay, Chunga, Mechita. Perdonen que me ponga así, pero yo no soy como ustedes. Yo... soy una mierda.

LA CHUNGA

No digas eso. No es verdad.

MECHE

Un poco payaso, tal vez. Pero, en el fondo, un niño bueno, Monito.

EL MONO

Te equivocas. Soy muy mala gente. Un churre de lo peor. Es inútil que me lo niegues. Lo que pasa es que ustedes no saben. Si yo les contara...

LA CHUNGA

Cuéntanos, pues, entonces.

MECHE

¿Eso es lo que quieres? ¿Que te consolemos?

EL MONO

No quiero forzarlas a nada. Sólo si ustedes insisten...

LA CHUNGA (*Lo hace apoyar la cabeza en sus faldas; el Mono se encoge como un niño miedoso*)

Ven, apóyate aquí. Ponte cómodo.

MECHE (*Con voz acariciadora, dulce*)

Cuenta, Monito.

EL MONO (*Nervioso, haciendo un gran esfuerzo*)

Yo ni siquiera me di cuenta de lo que le hacía. Era muy chiquito, un churre de pantalón corto.

LA CHUNGA

¿Te refieres a la chiquita ésa? ¿A la hijita de Doña Jesusa, tu vecina?

EL MONO

Yo era un churre. ¿Acaso un churre tiene uso de razón?

MECHE

Claro que no, Monito. Sigue, pues. Yo te ayudo. Estuviste espiando que Doña Jesusa saliera al Mercado, a su puesto de verduras...

LA CHUNGA

Y cuando ella salió, entraste a su casa sin que

nadie te viera. Saltando la pared de cañas que da al platanal. ¿No?

EL MONO

Sí. Y ahí estaba la churre, en cuclillas, ordeñando la cabra. Le exprimía las tetitas. Así, así. ¡Y no tenía calzón, Chunga! ¡Te lo juro!

MECHE

Claro que te creemos. ¿Le viste todo, entonces?

EL MONO

Mejor di que ella me mostró todo, Mechita. ¿Para qué estaba sin calzón, pues? ¡Para qué iba a ser! Para que le vieran la cosita, para mostrársela a los hombres.

LA CHUNGA

¿Quiere decir que ella te provocó, Monito? Entonces, tú no tienes la culpa de nada. Ella se la buscó, por sinvergüenza y por cochina.

MECHE

¿Eso querías contarnos? ¿Que toda la culpa fue de la churre?

EL MONO (*Tristón*)

Bueno, no. Yo también tuve algo de culpa. ¿Acaso no me metí a casa de Doña Jesusa a escondidas? Así se meten a las casas los rateros, ¿no?

La Chunga
Pero tú no te metiste para robar, Monito.

El Mono
No. Me metí para ver a la churre, nomás.

Meche
¿Querías verla calatita?

El Mono
Era un churre, compréndanme. No me daba cuenta, no diferenciaba el bien del mal todavía.

La Chunga
Pero llevabas un cuchillo de este tamaño, Mono. ¿Te acuerdas?

El Mono
Me acuerdo.

Meche
¿No te dio pena la churre? ¿Ni cuando te sonrió, creyendo que estabas ahí por una simple travesura?

El Mono (*Desasosegado*)
¡Era una simple travesura! Y ella estaba sin calzón, Meche. Me provocó. Me...

La Chunga (*Amonestándolo, sin mucha severidad*)

La verdad, la verdad, Monito. Sí tenía calzón. Tú hiciste que se lo quitara.

MECHE

Amenazándola con matarla. ¿Sí o no, Monito?

EL MONO

Bueno, tal vez. Hace mucho de eso. Se me ha olvidado.

LA CHUNGA

Mentira, no se te ha olvidado. Le arranchaste el vestido y le ordenaste: «Bájate el calzón». Y cuando lo hizo, le miraste lo que querías mirarle. ¿Sí, Monito?

EL MONO (*Avergonzado*)

Sí, Chunguita.

MECHE

Y también la manoseaste, ¿no? También la toqueteaste por todas partes a la churre. ¿Sí o no?

EL MONO (*Angustiado*)

Pero no la violé, Meche. Juro por lo más santo que no la violé. Eso no.

LA CHUNGA

¿No la violaste? ¿Y qué fue lo que le hiciste, entonces? ¿No es lo mismo?

EL MONO (*Riéndose*)

¡Qué va a ser lo mismo! No seas tonta, Chunga. (*Bajando la voz, llevándose un dedo a los labios, haciendo «Shhht, shhht», como si fuera a revelar un gran secreto.*) Se la metí por el chiquito, ¿no te das cuenta? Ella quedó intacta de donde importa. Ni un rasguño, su marido pudo romperla la noche de bodas. Es una diferencia importantísima. Pregúntenle al Padre García, si quieren. «Si el himen quedó indemne, te absuelvo. Pero si no, no hay tutías, so tal por cual: te casas con la churre de la Jesusa». No me casó, o sea que... Ustedes tienen el honor en la telita ésa, en el himen, y eso es lo que deben defender con uñas y dientes. Nosotros, en cambio, tenemos el honor en el culo. Porque al hombre que le dan por el chiquito, juácate, recontrajodido para siempre. (*La Chunga y Meche lo miran, burlonas, mudas, y él se entristece y compunge. Se incorpora.*) Sí, es cierto, tienen razón en lo que están pensando. Fue muy malvado lo que le hice a la churre. Al Padre García pude engañarlo, pero a ustedes, no. Sé que, cuando me muera, Dios me castigará por eso.

LA CHUNGA

¿Para qué esperar tanto, Monito?

MECHE

Podemos castigarte nosotras de una vez.

EL MONO (*Se saca la correa de la cintura y se la*

alcanza. Se pone en postura de ser azotado)

Bueno. Sáquenme la mugre, háganme pagar mis maldades. No me tengan compasión. Rómpanme el honor, Chunga, Mechita.

LA CHUNGA Y MECHE (*Mientras lo azotan*)

¡Churre travieso! ¡Niño malcriado! ¡Churre bandido! ¡Niño corrompido! ¡Churre vicioso! ¡Niño malvado! ¡Degenerado!

El Mono gime, recibe los golpes encogido, sudando, con una suerte de fruición que termina en un espasmo. Meche y la Chunga se sientan y lo observan, mientras él, saciado, tristón, se endereza, se limpia la frente, se coloca la correa en el pantalón, se peina. Sin mirarlas, sale del cuartito y, discretamente, va a ocupar su lugar en la mesa de los inconquistables.

LA CHUNGA

¿Te vas sin despedirte ni decir gracias, Monito?

MECHE

Cuando quieras, vuelve a contarnos más maldades, Monito.

VIII

DOS AMIGAS

(Desde que el Mono desaparece del cuarto, Meche y la Chunga cambian de actitud, como si la anterior escena no hubiera ocurrido.)

LA CHUNGA

Algunos lo disimulan mejor que otros. Pero, apenas rascas un poquito y cae la costra, aparece la bestia.

MECHE

¿Crees que todos los hombres son así, Chunga? ¿Todos llevan escondido algo sucio?

LA CHUNGA

Todos los que conozco, sí.

MECHE

¿Las mujeres somos mejor?

LA CHUNGA

Por lo menos, lo que tenemos entre las piernas no nos vuelve, como a los hombres, unos demonios inmundos.

MECHE (*Tocándose el vientre*)
Entonces, ojalá sea mujer.

LA CHUNGA
¿Estás encinta?

MECHE
Se me ha cortado la regla hace dos meses.

LA CHUNGA
¿No te has hecho ver?

MECHE
Tengo miedo que me digan que estoy.

LA CHUNGA
¿No quieres tenerlo?

MECHE
Claro que quiero. Pero Josefino, no. Si estoy encinta, me hará abortar. Dice que ninguna mujer lo amarrará con un hijo.

LA CHUNGA
En eso, le doy la razón. No creo que valga la pena traer más gente a este mundo. ¿Para qué quieres un hijo? ¿Para que, de grande, sea igual a uno de ésos?

MECHE
Si todos pensaran así, se acabaría la vida.

LA CHUNGA

Por mí, se puede acabar mañana mismo.

Pausa.

MECHE

¿Sabes una cosa, Chunga? No creo que seas tan amarga como tratas de hacerme creer.

LA CHUNGA

Yo no trato de hacerte creer nada.

MECHE

Si lo fueras, yo no estaría aquí. (*Una luz pícara brota en sus ojos.*) No le habrías dado esos tres mil a Josefino para que yo pasara la noche contigo. Además…

LA CHUNGA

¿Además, qué?

MECHE (*Señalando la cama*)

Hace un rato, cuando me hacías cariños, me decías unas cosas muy tiernas. Que yo te hacía ver el cielo, que estabas feliz. ¿Me mentías?

LA CHUNGA

No. Era cierto.

MECHE

Entonces la vida no es tan fea, pues. Tiene sus cosas buenas. (*Se ríe.*) Me alegro de ser una de las cosas buenas que te puede dar la vida, Chunga. (*Pausa.*) ¿Te hago una pregunta?

LA CHUNGA

Si es cuántas mujeres han entrado aquí antes que tú, mejor no. No te lo voy a decir.

MECHE

No, no es eso. Sino, ¿te enamorarías de mí, Chunga? ¿Así como un hombre de una mujer? ¿Me querrías?

LA CHUNGA

Yo no me enamoraría de ti ni de nadie.

MECHE

No te creo, Chunga. No se puede vivir sin amor. Qué sería la vida si una no quisiera a alguien, si a una no la quisieran.

LA CHUNGA

La que se enamora se vuelve débil. Se deja dominar. (*La mira un rato en silencio.*) Ahora crees que es bueno. Ya hablaremos cuando veas lo que hace Josefino con tu amor. Ya hablaremos cuando estés en la Casa Verde.

MECHE

¿Por qué me asustas todo el tiempo con eso?

LA CHUNGA

Porque sé cuál será tu suerte. Ya te tiene en su

puño, ya hace contigo lo que quiere. Comenzará por prestarte a uno de los inconquistables, una noche de éstas, en una borrachera. Y acabará por convencerte que putees, con el cuento de juntar plata para una casita, para irse de viaje, para casarse.

MECHE

Cuando me dices esas cosas, no sé si lo haces por buena o por mala. Si quieres ayudarme o si te gusta darme miedo.

LA CHUNGA

Quiero ayudarte.

MECHE

¿Pero, por qué? ¿Acaso estás enamorada de mí? Me acabas de decir que no. ¿Por qué querrías ayudarme, tú, a la que todo le resbala, a la que todos le importan un pito?

LA CHUNGA (*La mira, reflexionando*)

Tienes razón. No sé por qué te estoy aconsejando. Qué me puede importar a mí tu vida.

MECHE

¿Aconsejaste antes a alguna conquista de Josefino?

LA CHUNGA

No. (*Observa a Meche. Le coge la barbilla con*

una mano y la obliga a mirarla a los ojos, acercándole mucho la cara.) Quizá me das más pena que las otras, sólo porque eres más bonita. Otra injusticia de la vida. Si no tuvieras esa carita, seguramente me importaría un pito que Josefino hiciera contigo lo que fuera.

MECHE

A ratos me pareces un monstruo, Chunga.

LA CHUNGA

Porque no quieres ver la vida como es. Lo monstruoso es la vida. No yo.

MECHE

Si la vida es como dices, preferible ser como yo. No pensar en lo que va a suceder. Vivir el momento, nomás. Y que sea lo que Dios quiera. (*Queda con una expresión de desconsuelo, mirándose el vientre.*)

LA CHUNGA

A lo mejor haces ese milagro: que Josefino se regenere.

MECHE

Sabes que no va a ocurrir.

LA CHUNGA

No. No va a ocurrir.

MECHE (*Se deja ir contra la Chunga y apoya su cabeza en su hombro. Pero la Chunga no la abraza*)

Me gustaría ser una mujer fuerte, como tú. Que sabe valerse por sí misma, que puede defenderse. Yo, si no tuviera quien se ocupara de mí, no sé qué haría.

LA CHUNGA

¿Eres manca, acaso?

MECHE

Si apenas sé leer, Chunga. ¿Dónde me darían trabajo? Sólo de sirvienta. ¿Mañana, tarde y noche barriendo, lavando, planchando la caca de los blanquitos de Piura? Eso no.

Pausa.

LA CHUNGA

Si hubiera sabido que podías estar encinta, no te habría hecho el amor.

MECHE

¿Te da asco una mujer embarazada?

LA CHUNGA

Sí. (*Pausa.*) ¿Te molestó lo que hicimos?

MECHE

¿Molestó? No sé. No...

LA CHUNGA

Dime la verdad.

MECHE

Al principio, algo. Me daban ganas de reírme. ¿Acaso eres un hombre? Me parecía que no era de verdad, que era un juego. Estuve conteniendo la risa, al principio.

LA CHUNGA

Si te hubieras reído...

MECHE

¿Me hubieras pegado?

LA CHUNGA

Sí, a lo mejor te hubiera pegado.

MECHE

Y tú decías que sólo a los hombres eso que tienen entre las piernas los convierte en unos demonios inmundos.

LA CHUNGA

Será que soy un hombre, entonces.

MECHE

No, no lo eres. Eres una mujer. Y, si quisieras, hasta una mujer guapa.

LA CHUNGA

No quiero ser guapa. Nadie me respetaría si lo fuera.

MECHE

¿Te has enojado por lo que te dije?

LA CHUNGA

¿Que contenías la risa? No, yo te pedí que me dijeras la verdad.

MECHE

Quiero que sepas una cosa, Chunga. Aunque yo no sea marimacho, bueno, perdona, como tú, quiero decir, me has caído bien. Me gustaría que fuéramos amigas.

LA CHUNGA

Anda vete de Piura. No seas tonta. ¿No ves que ya estás con un pie en la trampa? Antes que Josefino te dé el zarpazo, lárgate. Lejos de aquí. Todavía tienes tiempo. (*Le coge la cara.*) Yo te ayudaré.

MECHE

¿De veras, Chunga?

LA CHUNGA

Sí. (*De nuevo le pasa la mano por la cara, en una caricia brusca.*) No quiero verte pudriéndote en la Casa Verde, pasando de borracho en borracho... Anda vete a Lima, hazme caso.

MECHE

No conozco a nadie allá. ¿Qué voy a hacer en Lima?

LA CHUNGA

Aprender a valerte por ti misma. Pero, no seas estúpida. No te enamores. Eso distrae y la mujer que se distrae, se friega. Que se enamoren de ti, ellos. Tú no, nunca. Tú busca tu seguridad, una vida mejor de la que tienes. Acuérdate de esto, siempre: en el fondo, todos son como Josefino. Si les tomas cariño, te fregaste.

MECHE

No hables así, Chunga. ¿Sabes que cuando dices esas cosas me recuerdas a él?

LA CHUNGA

Será que Josefino y yo somos iguales.

Como si la mención de su nombre hubiera sido una llamada, Josefino se levanta de la mesa de los inconquistables. Sube la escalerilla.

IX

EL GRAN CAFICHE

Aunque Meche está en el cuartito y sigue, interesada, el diálogo de esta escena, Josefino y la Chunga actúan como si ella estuviera ausente.

JOSEFINO

Hola, Chunga. (*Mira en derredor y pasa los ojos por sobre Meche, sin verla.*) Vengo a llevarme a Meche.

LA CHUNGA

Ya se fue.

JOSEFINO

¿Tan temprano? Podías haberla atajado todavía un rato. (*Con una risita procaz.*) Sacarle el jugo a tus solcitos. (*La Chunga se limita a observarlo con la expresión admonitoria y de disgusto con que siempre lo mira.*) ¿Qué tal? ¿Cómo fue?

LA CHUNGA

¿Cómo fue, qué?

JOSEFINO

La Mechita. ¿Valía la pena?

LA CHUNGA

Te has pasado la noche chupando, ¿no? Apestas de pies a cabeza.

JOSEFINO

Qué me quedaba, Chunguita, si me habías dejado viudo. Dime, pues, ¿cómo se portó Meche?

LA CHUNGA

No te lo voy a decir. Eso no estaba en el trato.

JOSEFINO (*Riéndose*)

Tienes razón. Jajá, la próxima vez pondré esa cláusula. (*Pausa.*) ¿Por qué te caigo mal, Chunga? No mientas, yo me doy cuenta que siempre te he caído atravesado.

LA CHUNGA

No tengo por qué mentir. Es verdad. Siempre me has parecido un bicho de lo peor.

JOSEFINO

Yo, en cambio, siempre he tenido debilidad por ti. Hablando en serio, Chunga.

LA CHUNGA (*Riéndose.*)

¿Vas a tratar de conquistarme a mí también? Sigue. Muéstrame cómo engatusas a esas pobres idiotas.

JOSEFINO

No, no voy a tratar de conquistarte. (*Desnudándola con la mirada.*) No me faltan ganas, te aseguro. También me gustas como mujer. Pero yo sé cuándo no hay nada que hacer con una hembra. Contigo, sería perder el tiempo, no me harías caso. Yo nunca he perdido el tiempo con mujeres.

LA CHUNGA

Bueno, entonces, anda vete.

JOSEFINO

Primero hablemos. Quiero proponerte algo. Un negocio.

LA CHUNGA

¿Un negocio? ¿Tú y yo?

JOSEFINO (*Se sienta en la cama, enciende un cigarrillo. Se nota que lo que va a decir lo ha pensado largamente*)

Yo no quiero seguir siendo lo que soy, Chunga. Un inconquistable, eso. Yo tengo ambiciones, carajo. Yo quiero tener plata, chupar fino, fumar fino, vestirme con ternos de chasqui blanquisisísimos. Tener mi auto, mi casa, mis sirvientes. Poder hacer viajes. Yo quiero vivir como los blancos de Piura, Chunga. Eso es lo que quieres tú también ¿no? Para eso trabajas mañana, tarde y noche, para eso te rompes el alma. Porque quieres otra vida, esa que sólo se consigue con platita. Vamos a asociarnos, Chunga. Tú y yo, juntos, podemos hacer grandes cosas.

LA CHUNGA

Ya sé lo que me vas a proponer.

JOSEFINO

Mejor, entonces.

LA CHUNGA

La respuesta es no.

JOSEFINO

¿Tienes prejuicios? ¿Qué diferencia hay entre este barcito y un burdel? Yo te voy a decir cuál: que aquí se ganan centavos y en un burdel millones. (*Poniéndose de pie, señalando con los dedos, paseando por la habitación.*) Lo tengo todo muy estudiado, Chunga. Podemos empezar con unos cuatro cuartitos. Se pueden construir ahí, detrás de la cocina, en el corral de las basuras. Algo sencillo, de esteras y cañas, nomás. Yo me encargo de las chicas. Todas de primera, garantizado. En la Casa Verde les cobran el cincuenta por ciento. Les cobraremos el cuarenta y así podemos jalarnos a la que queramos. Pocas, al principio. En vez de cantidad, calidad. Yo me ocupo del orden y tú de la administración. (*Ansioso, vehemente.*) Nos haremos ricos, Chunguita.

LA CHUNGA

Si hubiera querido poner un burdel, ya lo habría hecho. ¿Para qué te necesito a ti?

JOSEFINO

Para las chicas. Yo seré todo lo que quieras. Pero en eso ¿he demostrado que sirvo o no? En eso soy el mejor, Chunga. Las conseguiré de primera, que no hayan trabajado antes. ¡Y hasta virgencitas, verás! De quince, dieciséis añitos. Eso enloquece a los clientes, Chunga. Tendremos aquí a todos los blancos de Piura, dispuestos a pagar fortunas. Chicas que estén iniciándose, nuevecitas...

LA CHUNGA

¿Como Meche?

JOSEFINO

Bueno, la Meche ya no está tan nuevecita, jajá... Ella será la estrella de la casa, por supuesto. Te juro que conseguiré chicas iguales o mejores que Meche, Chunga.

LA CHUNGA

¿Y si no quieren trabajar?

JOSEFINO

Eso es asunto mío. No sabré otras cosas, pero enseñarle a una chica que lo que Dios le dio es un número premiado de la lotería, eso sí lo sé. Yo he hecho ganar fortunas a la Casa Verde llevándole mujeres. ¿Para qué, carajo? Para recibir unas propinas mugrientas. Ya basta, ahora yo también quiero ser capitalista. ¿Qué dices, Chunguita?

LA CHUNGA

Ya te lo he dicho. No.

JOSEFINO

¿Por qué, Chunga? ¿Desconfías de mí?

LA CHUNGA

Claro que desconfío de ti. Al día siguiente de asociarnos, comenzarías a hacerme las cuentas del tío.

JOSEFINO

Por Dios que no, Chunga. Manejarás toda la plata. Te acepto eso. Te encargarás de los arreglos con las chicas, decidirás los porcentajes. No tocaré un centavo. Tienes carta blanca. Se hará lo que decidas. ¿Qué más quieres? No des la espalda a la suerte que viene a tocarte la puerta.

LA CHUNGA

Tú no serás nunca la suerte de nadie, Josefino. Y mucho menos de una mujer. Tú eres la mala suerte de las mujeres que, para su desgracia, creen lo que les dices.

JOSEFINO

¿O sea que te has vuelto santurrona, Chunguita? Yo nunca le he puesto la pistola en la cabeza a ninguna mujer. Yo las convenzo de una verdad. Que, en una noche en la Casa Verde, ganan más que trabajando seis meis en el Mercado. ¿Es cierto eso o no? Gracias a mí, algunas de ésas viven mejor que tú y que yo, carajo.

LA CHUNGA

No es por santurrona que no quiero ser tu socia. Ellas no me dan pena. Si fueron tan idiotas de hacerte caso, se merecen su suerte.

JOSEFINO

No me gusta cómo me estás hablando, Chunga. He venido en son de paz, a proponerte un buen negocio. Y tú me insultas. ¿Y si me enojo? ¿Sabes lo que podría pasar si me enojara? ¿O crees que una marimacho como tú puede resistirme a mí? (*A medida que habla, se va encolerizando.*) La verdad es que ya me tienes harto con esas maneritas de dueña del mundo, de creída, de concha de su madre, que te das conmigo. ¡Basta, carajo! Voy a escarmentarte, a ponerte en tu sitio. Hace rato que te la estás buscando. A mí ninguna mujer, y mucho menos una marimacho, me va a tratar por sobre el hombro. (*Saca su navaja y amenaza a la Chunga, como si ésta siguiera frente a él. Pero, en verdad, la Chunga se ha desplazado discretamente junto a Meche. Ambas observan a Josefino que sigue hablando, amenazando, a una Chunga invisible.*) ¿Y ahora, marimacho? ¿Tienes miedo, no es cierto? ¿Te orinas de miedo, no? Vas a ver cómo trato a las chúcaras. Nada me gusta tanto como que una hembra se me ponga chúcara. Eso me arrecha, para que lo sepas. ¡De rodillas, carajo! Obedece, si no quieres que te haga un crucigrama en la cara. ¡De rodillas he dicho! ¿Te crees mucho porque tienes esta pocilga de porquería? ¿Por los cuatro reales que has ahorrado explotando a los cojudos que venimos a consumir tus cervezas, pese a ser tan antipática? ¿Tú crees que no sé quién eres? ¿Tú crees que todo Piura no sabe que naciste en la Casa Verde, carajo?

Entre las putas, el agua de ruda y los caches. Quieta ahí, siga usted de rodillas, o la corto en pedacitos, so mierda. Eso es lo que eres tú, Chunga. Una hija de la Casa Verde, es decir, una hija de puta. No vengas a darte humos conmigo, que sé muy bien de dónde sales. Y ahora, chupa. Chupa o mueres, mierda. Obedece a tu macho. Chupa. Despacio y con cariño. Aprende a ser mi puta (*Un buen rato, mima la escena, sudando, temblando, acariciado por la invisible Chunga.*) Ahora, trágate eso que tienes en la boca. Es mi regalo de cumpleaños. (*Lanza una risita, ya aplacado y hasta un poco aburrido.*) Dicen que es bueno para el cutis, jajá. ¿Te asustaste? ¿Creíste que te iba a matar? Qué zonza eres. Yo no soy capaz de matar a una mujer; en el fondo, yo soy un caballero, Chunguita. Yo respeto al sexo débil. Es un juego, ¿ves? Eso me la para y así me doy gusto. ¿Tú no tienes tus truquitos, también? Cuando entremos más en confianza, me los dirás, y yo te daré gusto. No soy uno de esos que creen que la mujer no debe darse gusto, que si le enseñas a irse terminará metiéndote cuernos. Eso es lo que creen José y el Mono, por ejemplo. Yo no, yo soy justo. La hembra también tiene derecho, ¿por qué no, pues? ¿Hacemos las paces, Chunguita? No seas rencorosa. Amistemos. Choquemos esos cinco, como dicen los churres. (*La Chunga se ha materializado de nuevo junto a Josefino.*) ¿Te animas a que hagamos ese negocio? Nos haríamos ricos, te juro.

LA CHUNGA

No nos haríamos ricos. Quizá ganaríamos más de lo que yo gano. Pero es seguro que yo saldría perdiendo. Tú me harías sentir, tarde o temprano, que eres el más fuerte, como ahorita. Y donde te discutiera, sacarías tu chaveta, tus puños, tus patadas. Terminarías ganando. Prefiero morirme pobre que hacerme rica contigo.

JOSEFINO (*Yendo a reunirse con los otros inconquistables, en la mesa de juego*)

Qué brutas pueden ser las mujeres, Dios mío...

X

FIN DE FIESTA

Larga pausa entre Meche y la Chunga, mientras observan a Josefino bajar la escalerilla, ocupar otra vez su sitio.

MECHE

Dime, Chunga, ¿me podría ir ya? No tarda en amanecer. Debe ser como las seis, ¿no?

LA CHUNGA

Sí, te puedes ir. ¿No quieres dormir un poco, antes?

MECHE

Si no te importa, preferiría irme.

LA CHUNGA

No me importa.

Bajan juntas la escalerita y avanzan hacia la salida. Se detienen a la altura de la mecedora. Los inconquistables se han acabado las cervezas y juegan, bostezando, sin ver a las dos mujeres.

MECHE (*Dudando un poco*)

Si quieres que venga otra vez, a quedarme aquí contigo, en la noche quiero decir...

LA CHUNGA

Claro que me gustaría que pasáramos juntas otra noche.

MECHE

Bueno, no hay problema. A mí no me importa, Chunga. Más bien...

LA CHUNGA

Espera, déjame terminar. Me gustaría, pero no quiero. Ni que vengas a pasar otra noche conmigo, ni que vuelvas por acá.

MECHE

¿Pero, por qué, Chunga? ¿Qué he hecho?

LA CHUNGA (*La mira un momento, muda y, luego, le coge la cara, como otras veces*)

Porque eres muy bonita. Porque me gustas y porque has conseguido que me compadezca de ti, de tu suerte. Eso, para mí, es tan peligroso como enamorarme, Meche. Ya te lo he dicho. No puedo distraerme. Perdería la guerra. Así que no quiero verte nunca más aquí.

MECHE

No entiendo lo que dices, Chunga.

LA CHUNGA

Ya sé que no entiendes. No importa.

MECHE

¿Te has enojado conmigo por algo?

LA CHUNGA

No, no me he enojado por nada. (*Le alcanza un dinero.*) Toma. Es un regalo. Para ti, no para Josefino. No se lo des, ni le digas que te lo he dado.

MECHE (*Confundida*)

No, no le diré nada. (*Se esconde el dinero en la ropa.*) Me da vergüenza recibir tu plata. Me hace sentir...

LA CHUNGA

¿Una puta? Bueno, anda acostumbrándote, por si trabajas en la Casa Verde. En fin... ¿Sabes lo que vas a hacer con tu vida? (*Meche va a responder, pero la Chunga le tapa la boca.*) No me lo digas. No quiero saberlo. Si te vas de Piura o te quedas, es cosa tuya. No me cuentes. Esta noche he querido ayudarte, pero mañana será otro día. No estarás aquí y todo será diferente. Si te vas y me dices dónde, y a mí Josefino me pone la chaveta aquí, terminaré diciéndole todo. Ya te he dicho que no quiero perder la guerra. Y si me matan, ya no hay más guerra. Anda, piensa, decídete y haz lo que te parezca. Pero, sobre todo, si te vas, nunca se te ocurra decirme ni escribirme ni hacerme saber dónde estás. ¿Bueno?

MECHE

Bueno, Chunga. Chau, entonces.

LA CHUNGA

Chau, Meche. Buena suerte.

Meche sale de la casa. La Chunga regresa a sentarse en su mecedora. Queda en la misma postura en que estaba al levantarse el telón, al principio de la obra. Se oyen las voces de los inconquistables, bajo el humo de sus cigarrillos. Larga pausa.

LA CHUNGA (*Enérgica*)

¡Ahora, sí! Me pagan y se van. Voy a cerrar.

EL MONO

Siquiera cinco minutitos más, Chunga.

LA CHUNGA

Ni un segundo más. Se van ahora mismo, he dicho. Tengo sueño.

LITUMA (*Poniéndose de pie*)

Yo también tengo sueño. Y, además, ya me pelaron hasta el último cobre.

JOSÉ

Sí, vámonos de una vez, la noche se ha puesto triste.

EL MONO

Pero, antes, el himno de despedida, inconquistables.

EL MONO, JOSÉ, LITUMA Y JOSEFINO

(*Cantan, con aburrida voz de fin de fiesta.*)

Somos los inconquistables
Que no quieren trabajar
Sólo chupar, sólo vagar,
Sólo cachar
Somos los inconquistables
Y ahora vamos a partir:
¡Adiós, Chunguita!

Se levantan, se dirigen hacia la mecedora. La Chunga se pone de pie, para recibir el dinero de las cervezas. Se lo alcanzan, entre todos. La Chunga los acompaña hasta la puerta.

JOSÉ (*Antes de cruzar el umbral, como repitiendo un rito*)

¿Mañana me cuentas lo que pasó esa vez con Mechita, Chunga?

LA CHUNGA (*Cerrándole la puerta en las narices*)

Que te lo cuente la que ya sabes.

Afuera, los inconquistables se ríen, festejando la grosería. La Chunga asegura la puerta con una tranca. Va y apaga la lámpara de querosene que pendía sobre la mesa donde jugaban los inconquistables. Con aire soñoliento, sube a su cuartito. Sus gestos denotan gran fatiga. Se deja caer en la cama, quitándose apenas las sandalias.

VOZ DE LA CHUNGA

Hasta mañana, Mechita.

TELÓN

Firenze, 6 de julio de 1985

ÍNDICE

Impreso en el mes de octubre de 1990
en Romanyà/Valls
Verdaguer, 1
Capellades
(Barcelona)

Bouillon de poulet pour l'âme - 2

Des mêmes auteurs
aux Éditions J'ai lu

En édition de poche :
Bouillon de poulet pour l'âme – 80 histoires qui réchauffent le cœur et remontent le moral, *J'ai lu* 7155

Dans la collection Équilibres :
Bouillon de poulet pour l'âme de la femme – Des histoires qui réchauffent le cœur et l'âme, *Équilibres* 6043
Bouillon de poulet pour l'âme au travail – Des histoires de courage, de compassion et de créativité, *Équilibres* 6064

JACK CANFIELD
MARK VICTOR HANSEN

Bouillon de poulet pour l'âme - 2

De nouvelles histoires qui réchauffent le cœur et remontent le moral

Traduit de l'américain
par Annie Desbiens et Miville Boudreault

Bien-être

Titre original :
A 3RD SERVING OF CHICKEN SOUP FOR THE SOUL
101 MORE STORIES TO OPEN THE HEART AND REKINDLE THE SPIRIT

Dédicace

Les histoires sont vivantes. Elles viennent vous habiter et, si vous les accueillez bien, elles vous instruisent. Lorsqu'elles sont prêtes à circuler, elles vous le font savoir. Et vous pouvez dès lors les transmettre à quelqu'un d'autre.

Un conteur Cree

Nous aimerions dédier ce livre aux douze millions de personnes qui ont lu les livres de la série *Bouillon de poulet pour l'âme* et qui les ont fait lire à leur famille, à leurs amis, à leurs associés, à leurs employés et à leurs élèves, ainsi qu'aux quelque cinq mille lecteurs qui nous ont soumis des histoires, des poèmes et des citations pour ce nouveau Bouillon de poulet pour l'âme. Bien qu'il ait été impossible de publier tout ce que nous avons reçu, votre désir sincère de vous raconter ou de raconter une histoire à nos lecteurs nous a profondément touchés.

Recevez toute notre amitié !

Sommaire

Remerciements

Il a fallu plus d'une année pour écrire, compiler et éditer ce troisième volume de la série *Bouillon de poulet pour l'âme*, une entreprise qui nous procure toujours autant de plaisir. Toutefois, ce livre n'aurait jamais vu le jour sans la contribution des personnes suivantes, que nous aimerions remercier.

Peter Vegso et Gary Seidler de Health Communications, qui ont continué de regarder dans la même direction que nous et qui ont appuyé si totalement l'équipe et le projet.

Nos épouses, Georgia et Patty, et nos enfants, Christopher, Oran, Kyle, Melanie et Elisabeth, qui nous ont soutenus de leur affection et qui nous ont aidés à réviser et à écrire les histoires. En croyant au projet et en nous encourageant, ils nous ont permis de surmonter les moments de découragement.

Patty Aubery, qui a une fois de plus passé d'innombrables heures à dactylographier encore et encore les manuscrits et à superviser les étapes de production finales. Patty, sans toi, nous n'y serions pas arrivés !

Nancy Mitchell, qui a lu toutes les histoires proposées et qui a investi des heures incalculables et des efforts herculéens pour se retrouver dans le labyrinthe d'autorisations qu'il fallait trouver et obtenir.

Kim Wiele, qui nous donne toujours de précieux conseils littéraires et de judicieuses suggestions.

Angie Hoover, qui a dactylographié de nombreuses histoires et qui s'est acquittée de tout le travail de bureau de Jack dans les jours où nous terminions ce livre.

Heather McNamara, qui a collaboré tant à la révision et à la saisie des textes qu'à l'obtention finale des autorisations de reproduire.

Kelle Apone, qui a dactylographié et révisé de nombreuses histoires.

Larry et Linda Price, Laverne Lee et Michele Nuzzo qui, en plus d'avoir assuré la bonne marche de la fondation de Jack, Self-Esteem Foundation, se sont occupés du projet « Soupe populaire pour l'âme » et de la distribution de plus de quinze mille exemplaires de *Bouillon de poulet pour l'âme* auprès de détenus, de sans-abri, de bénéficiaires de l'aide sociale, de jeunes en difficulté et d'autres gens dans le besoin à travers l'Amérique du Nord.

Lisa Williams, qui s'est occupée des affaires de Mark afin qu'il puisse se consacrer exclusivement à la finition de ce livre.

Trudy, d'Office Works, Wanda Pate et Alyce Shuken, qui ont dactylographié la première version de ce livre en un temps record et presque sans faute. Mille fois merci !

Christine Belleris et Matthew Diener, nos éditeurs chez Health Communications, qui nous ont généreusement aidés à produire un ouvrage de grande qualité.

Dottie Walters, qui n'a jamais cessé de croire en nous et qui nous a continuellement mis en contact avec des gens qui pouvaient avoir une histoire à proposer.

Merci également aux quelque cinq mille personnes qui nous ont soumis des histoires, des poèmes et autres écrits ; vous vous reconnaissez sûrement. Si la plupart des textes étaient magnifiques, certains s'inséraient difficilement dans la structure d'ensemble de ce livre. Cependant, un grand nombre de ces textes seront utilisés dans les volumes ultérieurs de la série *Bouillon de poulet pour l'âme*. En effet, nous publierons prochainement *Bouillon de poulet pour l'âme du malade, Bouillon de poulet pour l'âme en deuil, Bouillon de poulet pour l'âme des grands-parents, Bouillon de poulet pour l'âme de l'adolescent, Bouillon de poulet pour l'âme de la femme.*

Nous tenons également à remercier les personnes suivantes, qui ont lu la *toute première* version de plus de deux cents histoires, qui nous ont aidés à sélectionner et qui ont fait des commentaires inestimables sur la façon d'améliorer ce livre : Steve Andreas, Kelle Apone, Gerry Beane, Michael et Madonna Billauer, Marsha Blake, Rick Canfield, Taylor et Mary Canfield, Dominic et Linda Cirincione, Kate Driesen, Jim Dyer, Thales Finchum, Judy Haldeman, Patty Hansen, Jennifer Hawthorne, Kimberly Kirberger, Randi Larsen, Sandy et Phil Limina, Donna Loesch, Michele Martin, Hanoch et Meladee McCarty, Ernie Mendes, Linda Mitchell, Christan Hummel, Cindy Palajac, Dave Rabb, Martin Rutte, Marci Shimoff, Susan Sousa, Carolyn Strickland, Diana von Welanetz Wentworth, Dottie Walters, Lilly Walters, Harold Clive Wells (coauteur avec Jack de *100 Ways to Enhance Self-Concept in the Classroom*), Kathy Wiele, Niki Wiele, Martha Wigglesworth et Maureen Wilcinski.

Nous souhaitons remercier aussi les personnes suivantes, qui nous ont considérablement aidés : Tricia Serfas ; John Hotz, d'Economics Press, qui était toujours là quand nous en avions besoin ; Brian Cavanaugh, qui a fourni une bonne partie des citations choisies ; Trevor Dickinson, pour toutes les citations qu'il nous a envoyées ; Pam Finger, dont le bulletin a toujours été une source d'inspiration ; Jillian Manus, pour l'information qu'elle nous a donnée concernant les écrivains dont les manuscrits sont refusés mais qui finissent par devenir célèbres à force de persévérance ; Bob Proctor, qui nous a soumis de si nombreuses histoires ; Ruth Stotter, pour sa merveilleuse collection de citations sur l'art de raconter des histoires ; Dena Sherman de BookStar, situé à Torrance en Californie, qui était toujours là lorsque nous avions un problème de recherche et qui nous a aidés à retrouver certaines des autorisations dont nous avions besoin ; enfin, Arielle Ford et Kim Weiss, nos agents de publicité, qui nous ouvrent les portes des stations de radio et de télévision afin que nous puissions parler de nos livres.

Compte tenu de l'envergure de ce projet, nous avons sans doute oublié de remercier des personnes très importantes qui nous ont aidés en cours de route. Elles sauront se reconnaître. Sachez que nous nous excusons de cet éventuel oubli et que nous vous remercions du fond du cœur pour votre appui et vos efforts. À tous ceux qui ont contribué de près ou de loin à la réalisation de ce projet, nous sommes sincèrement reconnaissants. Nous vous aimons tous !

Introduction

Dieu a créé l'homme parce qu'il adore les histoires.

Elie WIESEL

C'est du fond du cœur que nous vous offrons ce *Bouillon de poulet pour l'âme – 2*. Nous sommes convaincus que les dizaines d'histoires contenues dans ce livre vous inspireront et vous inciteront à aimer encore plus inconditionnellement, à vivre encore plus passionnément et à poursuivre encore plus ardemment vos rêves les plus chers. Ce livre vous soutiendra dans les moments de difficulté, de déception et de défaite, et vous réconfortera dans les moments de confusion, de souffrance et de perte. Il deviendra un véritable compagnon de route en vous aidant à grandir en compréhension et en sagesse dans tous les aspects de votre vie.

Nous croyons que ce livre vous fera vivre une expérience vraiment extraordinaire. Le premier volume, *Bouillon de poulet pour l'âme,* a profondément marqué la vie de plusieurs millions de lecteurs à travers le monde. Les centaines de lettres que nous recevons chaque semaine témoignent des transformations miraculeuses qui se sont produites chez des individus et des organisations qui ont lu et utilisé ces livres. Tous ces gens nous disent que l'amour, l'espoir, le soutien et l'inspiration qu'ils ont trouvés dans nos histoires ont changé leur existence.

Une histoire peut éclairer notre relation avec autrui, susciter la compassion, faire naître le sens de l'émerveillement ou confirmer que « nous sommes tous solidaires dans la grande aventure de la vie ». Une histoire peut nous pousser à réfléchir à notre présence sur cette terre... Une histoire peut nous forcer à admettre une nouvelle vérité, nous donner une nouvelle perspective, une nouvelle façon de percevoir l'univers.

Ruth STOTTER

Forts de tous les témoignages que nous avons reçus au sujet de l'influence de notre premier volume sur l'existence d'un si grand nombre de personnes, nous sommes plus que jamais convaincus que les histoires constituent un des moyens les plus efficaces de transformer nos vies. Les histoires s'adressent directement au subconscient. Elles donnent des conseils sur la vie. Elles offrent des solutions aux problèmes quotidiens et présentent des modèles de comportement efficaces. Elles font ressortir la grandeur de la nature humaine et ses possibilités infinies. Elles permettent de prendre du recul, invitent au rêve et encouragent à donner sa pleine mesure, souvent sous-estimée. Elles rappellent l'essentiel et mettent en lumière nos plus grands idéaux.

Comment lire ce livre

On peut lire ce livre d'un seul trait – beaucoup l'ont fait et en ont éprouvé une grande satisfaction. Cependant, nous vous recommandons de prendre votre temps et de savourer chaque histoire tel un bon vin. Vous serez mieux en mesure de réfléchir au sens du récit et à son incidence sur votre vie. Si vous prenez votre temps, vous découvrirez que chaque histoire nourrit pleinement votre cœur, votre esprit et votre âme d'une façon différente.

Un vieil indien zunien demanda un jour à un anthropologue qui notait soigneusement une histoire : « Lorsque je te raconte ces histoires, est-ce que tu les comprends ou est-ce que tu te contentes de les recopier ? »

Dennis TEDLOCK

L'équivalent anglais du mot histoire, « story », vient du mot « storehouse », ou magasin. Donc, une histoire est comme un magasin. Dans un magasin, on entrepose des choses ; dans une histoire, les choses qu'on entrepose sont souvent celles qui révèlent la signification de l'histoire.

Michael MEADE

Dans toutes les histoires de ce livre, sans exception, vous pouvez établir des liens avec votre existence. Prenez le temps de méditer sur chaque histoire afin de découvrir le lien intime qui la rattache à votre propre vie.

L'expérience à elle seule ne nous apprend rien si nous ne prenons pas le temps d'y réfléchir.

Robert SINCLAIR

Parmi les histoires que nous avons trouvées ou qui nous ont été soumises, plusieurs se terminaient sur une morale et des conseils déjà tout réfléchis. Dans la plupart des cas, nous avons éliminé les passages moralisateurs et le prêchi-prêcha, de façon à laisser les histoires parler d'elles-mêmes et à vous laisser tirer vos propres conclusions.

Un jour, un élève se plaignit à son maître : « Tu nous racontes de belles histoires, mais sans jamais en révéler le sens. »

Le maître répondit : « Qu'en penserais-tu si quelqu'un t'offrait un fruit mais qu'il le mastiquait avant de te le donner ? »

Auteur inconnu

Faites lire ces histoires aux autres

Les histoires peuvent instruire, corriger des erreurs, réconforter et éclairer, donner à l'âme un refuge, accélérer le changement et apaiser la souffrance.

Clarissa Pinkola ESTES

Une histoire est le plus beau des cadeaux !

Diane MACINNES

Parfois, vous lirez une histoire qui vous émouvra et vous aurez alors envie de la faire lire à un être cher ou à un ami. Lorsqu'une histoire vous touche au plus profond de votre être, fermez les yeux, ne serait-ce qu'un instant, et posez-vous cette question : « Qui aurait besoin d'entendre cette histoire en ce moment ? » Si une personne en particulier vous vient à l'esprit, prenez le temps d'aller la voir ou de lui téléphoner, et faites-lui lire l'histoire ou lisez-la-lui. Vous serez ainsi encore plus imprégné de la signification profonde de cette histoire.

Les histoires sont des repères lumineux qui guident le cheminement spirituel.

Ruth STOTTER

Lorsque vous aurez fait connaître à une autre personne une histoire qui vous a touché, dites-lui pourquoi cette histoire vous a ému et pourquoi vous avez eu envie de la lui faire lire. Et, plus important encore, profitez des histoires que vous lisez pour donner libre cours à vos propres histoires.

Lorsqu'on lit les histoires des autres, qu'on se les raconte ou qu'on se les fait raconter, on ouvre la voie à sa propre métamorphose. Les histoires font circuler l'énergie de notre inconscient et permettent de guérir, d'intérioriser, d'exprimer et de progresser. Des centaines de lecteurs nous ont raconté comment les histoires du premier volume de la série *Bouillon de poulet* avaient provoqué en eux un déluge d'émotions et comment elles avaient donné lieu à une intense communication dans leur famille ou avec d'autres. Des familles entières se sont mises à se rappeler d'importantes expériences de vie et à en discuter à table, dans des réunions familiales, en classe, dans des groupes de soutien, à l'église et même au travail.

Pour un Navajos, la valeur d'une personne dépend des histoires et des chants qu'elle connaît, car c'est ce bagage qui la relie à l'histoire de toute la communauté.

Luci TAPAHONSO

Des ministres du culte, des rabbins, des psychologues, des conseillers, des formateurs, des animateurs de groupes d'entraide ont commencé ou conclu leurs sermons, leurs rencontres et leurs sessions par des histoires tirées de notre série de livres. Nous vous encourageons à faire de même. Les gens ont faim de cette nourriture pour l'âme. Une histoire prend seulement quelques minutes à raconter, mais elle peut marquer pour toujours.

Nous vous encourageons également à raconter *vos* histoires aux gens qui vous entourent. Ces gens ont peut-être besoin de les entendre. Et comme le révèlent plusieurs histoires dans ce livre, votre histoire peut même sauver une vie.

Raconter une histoire, c'est donner de l'amour.

Lewis CARROLL

Au fil des ans, beaucoup de gens nous ont inspirés en nous faisant connaître leurs histoires. Nous les en remercions. Nous espérons pouvoir à notre tour vous inciter à aimer et à vivre plus intensément. Si nous y parvenons, nous aurons réussi.

Les histoires sont comme une poudre magique. Plus on en donne, plus on en reçoit.

Polly MCGUIRE

En terminant, souhaitons que vous aurez autant de plaisir à lire ce *Bouillon de poulet pour l'âme – 2* que nous en avons eu à le préparer.

Jack CANFIELD et Mark Victor HANSEN

1
L'amour

L'amour triomphe de tout.

VIRGILE

Redevable au centuple

Le rendez-vous auquel je me rendais était très important. J'étais très en retard et totalement perdu. Laissant mon amour-propre de côté, je me mis à chercher un endroit où on m'indiquerait mon chemin, de préférence une station-service.

J'avais sillonné toute la ville, et j'allais bientôt manquer d'essence et de temps.

J'aperçus la lueur ambrée qui éclairait la façade de la caserne de pompiers. N'était-ce pas l'endroit tout indiqué pour demander mon chemin ?

Je descendis rapidement de ma voiture et me dirigeai vers la caserne de l'autre côté de la rue. Les trois portes basculantes étaient ouvertes et je pouvais voir les camions de pompiers écarlates aux portières entrebâillées, aux chromes reluisants, qui attendaient la sonnette d'alarme.

Lorsque j'entrai dans la caserne, son arôme m'enveloppa. Les tuyaux qui séchaient sur la tour d'exercice, les grosses bottes de caoutchouc, les vestes et les casques dégageaient une odeur qui, mêlée à celle des planchers et des camions fraîchement lavés et polis, exhalait ce mystérieux parfum qui embaume toutes les casernes de pompiers. Je m'arrêtai un instant pour inspirer longuement, les yeux fermés, et je me sentis transporté à l'époque de mon enfance, dans la caserne où mon père avait travaillé pendant trente-cinq ans comme chef de pompiers.

Je regardai au fond de la caserne. Il était là, d'un or étincelant, pointant vers le ciel : le mât. Un jour, papa nous avait laissés, mon frère Jay et moi, le descendre deux fois en glissant. Dans le coin de la caserne, il y avait le « sommier roulant » qui servait à glisser sous les camions de pompiers pour les réparer. Papa disait « Tiens-toi bien » et il me faisait tourner jusqu'à ce que je sois étourdi comme un matelot ivre. Je préférais ce jeu à tous les manèges que j'avais essayés.

À côté du sommier roulant trônait un vieux distributeur de boissons gazeuses qui portait le très classique logo de Coca-Cola. Il distribuait encore les anciennes bouteilles vertes de 150 ml, qui coûtaient maintenant trente-cinq cents et non dix cents comme à l'époque. Le distributeur automatique était l'attraction principale chaque fois que papa m'emmenait faire un tour à la caserne. Imaginez : une bouteille de soda pour moi tout seul !

Lorsque j'avais dix ans, j'invitai deux de mes amis à la caserne, histoire de faire valoir mon père et de voir si nous pourrions lui soutirer quelques bouteilles de soda. Après avoir fait visiter la caserne à mes amis, je demandai à mon père si nous pouvions avoir chacun un soda avant d'aller dîner à la maison.

Je décelai une hésitation presque imperceptible dans la voix de mon père, ce jour-là, mais il répondit « Bien sûr » et nous donna à chacun une pièce de dix cents. Nous fonçâmes sur le distributeur, impatients de voir si nous aurions une bouteille dont la capsule portait l'étoile tant convoitée.

Jour de chance ! Il y avait une étoile dans ma capsule. Encore deux capsules, et je pourrais me faire envoyer mon propre chapeau Davy Crockett.

Nous remerciâmes mon père et retournâmes chacun à la maison, où nous attendaient un repas et un après-midi de baignade estivale.

Ce jour-là, je revins plus tôt que prévu du lac. Lorsque je traversai le vestibule à la maison, je surpris une discussion entre mes parents. Maman semblait fâchée contre papa et je l'entendis prononcer mon nom : « Tu aurais dû dire, tout simplement, que tu n'avais pas d'argent pour acheter des sodas. Brian aurait compris. C'était l'argent de ton dîner. Les enfants doivent comprendre que nous n'avons pas d'argent à gaspiller et que tu dois manger. »

Mon père se tut en haussant les épaules, comme à l'accoutumée.

Avant que ma mère s'aperçoive de ma présence, je montai l'escalier en courant jusqu'à la chambre à coucher que je partageais avec mes quatre frères.

Lorsque je vidai mes poches, la capsule de bouteille qui avait causé tant de problèmes tomba par terre. En la ramassant pour aller la mettre avec les sept autres, je me rendis compte du sacrifice que mon père avait consenti pour cette capsule.

Le soir même, je me fis la promesse de m'acquitter de cette dette. Un de ces jours, pensai-je, je dirais à mon père que je savais le sacrifice qu'il avait fait cet après-midi-là et bien d'autres fois encore, et que je n'oublierais jamais son geste.

Mon père n'avait que quarante-sept ans lorsqu'il eut sa première crise cardiaque. J'imagine que toutes ces années à occuper trois emplois pour subvenir aux besoins d'une famille de neuf personnes eurent finalement raison de sa santé. Le soir de son vingt-cinquième anniversaire de mariage, entouré de tous les siens, le plus fort et le plus grand de nous tous montra la première fêlure d'une cuirasse que nos yeux d'enfants avaient toujours cru invincible.

Au cours des huit années qui suivirent, mon père lutta sans cesse pour sa santé et eut trois autres crises, avant de finalement se retrouver avec un stimulateur cardiaque.

Un après-midi, sa vieille auto bleue étant tombée en panne, mon père me téléphona pour me demander de le conduire à son examen médical annuel. Lorsque j'arrivai à la caserne, je vis mon père et tous les autres pompiers attroupés autour d'une camionnette flambant neuve. C'était une Ford d'un bleu profond, une véritable merveille. Je dis à mon père que cette camionnette était vraiment belle, et il répondit qu'un jour il en aurait une pareille.

Nous éclatâmes de rire. Posséder une camionnette de ce genre avait toujours été son rêve, un rêve qui avait toujours semblé inaccessible.

À cette époque de ma vie, mes affaires allaient plutôt bien, comme celles de tous mes frères d'ailleurs. Nous avions déjà offert à mon père de lui acheter une camionnette, mais il avait répliqué avec l'à-propos qu'on lui connaissait : « Si ce n'est pas moi qui l'achète, je n'aurai pas l'impression qu'elle m'appartient. »

Lorsque mon père sortit du bureau du médecin, j'attribuai son regard livide aux multiples désagréments de l'examen médical.

« Allons-y » furent ses seuls mots.

En montant dans la voiture, je compris que ça n'allait pas. Je démarrai en silence, sachant que papa finirait par me dire ce qui n'allait pas, à sa façon.

Je pris le plus long chemin pour retourner à la caserne. En passant devant notre vieille maison, le terrain de jeu, le lac et l'épicerie du coin, mon père se mit à parler du passé et des souvenirs que ces lieux lui rappelaient.

C'est à ce moment que je sus qu'il allait mourir.

Il me regarda et hocha la tête.

Je compris.

Nous nous arrêtâmes au bar laitier et nous mangeâmes une glace ensemble pour la première fois depuis quinze ans. Ce jour-là, nous parlâmes pour de vrai. Il me dit qu'il était très fier de nous tous et qu'il n'avait pas peur de mourir. Il craignait seulement de ne plus être auprès de ma mère.

Je lui souris, car jamais un homme n'avait été aussi amoureux d'une femme que mon père.

Cet après-midi-là, il me fit promettre de ne rien dire à personne de sa mort imminente. En acceptant de tenir cette promesse, je savais que ce serait l'un des secrets les plus lourds de toute ma vie.

À cette époque, ma femme et moi avions besoin d'un nouveau véhicule. Comme mon père connaissait le vendeur chez le concessionnaire « Cochituate », je lui demandai de m'accompagner pour voir ce que je pourrais obtenir en échange de ma vieille voiture.

Dans la salle d'exposition, pendant que je discutais avec le vendeur, j'aperçus mon père qui admirait la plus belle camionnette qui soit, un véhicule entièrement équipé, de couleur chocolat et au fini métallique. Je vis mon père faire glisser sa main sur la carrosserie comme un sculpteur examinant son œuvre.

« Papa, je pense que je devrais acheter une camionnette ; quelque chose de petit qui ne consomme pas trop d'essence. »

Lorsque le vendeur quitta la salle d'exposition pour aller chercher la plaque du concessionnaire, je suggérai à mon père de faire un essai de conduite avec la camionnette brune.

« Tu n'as pas les moyens de t'acheter cette camionnette », dit-il.

« Je sais cela, et tu le sais aussi, mais le vendeur, lui, ne le sait pas », rétorquai-je.

Lorsque nous prîmes la route dans la camionnette brune, mon père au volant, nous rîmes comme deux enfants du bon coup que nous venions de réussir. Il conduisit pendant dix minutes en vantant l'excellente tenue de route du véhicule, tandis que je tripotais les nombreux boutons.

De retour à la salle d'exposition, nous choisîmes une petite camionnette bleue. Mon père fit remarquer que c'était un véhicule qui convenait mieux à mes nombreux déplacements, car il coûterait moins cher de carburant. Je lui dis qu'il avait raison, puis nous allâmes voir le vendeur pour conclure l'achat.

Quelques jours plus tard, en soirée, je téléphonai à mon père pour lui demander de venir avec moi chercher ma nouvelle camionnette. Il accepta sans la moindre hésitation ; à mon avis, il espérait seulement jeter un dernier coup d'œil à « sa camionnette brune » comme il l'appelait.

En arrivant dans l'aire de stationnement du concessionnaire, j'aperçus ma petite camionnette bleue qui portait une étiquette indiquant qu'elle était vendue. Juste à côté se trouvait la camionnette brune, impeccable et rutilante. Sur son pare-brise, il y avait une grande étiquette qui disait « VENDU ».

Je regardai furtivement mon père et je vis la déception passer dans ses yeux lorsqu'il dit : « Quelqu'un vient de s'offrir une magnifique camionnette. »

Je fis signe que oui et lui demandai : « Papa, irais-tu à l'intérieur dire au vendeur que je serai là dès que j'aurai garé la voiture ? » Lorsque mon père passa à côté de la camionnette brune, il fit glisser sa main sur la carrosserie et je vis de nouveau la déception passer dans ses yeux.

Je garai ma voiture de l'autre côté du bâtiment et, sans descendre, je regardai par la vitre cet homme qui avait renoncé à tout pour sa famille. J'observai le vendeur inviter mon père à s'asseoir, lui tendre les clés de sa camionnette (la brune) et lui expliquer que c'était son cadeau à lui, de ma part, et que c'était notre secret.

Mon père se tourna vers la fenêtre et nos regards se croisèrent ; nous hochâmes la tête en riant tels deux complices.

J'attendais devant chez moi lorsque mon père vint me chercher ce soir-là. Lorsqu'il descendit de sa camionnette, je le pris dans mes bras, je l'embrassai en lui disant combien je l'aimais et je lui rappelai que c'était notre secret à nous.

Nous partîmes ensuite faire une promenade en camionnette. Mon père me fit remarquer qu'il comprenait le secret de la camionnette, mais qu'il se demandait à quoi rimait la capsule de bouteille de Coca-Cola qui portait une étoile et qui était collée au milieu du volant...

Brian KEEFE

Pourboire compris

Un jour, à l'époque où une glace coûtait beaucoup moins cher, un garçon de dix ans entra dans le restaurant d'un hôtel et s'assit à une table. Une serveuse lui apporta un verre d'eau. « Combien coûte une glace garnie de fraises et de chocolat ? » demanda le garçon.

« Cinquante cents », répondit la serveuse.

Le garçon fouilla dans sa poche et en sortit une poignée de pièces de monnaie qu'il examina. « Et combien coûte une glace sans rien dessus ? » demanda-t-il.

Quelques personnes attendaient qu'on leur assigne une table. Un peu impatiente, la serveuse répondit brusquement : « Trente-cinq cents. »

Le petit garçon compta de nouveau son argent. « Je vais prendre la glace sans rien dessus. »

La serveuse apporta la glace, déposa la note sur la table et repartit. Le garçon mangea toute la glace, paya la note et quitta le restaurant. Lorsque la serveuse revint pour essuyer la table, sa gorge se serra. À côté de la coupe vide, le petit garçon avait soigneusement placé deux pièces de cinq cents et cinq pièces de un cent : son pourboire.

The Best of Bits & Pieces

Le souvenir de l'amour

Eleanor se demandait ce qui n'allait pas avec sa grand-mère. Celle-ci oubliait plein de choses : l'endroit où elle avait rangé le sucre, le jour où il fallait payer les factures ou l'heure à laquelle on devait passer la prendre pour aller à l'épicerie.

« Qu'est-ce qui ne va pas avec grand-mère ?, demanda Eleanor à sa mère. Elle était si ordonnée auparavant. Maintenant, elle a l'air triste et perdue, et elle oublie. »

« Grand-mère vieillit, c'est tout, répondit la mère d'Eleanor. Elle a besoin de beaucoup d'affection en ce moment, chérie. »

« Comment c'est, vieillir ?, demanda Eleanor. Est-ce que tous les gens qui vieillissent perdent la mémoire ? Je serai comme cela, moi aussi ? »

« On ne perd pas tous la mémoire en vieillissant, Eleanor. Les médecins disent que grand-mère est atteinte de la maladie d'Alzheimer ; c'est cette maladie qui lui fait perdre la mémoire. Nous devrons peut-être la placer dans une maison pour personnes retraitées pour qu'elle reçoive les soins particuliers dont elle a besoin. »

« Oh ! maman ! C'est terrible ! Sa petite maison à elle lui manquera beaucoup trop, non ? »

« Peut-être, mais il n'y a pas grand-chose d'autre que nous puissions faire. On la soignera bien, là-bas, et elle se fera de nouveaux amis. »

Eleanor avait l'air attristée. Elle n'aimait pas du tout l'idée d'une maison pour personnes retraitées.

« Pourrons-nous aller la voir souvent ?, demanda-t-elle. Ça me manquera de ne plus pouvoir parler avec elle, même si elle oublie des choses. »

« Nous pourrons lui rendre visite les week-ends, répondit sa mère. Et nous lui apporterons un cadeau. »

« De la crème glacée à la fraise, par exemple ? Grand-mère adore la crème glacée à la fraise ! » Cette perspective fit sourire Eleanor.

« Alors ce sera de la crème glacée à la fraise ! », dit sa mère.

La première fois qu'Eleanor rendit visite à sa grand-mère à la maison pour personnes retraitées, elle eut envie de pleurer.

« Maman, presque tous les gens ici sont en fauteuil roulant », dit-elle.

« Il le faut bien ; sinon, ils tomberaient, expliqua sa mère. Écoute, quand tu verras grand-mère, souris-lui et dis-lui comme elle a l'air bien. »

La grand-mère d'Eleanor était assise toute seule dans le fond d'une pièce qu'on appelait là-bas le solarium. Elle regardait les arbres au loin.

Eleanor étreignit sa grand-mère. « Regarde, lui dit-elle, nous t'avons apporté un cadeau : de la crème glacée à la fraise, ta préférée ! »

La grand-mère d'Eleanor prit le contenant de crème glacée et la cuillère ; sans dire un mot, elle commença à manger.

« Je suis certaine qu'elle est contente, chérie », dit la mère d'Eleanor sur un ton rassurant.

« Mais on dirait qu'elle ne nous connaît pas », insista Eleanor, déçue.

« Laisse-lui le temps, répondit sa mère. Elle vit dans un endroit nouveau ; elle a besoin de temps pour s'adapter. »

Lors de leur deuxième visite, cependant, la grand-mère d'Eleanor réagit de la même façon. Elle mangea la crème glacée et leur sourit, sans dire le moindre mot.

« Grand-mère, me reconnais-tu ? », lui demanda Eleanor.

« Tu es la petite fille qui m'apporte de la crème glacée », répondit sa grand-mère.

« Oui, mais je suis aussi ta petite-fille Eleanor. Tu ne te souviens pas de moi ? », demanda Eleanor en mettant ses bras autour de son cou.

Sa grand-mère sourit faiblement.

« Si je me souviens ? Bien sûr que je me souviens. Tu es la petite fille qui m'apporte de la crème glacée. »

Soudainement, Eleanor comprit que sa grand-mère ne se souviendrait plus jamais d'elle. Elle vivait dans son propre monde, un monde de souvenirs voilés et de solitude.

« Oh ! je t'aime tant, grand-mère ! », dit-elle. À cet instant même, elle vit une larme couler sur la joue de sa grand-mère.

« L'amour, dit sa grand-mère. Je me rappelle l'amour. »

« Tu vois, chérie, c'est tout ce qu'elle veut, dit la mère d'Eleanor. De l'amour. »

« Je lui apporterai de la crème glacée tous les week-ends alors, et je l'embrasserai même si elle ne se souvient pas de moi », dit Eleanor.

Tout compte fait, c'est cela qui comptait le plus : le souvenir de l'amour plutôt que le souvenir d'un prénom.

Marion SCHOEBERLEIN

Le tour de magie

Mon ami Whit, magicien de profession, avait été embauché dans un restaurant de Los Angeles pour exécuter chaque soir des tours de magie devant les clients attablés. Un soir, il s'approcha d'une famille, se présenta, sortit un jeu de cartes et commença son numéro. Se tournant vers une fillette assise à la table, il lui demanda de choisir une carte. Le père fit alors remarquer que Wendy, sa fille, était aveugle.

Whit répliqua : « Ça va. Si elle est d'accord, j'aimerais quand même faire mon tour de cartes. » Il se tourna vers Wendy et dit : « Wendy, aimerais-tu m'aider à faire un tour de magie ? »

Un peu timide, la fillette haussa les épaules et répondit : « D'accord. »

Whit s'assit en face d'elle et commença : « Je vais montrer une carte à jouer, Wendy, et elle sera soit de couleur rouge, soit de couleur noire. Je veux que tu utilises tes pouvoirs télépathiques et que tu me dises la couleur de la carte, rouge ou noire. Tu comprends ? » Wendy fit signe que oui.

Whit montra le roi de trèfle et dit : « Wendy, est-ce une carte rouge ou une carte noire ? »

L'instant d'après, la petite fille aveugle répondit : « Noire. » Sa famille sourit.

Whit montra alors le sept de cœur et demanda : « Et cette carte, elle est rouge ou noire ? »

Wendy répondit : « Rouge. »

Whit montra une troisième carte, le trois de carreau, et demanda encore : « Rouge ou noire ? »

Sans la moindre hésitation, Wendy répondit : « Rouge ! » Tous les membres de sa famille gloussèrent nerveusement. Whit sortit trois autres cartes et Wendy les devina toutes. Incroyable ! Elle avait deviné la couleur des six cartes ! Quelle chance ! Sa famille n'en revenait pas.

La septième fois, Whit montra le cinq de cœur et dit : « Maintenant, Wendy, je veux que tu me dises la *valeur* et la *sorte* de cette carte… soit cœur, carreau, trèfle ou pique. »

Immédiatement, Wendy répondit avec assurance : « C'est le cinq de cœur. » Toute sa famille était bouche bée, époustouflée !

Le père de la fillette demanda à Whit si c'était un tour de magie ou un truc surnaturel. Whit répondit : « Vous demanderez à Wendy. »

Le père voulut en savoir plus long : « Wendy, comment as-tu fait cela ? » Wendy sourit et dit : « C'est de la magie ! » Whit serra la main à toute la famille, embrassa Wendy, laissa sa carte d'affaires et dit au revoir. De toute évidence, il avait fait de ce repas un instant magique que cette famille n'oublierait pas de si tôt.

Reste à savoir, bien sûr, comment fit Wendy pour deviner la couleur des cartes. Étant donné que Whit et Wendy ne s'étaient jamais vus avant, ils ne pouvaient pas avoir convenu ensemble quelles seraient les cartes rouges et quelles seraient les cartes noires. Et puisque Wendy était aveugle, il lui était impossible de voir la couleur ou la valeur des cartes que Whit lui montrait. Alors comment expliquer tout cela ?

Ce miracle auquel on assiste une fois dans sa vie, Whit l'avait accompli grâce à un code secret et beaucoup de vivacité d'esprit. Un peu plus tôt dans sa carrière, en effet, Whit avait mis au point un code qui permettait à deux personnes de communiquer sans dire un mot, uniquement en se touchant les pieds. Avant ce début de soirée qu'il avait passé avec la famille de Wendy, il n'avait jamais eu la chance de se servir de son code. Lorsque Whit s'était assis en face de Wendy et qu'il avait dit « Je vais montrer une carte, Wendy, et elle sera soit rouge, soit noire », il avait frappé le pied de Wendy (sous la table) une fois au mot « rouge » et deux fois au mot « noire ».

Pour s'assurer qu'elle avait bien compris, il avait répété le code secret en disant : « Je veux que tu utilises tes pouvoirs télépathiques et que tu me dises la couleur de la carte, rouge (*un coup*) ou noire (*deux coups*). Tu comprends ? » Lorsque Wendy avait fait signe que oui, il savait qu'elle avait compris le code et qu'il pouvait commencer son tour. Quand Whit avait dit « Tu comprends ? », la famille de Wendy avait tout simplement cru qu'il faisait allusion aux explications qu'il venait de donner.

Comment avait-il fait pour le cinq de cœur ? Très simple : il avait frappé le pied de Wendy cinq fois pour indiquer le nombre cinq. Et lorsqu'il lui avait demandé si la carte était une carte de cœur, de carreau, de trèfle ou de pique, il avait frappé le pied de Wendy au mot « cœur ».

La vraie magie de cette histoire, c'est l'effet qu'elle produisit sur Wendy. Non seulement ce tour de magie lui donna la chance de briller quelques instants et de se sentir spéciale aux yeux de sa famille, mais encore, il fit d'elle une vedette dans son proche entourage puisque tous les amis de la famille entendirent parler de cette étonnante histoire de « télépathie ».

Quelques mois après cet événement, Whit reçut un paquet de Wendy. Il contenait un jeu de cartes en braille, accompagné d'une lettre. Dans la lettre, Wendy le remerciait de l'avoir fait se sentir la reine de la soirée et de l'avoir aidée à « voir » pendant un court espace de temps. Elle lui disait également qu'elle n'avait encore rien révélé du tour de cartes aux membres de sa famille, malgré leurs questions incessantes. Elle terminait sa lettre en disant qu'elle lui faisait cadeau du jeu de cartes en braille pour qu'il invente d'autres tours à l'intention des gens aveugles.

Michael JEFFREYS

Je ne suis qu'un seul individu, mais je compte quand même pour un ;
je ne peux pas tout faire, mais je peux quand même faire quelque chose ;
et comme je ne peux pas tout faire, je n'hésiterai pas à faire ce quelque chose que je peux faire.

Edward E. HALE

Manuel Garcia

Manuel Garcia, un jeune père fier de l'être,
Était bon travailleur selon tous les dires ;
Tout allait comme prévu dans ses projets de vie :
Une femme, des enfants, un emploi, de l'avenir.

Un jour, Manuel, pris de maux d'estomac,
Alla consulter pour en savoir la cause.
Son corps renfermait des tissus cancéreux
Et ne suivait plus du tout l'ordre des choses.

Manuel partit donc de son coin de pays
Pour aller à la ville au centre hospitalier,
Voyant soudainement ses quelque trente-neuf années
Comme des grains de sable coulant dans un sablier.

« Que puis-je faire ? » demanda Manuel en pleurant.
« De deux choses l'une » lui répondit son médecin.
« Votre cancer sans traitement vous sera fatal,
Mais le traitement, pénible, n'offre aucune garantie… »

Ainsi commença l'odyssée de Manuel,
Les longues nuits d'insomnie et d'hébétement forcé,
Dans les tristes couloirs, l'écho de bruits de pas
Marquait tous les instants qui lui étaient comptés.

Conscient que quelque chose dans son corps le grugeait,
Manuel, désespéré, était malheureux.
Son cancer déjà lui avait pris vingt kilos
Et voilà qu'au traitement il perdait ses cheveux.

Neuf semaines de traitement et le médecin revint :
« Manuel, nos moyens d'action tirent à leur fin,
Votre cancer maintenant prendra une voie ou l'autre ;
Nous ne pouvons plus rien, il est entre vos mains. »

Dans le miroir, il se vit, étranger si triste,
Si pâle, si ridé, si seul, si apeuré,
Malade, isolé et se sentant repoussant :
Seulement soixante kilos, ses cheveux tous tombés.

Il rêva de sa Carmen à soixante ans sans lui,
De ses quatre jeunes enfants tous orphelins de père,
Des jeudis soir passés à jouer aux cartes chez Julio,
Et de tout ce qu'il voulait dans sa vie encore faire.

Tiré de son sommeil le matin de son congé
Par des pas se traînant tout autour de son lit,
Manuel ouvrit les yeux et crut rêver encore :
Son épouse et quatre amis aussi chauves que lui.

Il cligna des yeux, car il n'en revenait pas,
Cinq têtes sans cheveux alignées à son chevet.
Jusque-là personne n'avait encore dit un mot,
Mais bientôt ils rirent tellement fort qu'ils en pleurèrent.

Les couloirs maintenant résonnaient de leurs voix.
« *Patron*, nous avons fait cela juste pour toi. »
Ils l'emmenèrent tout doucement jusqu'à la voiture,
« *Amigo, estamos contigo ves*… »

Manuel arriva enfin dans son quartier ;
Devant son petit logement, on gara la voiture.
La rue lui sembla bien tranquille pour un dimanche,
Il respira à fond, ajustant son chapeau.

Avant même qu'il la pousse, la porte s'ouvrit toute grande.
Manuel reconnut les visages familiers :
Une cinquantaine de parents et de bons amis
Le crâne rasé de près et chantant « Nous t'aimons ! »

Alors Manuel Garcia, cet homme cancéreux,
Ce père, cet époux, ce voisin, ce bon ami,
La gorge nouée dit : « Je ne ferai pas de discours,
Mais laissez-moi quand même vous dire tout ce qui suit. »

« Cancéreux et chauve, je me suis senti si seul.
Mais vous voilà tous auprès de moi, Dieu merci.
Qu'Il vous bénisse de m'apporter votre soutien,
Qu'Il nous aide à garder l'amour longtemps en vie. »

« Que Dieu vous bénisse de m'apporter votre soutien,
Que Dieu nous aide à garder l'amour longtemps en vie. »

David ROTH

La véritable liberté

Si vous avez le cœur à prendre soin d'autrui, vous aurez réussi.

Maya ANGELOU

J'étais terrifiée. On me transférait de la prison fédérale de Pleasanton, en Californie, à la prison fédérale pour femmes de Lexington, dans le Kentucky, une prison réputée pour sa violence et son surpeuplement.

Huit mois auparavant, alors que je travaillais dans l'entreprise de mon père, j'avais été reconnue coupable de fraude. Pendant toute mon enfance, mon père m'avait maltraitée physiquement, mentalement et sexuellement. Par conséquent, lorsqu'il m'avait demandé de prendre la place de ma mère dans l'entreprise familiale, j'avais encore perçu sa demande avec les yeux de cette enfant de cinq ans qui savait que personne ne l'aiderait et que rien ne fonctionnait de toute façon. Jamais il ne m'était venu à l'idée de dire non. Aussi, lorsque les agents du FBI se pointèrent plusieurs mois plus tard pour me demander si certains documents portaient ma signature, j'avais réagi comme je l'avais toujours fait pendant mon enfance, j'avais répondu : « Oui, c'est moi, pas mon père ». J'avais pris la responsabilité de ce crime et on m'avait condamnée à purger ma peine dans une prison à sécurité maximale.

Avant d'aller en prison, j'avais suivi une thérapie pour adultes victimes d'agression sexuelle, et les blessures de mon enfance avaient commencé à se cicatriser. J'avais appris des choses sur les effets à long terme des mauvais traitements et j'avais compris qu'on pouvait apaiser une partie des souvenirs et des traumatismes. Grâce à cette thérapie, j'avais également appris que la violence, le chaos et l'hypervigilance dans lesquels je vivais étaient seulement les manifestations extérieures du chaos qui régnait dans mon propre esprit. J'avais donc décidé de changer. Je m'étais mise à lire des livres sur la vérité et la sagesse et à écrire des affirmations qui me rappelaient qui j'étais véritablement. Lorsque j'entendais dans ma tête la voix de mon père qui disait : « Tu es une nullité », je la remplaçais par la voix de Dieu qui disait : « Tu es mon enfant bien-aimée ». Jour après jour, petit à petit, pensée après pensée, j'avais commencé à transformer ma vie.

Toujours est-il que ce jour-là, lorsqu'on m'apprit que je devais « faire mes bagages », je crus qu'on allait me transférer dans une prison à sécurité minimale. Pour prévenir les évasions, les gardiens de prison ne vous disent jamais où vous allez, ni quand vous partez. J'étais cependant convaincue que j'avais terminé ma peine dans une prison à sécurité maximale, et que je méritais certainement d'aller dans un établissement à sécurité minimale.

Mon arrivée à la prison de Lexington fut donc un véritable choc. J'étais terrifiée, mais j'eus immédiatement une de ces heureuses impressions qui me rappela que j'étais entre les mains de Dieu : lorsqu'on me conduisit à mon unité de logement, je vis qu'elle ne portait pas comme les autres un nom typique du Kentucky, tel « Bluegrass » ; elle s'appelait « Renaissance », ce qui signifie naître à nouveau. Comme j'avais confiance en Dieu, je savais que je serais en sécurité. J'avais simplement encore à apprendre avant de véritablement renaître.

Le lendemain, on m'affecta à un détachement de corvée en entretien des immeubles. Notre tâche consistait à polir des planchers, à installer des cloisons et à apprendre des techniques que nous pourrions employer sur le marché du travail une fois sorties de prison. Notre gardien, M. Lear (un nom fictif), était aussi celui qui nous enseignait ces techniques. M. Lear était extraordinaire, en ce sens qu'il était drôle et aimable.

En temps normal, il existe seulement deux règles entre un détenu et un gardien : le détenu ne fait pas confiance au gardien et le gardien ne croit pas un mot de ce que le détenu raconte. M. Lear, lui, était différent. Il essayait de rendre non seulement instructif mais agréable le temps que nous passions avec lui. Il ne faisait jamais d'entorse aux règles, mais il ne se forçait pas non plus pour nous rendre la vie misérable en se montrant sarcastique ou en nous rabaissant.

J'observai M. Lear pendant plusieurs jours et je vis qu'il me regardait d'un air étrange. Dans ce milieu, bien d'autres avant lui avaient posé ce regard sur moi, car j'avais l'air de ce que j'étais : une ménagère de banlieue. On me regardait en se demandant ce que je pouvais bien faire en prison.

Un jour que M. Lear était seul avec moi au détachement de corvée, il finit par me demander : « Que diable faites-vous en prison ? » Je lui racontai la vérité. Il m'écouta, puis me demanda si mon père était en prison lui aussi. Je lui répondis que non. On n'avait trouvé aucune preuve matérielle pour l'incriminer et, en fait, mes frères et ma sœur avaient dit comme lui que je mentais au sujet de son implication dans toute l'affaire.

Mon histoire sembla irriter M. Lear, qui me demanda : « Alors pourquoi êtes-vous si heureuse ? » Je me mis donc à lui parler des vérités toutes simples que j'apprenais, comme celle qui affirme que le bonheur et la paix se trouvent en nous. Je lui parlai aussi de la véritable liberté et je lui dis qu'il fallait d'abord avoir la foi avant d'espérer récolter un jour les fruits de sa foi.

Je lui posai ensuite certaines questions. Comment pouvait-il, jour après jour, enseigner à des détenues qui ne voulaient rien savoir et leur demander de s'enthousiasmer pour un travail qu'elles n'avaient aucun désir de faire ? Comment faisait-il pour rester heureux et aimable alors qu'il travaillait avec des gens qui voulaient sortir au plus vite de ce système chargé d'amertume et de colère ?

M. Lear admit que c'était difficile et que son travail de gardien n'était pas son premier choix. Il me raconta qu'il rêvait de devenir militaire à plein temps. Toutefois, il craignait de poursuivre ce rêve, car il avait la sécurité d'emploi à la prison et devait subvenir aux besoins de sa femme et de ses enfants.

Je lui dis que ce désir n'habiterait pas son cœur s'il n'avait aucune chance de le réaliser, qu'il pouvait devenir tout ce qu'il voulait, que nous étions tous plus ou moins prisonniers de quelque chose.

Ces conversations continuèrent pendant plusieurs semaines, et je me sentais de plus en plus en sécurité auprès de M. Lear. Je me disais que je n'avais pas à craindre de ce gardien qu'il décide soudainement de passer sur moi sa frustration personnelle ou sa colère en m'accusant d'insubordination ou de refus d'obéissance, en me donnant des corvées supplémentaires ou en m'envoyant en isolement, choses qui arrivent souvent en prison, surtout aux femmes détenues.

Vous pouvez donc aisément imaginer à quel point je fus secouée et attristée lorsque, sans raison apparente, il vint me voir et me dit avec colère : « Mme Rogoff, allez dans mon bureau, enlevez-moi tout ce qui se trouve sur les étagères et ne revenez pas tant que vous n'aurez pas tout enlevé ! »

J'ignorais ce que j'avais pu faire pour le mettre en colère, mais je n'avais d'autre choix que d'obéir. Je répondis : « Oui, monsieur », puis je me rendis à son bureau, rouge d'humiliation. Il m'avait réellement blessée. Je l'avais imaginé différent des autres – j'avais cru que nous avions parlé ensemble telles deux personnes à part entière, mais je n'étais en réalité qu'une détenue comme les autres pour lui.

M. Lear ferma la porte derrière moi et se posta à l'extérieur du bureau, inspectant le couloir. J'essuyai mes larmes et j'examinai toutes les étagères. Un sourire vint lentement métamorphoser mon visage. Il n'y avait absolument rien sur les étagères, à l'exception d'une salière et d'une belle tomate mûre et juteuse. M. Lear savait que je n'avais pas mangé une seule tomate fraîche depuis mon arrivée, soit depuis un an. Et non seulement l'avait-il cueillie dans son propre potager, mais encore il me « couvrait », c'est-à-dire qu'il surveillait le couloir pour qu'aucun gardien ne me surprenne. Je mangeai alors la plus délicieuse tomate de toute ma vie.

Ce simple geste de bonté – me traiter comme un être humain et non comme un numéro – m'aida à poursuivre ma guérison. J'étais maintenant convaincue que mon séjour en prison n'était pas un accident, mais une occasion pour moi de cicatriser toutes mes blessures afin de pouvoir plus tard guérir les autres.

M. Lear fut mon gardien, mais il fut également un ami. Je ne l'ai pas revu et je n'ai pas eu de ses nouvelles depuis ma libération, mais je ne peux m'empêcher de penser à lui chaque fois que je cueille une tomate dans mon propre potager. J'espère que M. Lear est aujourd'hui aussi libre que moi.

Barbara ROGOFF

Un regard de compassion

Cette histoire se passa il y a très longtemps, un soir de froid mordant dans le nord de la Virginie. Un vieil homme, la barbe toute givrée, attendait qu'un cavalier le fasse monter et l'emmène de l'autre côté de la rivière. L'attente semblait interminable. Le vent glacial du nord engourdissait et raidissait son corps.

Le vieil homme entendit le martèlement encore lointain et rythmé de sabots qui galopaient et qui se rapprochaient sur le sentier glacé. Il guetta impatiemment le bout du sentier lorsqu'enfin quelques cavaliers prirent le virage. Il laissa le premier passer sans faire le moindre geste pour attirer son attention. Un autre cavalier passa, puis un autre. Finalement, le dernier cavalier s'approcha de l'endroit où était assis le vieil homme transformé en statue de glace. Dès que le cavalier fut assez proche, leurs regards se croisèrent et le vieillard dit : « Monsieur, auriez-vous l'amabilité de faire monter un vieil homme pour l'emmener de l'autre côté de la rivière ? Il ne semble y avoir aucun endroit pour traverser à pied. »

Serrant la bride à son cheval, le cavalier répondit : « Bien sûr ! Montez. » À la vue du vieil homme incapable de soulever son corps à moitié gelé, le cavalier descendit de cheval et l'aida à se mettre en selle. Non seulement lui fit-il traverser la rivière, mais encore il parcourut quelques kilomètres de plus pour le ramener chez lui.

Lorsqu'il arriva près de la modeste mais confortable demeure du vieil homme, le cavalier voulut satisfaire sa curiosité : « Monsieur, j'ai remarqué que vous avez laissé passer plusieurs cavaliers sans même essayer d'attirer leur attention. Puis je suis arrivé et vous m'avez immédiatement demandé de vous prendre. Je suis curieux de savoir pourquoi, par un soir d'hiver si froid, vous avez préféré attendre et vous adresser au dernier cavalier. Qu'auriez-vous fait si j'avais refusé et vous avais laissé là ? »

Le vieil homme descendit lentement de cheval, regarda le cavalier droit dans les yeux et répondit : « Il y a longtemps maintenant que je suis sur cette terre. Je pense bien connaître la nature humaine. » L'homme continua : « J'ai regardé les autres cavaliers droit dans les yeux et j'ai vu tout de suite qu'ils ne se souciaient aucunement de ma situation. Ç'aurait été inutile de seulement leur demander de m'emmener. Mais lorsque je vous ai regardé dans les yeux, j'y ai vu la bonté et la compassion. J'ai su sur-le-champ que vous auriez la noblesse d'esprit de prêter assistance à un homme dans le besoin. »

Ces commentaires touchants émurent profondément le cavalier. « Je vous suis reconnaissant de ces paroles », dit-il au vieil homme. « J'espère que je ne laisserai jamais mes propres préoccupations m'empêcher de venir en aide aux autres avec bonté et compassion. »

Sur ce, Thomas Jefferson tira les rênes de son cheval et s'en retourna à la Maison-Blanche.

Auteur anonyme
Extrait de *The Sower's Seeds*,
de Brian CAVANAUGH

Un peu de chaleur humaine

Un froid vif enveloppait Denver ce matin-là. La température avait été imprévisible. D'abord une vague de chaleur avait transformé la neige en eau, qui s'était engouffrée dans les bouches d'égout ou écoulée sans bruit le long des trottoirs, dans les allées et sous les clôtures, descendant toujours plus bas pour finalement disparaître complètement. Puis, un froid vengeur s'était installé. Il avait changé en glace toute cette eau et avait amené avec lui une nouvelle couche de flocons blancs qui camoufla cette glace, tendant ainsi un véritable piège aux piétons.

C'était une de ces journées pour rester à la maison, soigner un rhume et attendre que maman apporte un bon bouillon. C'était une de ces journées pour écouter les nouvelles en continu à la radio et pour s'imaginer pris dans la neige en sachant très bien qu'on est bien au chaud chez soi. C'était une de ces journées.

Je devais toutefois prononcer une conférence au centre des congrès devant quelque deux cents personnes qui, comme moi, avaient le nez trop sec pour rester à la maison et attendre le bouillon de maman. Nous nous retrouvâmes donc au centre des congrès et, à défaut de pouvoir changer quoi que ce soit à la température, nous en parlâmes.

J'avais besoin d'une pile pour mon micro sans fil, mais j'avais oublié d'en apporter une. Le moment était vraiment mal choisi pour cette négligence. J'étais coincé. Il me fallait absolument une autre pile. Je dus donc affronter le vent, tête rentrée, collet remonté, patinant dans mes souliers vernis.

À chaque pas, le vent plaquait sur mes cuisses l'étoffe trop mince de mon pantalon. Le tissu était glacé et je songeai à ma mère qui ne m'aurait jamais laissé sortir aussi peu vêtu.

J'aperçus au coin de la rue une petite enseigne annonçant un dépanneur. Si j'accélère et allonge mon pas, pensai-je, je pourrai entrer et m'abriter du vent mordant sans prendre une seule autre bouffée de cet air glacé qui me brûle les poumons. Les habitants de Denver s'amusent à dire aux étrangers que passer l'hiver dans cette ville, c'est supporter un type de froid plutôt agréable. « C'est un froid beaucoup plus sec qu'ailleurs », racontent les gens du coin à la parenté qui leur demande comment ils trouvent cette ville située au pied des Rocheuses. Plus sec, mon œil ! Il fait assez froid pour donner l'envie à une statue de sel de ficher le camp. Et l'humidité, ou plutôt son absence, n'est plus qu'un facteur sans importance lorsqu'une bourrasque polaire de soixante kilomètres-heure vous fouette le dos.

Toujours est-il qu'il y avait deux personnes dans le dépanneur. Derrière le comptoir se tenait une femme qui portait un badge indiquant qu'elle se prénommait Roberta. À en juger par son expression, Roberta aurait probablement préféré rester chez elle à apporter réconfort et bouillon chaud à ses enfants. Au lieu de cela, elle consacrait sa journée à garder cet avant-poste de commerce dans le centre-ville presque désert de Denver. Elle allait donc être un phare, un refuge pour les quelques écervelés qui s'aventureraient dehors en dépit du froid.

Le second réfugié du froid était un vieil homme de grande taille qui avait l'air bien à l'aise en cet endroit. Il ne semblait pas du tout pressé d'en sortir et de se hasarder à faire l'équilibriste sur les trottoirs couverts de glace et balayés par le vent. Je ne pus m'empêcher de penser que ce gentleman avait perdu la tête ou son chemin. En un jour pareil, il fallait vraiment être dingue pour sortir dehors dans le but d'aller traîner dans les allées d'un dépanneur.

Je n'avais pas le temps de me préoccuper de ce vieil homme qui semblait ne plus avoir toute sa tête. J'avais besoin d'une pile, sans compter que deux cents personnes importantes qui n'avaient pas que cela à faire m'attendaient au centre des congrès. Nous avions du boulot, nous.

Le vieil homme, je ne sais trop comment, se retrouva avant moi à la caisse. Roberta lui sourit. L'homme ne dit pas un mot. Roberta prit un à un ses modestes achats et enregistra les prix sur sa caisse. Le vieil homme s'était traîné dans Denver pour venir acheter deux malheureux articles : une banane et un muffin. Quel pitoyable spectacle !

Pour s'acheter un muffin et une banane, un homme sain d'esprit attendrait le printemps et en profiterait peut-être alors pour flâner dans les rues enfin redevenues fréquentables. Pas ce type. Il avait traîné sa vieille carcasse comme s'il n'y avait pas de lendemain.

Après tout, peut-être bien qu'il n'y aurait pas de lendemain ; il était très âgé.

Lorsque la caisse enregistreuse afficha le total, une vieille main lasse fouilla longtemps dans la poche d'imperméable. « Remue-toi, me dis-je, tu as toute la journée devant toi, mais moi j'ai autre chose à faire ! »

Le vieil homme extirpa de sa poche un porte-monnaie qui semblait aussi vieux que son propriétaire. Quelques pièces de monnaie et un billet tout froissé tombèrent sur le comptoir. Roberta les ramassa soigneusement comme s'il s'agissait de pièces d'or.

Une fois les maigres achats placés dans un sac de plastique, une chose remarquable se produisit. Bien qu'il n'eût pas encore ouvert la bouche, le vieil ami de Roberta tendit lentement sa main fatiguée au-dessus du comptoir. La main trembla, puis finit par se raffermir. Roberta ouvrit alors les poignées du sac et les glissa doucement autour du poignet de l'homme. Les doigts restés suspendus dans les airs étaient noueux et marqués par le temps.

Roberta sourit de plus belle.

Elle ramassa l'autre vieille main fripée et l'instant d'après, elle tenait les deux mains de l'homme devant son visage au teint foncé.

Elle les réchauffa, d'abord la paume et le dos, puis les côtés.

Elle s'étira pour prendre le foulard presque tombé des épaules larges mais voûtées du vieil homme, puis l'ajusta bien serré autour de son cou. Il n'avait toujours pas dit un seul mot. Il restait immobile, comme pour graver ce moment dans sa mémoire. Ce souvenir devait durer jusqu'au lendemain, lorsque de nouveau il affronterait péniblement le froid.

Roberta enfila un bouton que les vieilles mains avaient oublié.

Elle regarda le vieillard droit dans les yeux et, levant son doigt effilé, le gronda d'un ton moqueur.

« Bon, M. Johnson, promettez-moi d'être très prudent. » Elle fit une brève pause comme pour souligner ses propos et ajouta d'une voix sincère : « Je veux vous revoir ici demain. »

Sur ces derniers mots qui résonnaient dans ses oreilles, le vieillard avait reçu sa mission. Il hésita un moment, se retourna et, arrivant tout juste à mettre un pied devant l'autre, se dirigea lentement vers la sortie, où l'attendait l'air glacial de Denver.

Je compris alors que cet homme n'était pas venu chercher de la nourriture. Il était venu chercher un peu de chaleur. Un peu de chaleur humaine.

Je dis : « C'était *remarquable,* Roberta ! C'est ce qu'on appelle du service à la clientèle ! Était-ce votre oncle, un voisin ou quelqu'un d'important pour vous ? »

Que je puisse penser qu'elle réservait ce magnifique traitement à quelques rares élus l'offusqua presque. À ses yeux, chaque individu est important.

Scott GROSS

Un acte de bonté

Il faut donner du temps à son prochain. Même si c'est peu, faites quelque chose pour autrui – quelque chose qui ne vous rapportera rien de plus que le privilège de l'avoir fait.

Albert SCHWEITZER

Durant la guerre de Sécession, le président Abraham Lincoln visitait souvent les hôpitaux pour parler aux soldats blessés. Une fois, les médecins lui montrèrent un jeune soldat à l'agonie. Lincoln alla à son chevet.

« Y a-t-il quelque chose que je puisse faire pour vous ? », demanda le président.

Le soldat ne reconnaissait manifestement pas Lincoln et, non sans effort, il réussit à murmurer : « S'il vous plaît, pourriez-vous écrire un mot à ma mère ? »

On apporta du papier et une plume, et le président se mit à noter soigneusement ce que le jeune homme était capable de dicter :

« Ma très chère mère, j'ai été gravement blessé dans l'accomplissement de mon devoir. Je suis désolé de te dire que je ne m'en remettrai pas. Je t'en prie, ne pleure pas trop ma mort. Embrasse Mary et John pour moi. Que Dieu te bénisse et bénisse papa. »

Comme le soldat était trop faible pour poursuivre, Lincoln signa la lettre à sa place et ajouta : « Lettre dictée par votre fils et écrite par Abraham Lincoln. »

Le jeune homme demanda à voir la lettre et fut stupéfait d'y voir le nom du président. « Êtes-vous réellement le président ? », demanda-t-il.

« Oui », répondit doucement Lincoln. Puis, le président demanda s'il pouvait faire quoi que ce soit d'autre pour lui.

« Auriez-vous la bonté de me tenir la main ? », chuchota-t-il. « Ça m'aidera à affronter la mort. »

Dans la chambre silencieuse, le président, grand et décharné, prit la main du soldat et prononça des paroles chaleureuses et réconfortantes jusqu'à ce que la mort vienne.

The Best of Bits & Pieces

Des visiteurs dans la nuit

L'amour guérit – tant ceux qui le donnent que ceux qui le reçoivent.

Dr Karl MENNINGER

Nous étions en voyage d'aventure. Ma femme, Judith, notre fillette de deux ans, Leila, et moi avions loué une petite autocaravane et avions voyagé à travers la Basse-Californie. La veille de notre retour à San Diego, nous garâmes l'autocaravane près d'une plage pour y passer notre dernière nuit dans la nature.

Au beau milieu de la nuit, Judith me réveilla d'un coup de coude et me cria de me lever. La première chose dont je me rendis compte, c'est qu'il y avait du bruit et du tapage. Plutôt hébété, je sautai en bas de notre petit lit-mezzanine et me retrouvai, complètement nu, face au pare-brise.

Ce que je vis alors me sortit immédiatement de ma torpeur. Notre autocaravane était encerclée par des hommes masqués qui frappaient dans les fenêtres.

Grand amateur de films d'aventures, je m'étais toujours demandé comment je me sentirais et ce que je ferais dans une situation dangereuse. Eh bien ! j'eus en cet instant ma réponse : j'optai immédiatement pour le rôle du héros. Je ne ressentis aucune peur – il me fallait « sauver ma famille ».

Je me jetai sur le siège du conducteur et mis le contact. L'autocaravane avait démarré parfaitement au moins cinquante fois pendant notre voyage. Mais là, le moteur essaya de se mettre en marche, lâcha quelques toussotements et s'éteignit pour de bon. Il y eut un bruit de verre cassé et une main entra par la fenêtre du conducteur. Je la frappai. (Sans violence, bien entendu ! En fait, tout ce que j'avais appris sur le pacifisme au cours de ma vie ne faisait pas le poids dans cette situation explosive. Heureusement que je n'avais pas d'arme entre les mains, ai-je souvent pensé par la suite, car je m'en serais probablement servi.)

Ma main saignait à cause des éclats de verre. Je me dis alors que j'avais encore une chance de réussir à démarrer le moteur. Comme j'avais brillamment tenu le rôle du héros des centaines de fois dans mon imagination, j'étais certain d'y arriver. Je tournai la clef. Le moteur crachota et s'éteignit de nouveau. L'instant d'après, quelqu'un appuya un fusil contre ma gorge. Je me rappelle avoir eu cette pensée : « Comment ça ? Cette scène n'est pas celle où je réussis finalement à sauver ma famille ? » J'en étais vraiment étonné.

Un des bandits, qui baragouinait notre langue, hurla : « L'argent ! L'argent ! » Le fusil toujours contre ma gorge, je me penchai pour prendre mon portefeuille sous le siège du conducteur et je le tendis à un des agresseurs à travers la vitre brisée. J'espérais que l'attaque se terminerait là.

Je me trompais.

Un des bandits passa le bras par la vitre, déverrouilla la porte de l'intérieur et l'ouvrit. L'homme qui tenait le fusil me poussa violemment et me fit tomber de tout mon long. Ils entrèrent tous dans l'autocaravane.

Ils ressemblaient de façon frappante à des bandits mexicains d'un film de gangsters. Un foulard tout ce qu'il y a de plus typique masquait leur visage. Ils étaient quatre : un armé d'un fusil, un muni d'un couteau à découper rouillé, un tenant une énorme machette et un sans rien du tout. J'étais presque surpris qu'ils n'aient pas en bandoulière des cartouchières pleines de munitions. Après tout, leurs armes n'étaient peut-être que des accessoires de cinéma.

Pendant qu'un des bandits me retenait au sol, son fusil sur ma gorge, les trois autres commencèrent à mettre l'autocaravane sens dessus dessous en criant en espagnol.

Il se passait une chose assez étonnante. Tant que j'avais pu faire quelque chose (ou du moins tant que j'avais eu l'impression de pouvoir faire quelque chose), comme démarrer le moteur ou sauver ma famille, je n'avais ressenti aucune peur. Mais là, couché nu sur le plancher, la gorge immobilisée par le métal froid du fusil, je commençais à éprouver un grand sentiment d'impuissance. Puis la peur m'étreignit, et je me mis à trembler.

La situation prit alors une nouvelle tournure. J'étais sur le point de me mettre au diapason de ma peur ; en fait, j'allais très bientôt sombrer dans la panique. Toutefois, dans un bref éclair de conscience, je songeai que c'était un moment propice pour méditer et demander conseil. Je me rappelle m'être alors recueilli et avoir demandé secours à Dieu.

J'entendis très clairement ce passage du 23e psaume : « Devant moi tu dresses une table face à mes adversaires. »

Ces mots provoquèrent en moi un retentissant « Hein ? Je ne comprends pas ! »

Puis, je me vis en train de servir un festin aux bandits. Je pensai : « La réalité, c'est que des bandits m'ont attaqué, je résiste et c'est une scène plutôt mauvaise.

« Et si ce n'était pas le cas ? À supposer que ce ne sont pas des bandits ? Que ce sont de vieux amis venus nous rendre visite par cette froide nuit dans le désert ?

Que je suis heureux de les voir et que je les reçois tels des invités d'honneur ? Que je dresse la table pour eux ? »

Pendant qu'une partie de moi s'affairait à imaginer d'horribles scènes de viol et de meurtre, une partie de mon esprit, intrigué par cette nouvelle perspective, fit entrer un peu de paix et de lumière. Après tout, ces individus étaient aussi des enfants de Dieu. Combien de fois avais-je déclaré que mon but était de servir les autres ? Eh bien ! les autres, c'étaient eux !

Je regardai les bandits de cet œil nouveau. « Un instant ! Ce ne sont pas des bandits ! Ce sont des enfants ! »

Soudainement, il m'apparut clairement que ces « bandits » étaient très jeunes, de toute évidence inexpérimentés et plutôt stupides. Ils semblaient nerveux également. Leur violence et leurs cris paraissaient exprimer davantage leur peur que leur puissance. En outre, dans leur saccage, ils chambardaient tout et passaient à côté d'une bonne partie du butin. Dans un éclair de conscience assez étrange, je compris que l'expression « dresser la table », en cet instant, signifiait les aider à mieux nous dévaliser.

Je me tournai donc vers le jeune homme qui parlait notre langue et lui dis : « Holà ! vous passez à côté de ce qu'il y a de meilleur ! Sous cette pile, là-bas, il y a un très bon appareil-photo. »

Il me lança un drôle de regard.

Il aboya quelque chose en espagnol à un de ses complices, qui trouva l'appareil-photo enfoui là où je l'avais indiqué. « C'est un 35 mm... il donne d'excellentes photos ! », expliquai-je, plein de bonne volonté.

Je m'adressai de nouveau à celui qui parlait notre langue. « Vos amis font un tel fouillis, vous allez sûrement laisser passer des choses. Je me ferais un plaisir de vous montrer tout ce qu'il y a d'intéressant. »

Il me regarda encore d'un drôle d'air. De toute évidence, mes répliques ne cadraient pas avec le scénario qu'il se faisait des bandits et de leurs victimes. Je lui indiquai alors où se trouvaient d'autres objets de valeur, et sa méfiance céda. J'offris de trouver des choses pour lui et ses amis.

Ensuite, tout ce que je peux dire, c'est que le cambriolage se transforma en marché aux puces. « Une belle guitare ! », criai-je en jouant quelques accords. « Qui joue de la guitare ? Toi, tiens, tu la veux ? Un baladeur de marque Sony, avec écouteurs, piles et même quelques cassettes ! Qui les veut ? » On aurait dit une vente à la criée. Compte tenu de nos ressources financières respectives, pensai-je, il était pour ainsi dire équitable qu'ils prennent une partie de nos biens. C'était comme une redistribution des richesses. Je commençais à trouver agréable de leur donner des choses ; je me demandais même lesquelles leur feraient le plus plaisir.

Mon comportement singulier avait manifestement changé la situation, mais la partie n'était pas gagnée. Le jeune homme armé du couteau à découper semblait particulièrement bizarre, peut-être même drogué. À tout instant, il me bousculait ou me criait après. On aurait dit que sa connaissance du français se limitait à « Drogue ! Alcool ! Argent ! » Il trouva dans un tiroir de la cuisinette un flacon de Lomotil (un médicament contre la diarrhée). Je tentai de le dissuader de prendre ces pilules, bien que devant sa réaction violente à mon objection, je dois admettre que la pensée suivante me traversa l'esprit : « Ce sera ta punition ».

Mon « ami » qui parlait notre langue se mit peu à peu à refroidir les ardeurs de ses acolytes.

Voilà. J'avais donné tout ce que je croyais avoir à donner. Je regardai alors au fond de l'autocaravane, là où Judith et Leila s'étaient blotties, enveloppées dans une couverture. Bien entendu, Judith vivait en silence notre mésaventure et s'efforçait de maîtriser sa peur d'être violée ou de se faire enlever notre fille. Quant à Leila, qui du haut de ses deux ans n'avait jamais rencontré que des « gentils », elle répétait sans cesse des phrases comme : « Papa, c'est qui les messieurs ? »

Je me disais : « Que va-t-il arriver ? » Puis, je me surpris à demander, tout naturellement : « Voulez-vous quelque chose à manger ? » Le jeune homme qui parlait notre langue traduisit. Quatre paires d'yeux incrédules me regardèrent ouvrir le réfrigérateur. Or, un problème d'ordre culturel se présentait : en voyant sur les tablettes le tofu, la luzerne, le yaourt et le beurre d'arachide, j'eus le même fâcheux pressentiment que l'hôte qui reçoit à dîner et qui apprend qu'un de ses invités est à la diète. De toute évidence, nous n'avions rien qui ressemblait à de la nourriture pour eux. Puis, j'aperçus une belle pomme rouge. « Voilà de la nourriture normale. » Je pris la pomme et la tendit au jeune homme armé d'une machette. On sentait que le moment était important. Dans la plupart des cultures, le partage de nourriture est une espèce de communion, un gage d'amitié, une déclaration de paix. Tenant toujours la pomme au bout de mon bras tendu, je le sentis hésiter un moment, comme s'il luttait intérieurement pour laisser tomber les rôles que nous avions tenus. Il fit un sourire furtif, puis il s'empara de la pomme. L'image de E.T. qui avance son doigt allumé vers son nouvel ami me traversa l'esprit. Lorsque sa main et ma main se touchèrent sur la pomme, je sentis un léger échange d'énergie.

Bon, à présent que nous avions distribué cadeaux et nourriture, l'homme qui parlait notre langue déclara que nous allions faire une promenade. La peur resurgit. J'ignorais où ils voulaient nous emmener. S'ils avaient l'intention de nous tuer, cet endroit en valait bien un autre. Comme ils ne me paraissaient pas capables de réussir un kidnapping et d'exiger une rançon, je leur suggérai de prendre la voiture et de nous laisser là où nous étions. Je préférais rester dans ce trou perdu plutôt que de partir en balade avec eux. Nous débattîmes plusieurs fois la question, puis soudainement ils recommencèrent à me menacer de leurs armes. Dès lors, je compris : aussitôt que je prenais le rôle de la victime apeurée, ils reprenaient le rôle des bandits. « D'accord, allons-y ! » déclarai-je.

Je m'installai à l'arrière avec Judith et Leila, et nous nous mîmes en route. Entre-temps, j'avais pu enfiler un pantalon, chose qui me remonta le moral. Par moments, je me déconnectais de la réalité, me contentant de regarder le désert. À un moment donné, j'aperçus des lumières et j'échafaudai un plan qui me permettrait, si nous ralentissions en nous approchant de l'endroit habité, d'ouvrir la portière pour pousser Judith et Leila hors de l'autocaravane.

Pendant que nous roulions, je me demandai : « Qu'est-ce que je ferais si je me baladais en voiture avec des invités ? » Nous chanterions, bien sûr !

Judith, Leila et moi nous mîmes donc à chanter :

Écoute, écoute, écoute la chanson de mon cœur
Écoute, écoute, écoute la chanson de mon cœur
Jamais je ne t'oublierai, jamais je ne t'abandonnerai
Jamais je ne t'oublierai, jamais je ne t'abandonnerai

Leila avait le sourire aux lèvres, mignon comme seul le sourire d'un petit enfant peut l'être. Elle avait même réussi à attirer l'attention des jeunes hommes. Plusieurs fois, je les vis même se forcer pour garder leur sérieux (du genre « Allez, la petite, laisse-nous tranquilles, on essaie de faire notre travail de bandits »). Mais ils ne pouvaient s'empêcher de sourire par instants.

On eut dit qu'ils apprécièrent la chanson. Nous, en tout cas, nous y prîmes plaisir. Puis je songeai que je n'étais pas un hôte digne de ce nom : ils ne connaissaient pas les chansons que nous chantions. Je réfléchis un moment, puis l'inspiration vint !

Guantanamera, guajira, guantanamera
Guantanamera…

J'avais réussi, car ils se mirent à chanter avec nous. Il y eut comme une énergie commune. Plus de bandits ni de victimes. Nous roulions en pleine nuit dans le désert, tapant du pied et le cœur en fête.

Nous traversâmes un village sans que je puisse tenter ma grandiose opération de sauvetage. Puis les lumières s'éloignèrent derrière nous à mesure que nous nous enfonçâmes dans quelque région isolée et accidentée. Plus tard, nous nous engageâmes sur une sombre route de terre et le véhicule s'arrêta. Judith et moi échangeâmes un regard qui exprimait de part et d'autre la crainte de se faire tuer, un regard intense et prolongé.

Ils ouvrirent alors la porte et descendirent. De toute évidence, ils habitaient loin du lieu du crime. Ils étaient tout simplement revenus à la maison !

L'un après l'autre, ils nous dirent « *Adios* » puis partirent, sauf mon « ami » qui parlait notre langue. Cherchant ses mots, il essaya de s'exprimer : « S'il vous plaît, pardonnez-nous. Mes *hombres* et moi sommes pauvres. Nos pères sont pauvres. C'est notre façon de gagner de l'argent. Je suis désolé. Nous ne vous connaissions pas. Vous êtes un homme bon. Votre femme et votre petite fille sont si gentilles. »

Il ne cessait de s'excuser. « Vous êtes de braves gens. S'il vous plaît, ne pensez pas du mal de nous. J'espère que nous n'avons pas gâché vos vacances. »

Puis, il fouilla dans ses poches et sortit mon portefeuille. « Tenez. » Il me tendit ma carte de crédit. « Nous ne pouvons rien faire avec. Mieux vaut vous la redonner. » Il me redonna également mon permis de conduire. Tandis qu'un de ses *hombres* regardait avec stupéfaction, il sortit quelques pesos. « Voilà, pour l'essence. »

J'étais au moins aussi abasourdi que ses compagnons. Il me redonnait mon argent ! Il voulait redresser les choses entre nous.

Il prit enfin ma main et me regarda dans les yeux. Plus aucun rôle ne tenait. Pendant un moment, nous restâmes ainsi. Puis il dit : « *Adios* » (« avec Dieu »).

Nos invités cambrioleurs disparurent dans la nuit. Nous nous jetâmes dans les bras les uns les autres et nous pleurâmes.

Robert GASS

Rendez-vous avec l'amour

Six heures moins six, indiquait la grande horloge ronde qui surplombait le kiosque d'information de la gare centrale. Un jeune lieutenant élancé qui revenait tout juste du quai leva son visage hâlé et plissa les yeux pour voir l'heure exacte. Son cœur battait assez fort pour le contrarier, incapable qu'il était de se calmer. Dans six minutes, il rencontrerait la femme qui avait occupé une place très spéciale dans sa vie au cours des treize derniers mois, une femme qu'il n'avait jamais vue, mais dont les lettres l'avaient accompagné et soutenu sans faillir.

Il se rapprocha le plus qu'il put du kiosque d'information, se plaçant juste en deçà du demi-cercle de gens qui assiégeaient les commis.

Le lieutenant Blandford se rappela une nuit en particulier, la pire des combats, où une meute de Zéros avaient cerné son avion. Il avait même aperçu le visage grimaçant d'un des pilotes ennemis.

Dans une lettre qu'il avait envoyée à sa correspondante peu de temps avant cette bataille, il avait confié qu'il éprouvait souvent de la peur. Quelques jours seulement avant la nuit des Zéros, il avait reçu sa réponse : « Bien sûr que tu as peur. Tous les hommes braves ont peur. Le roi David ne connaissait-il pas lui aussi la peur ? C'est pourquoi il a écrit le 23e psaume. La prochaine fois que tu douteras de toi, je veux que tu entendes ma voix te réciter : « Même si je marche dans un ravin d'ombre et de mort, je ne crains aucun mal, car tu es avec moi. » Et il s'était souvenu. Il avait imaginé et entendu la voix de cette femme, qui avait renouvelé sa force et son savoir-faire.

À présent, c'était sa véritable voix qu'il allait entendre. Six heures moins quatre. Son visage se tendit.

Sous le gigantesque plafond en forme d'étoile, les gens marchaient rapidement tels des fils colorés qui s'entrelacent dans une trame grise. Une jeune fille passa près du lieutenant Blandford, qui sursauta. Elle portait une fleur à la boutonnière, mais c'était un pois de senteur cramoisi et non une petite rose rouge comme convenu. De toute façon, avec ses allures de dix-huit ans, cette fille était trop jeune pour être Hollis Meynell, qui lui avait dit en toute franchise qu'elle avait trente ans. « Et alors ?, avait-il répondu dans sa lettre. Moi, j'en ai trente-deux. » Il en avait vingt-neuf.

Il songea de nouveau à ce livre – un livre que le Seigneur lui-même avait placé entre ses mains parmi les centaines de livres que la bibliothèque de l'Armée avait envoyés au camp d'entraînement en Floride. Intitulé *Of Human Bondage*, ce livre était parsemé de notes écrites de la main d'une femme. Il avait toujours détesté cette habitude d'annoter un livre, mais les notes personnelles que cet ouvrage contenait étaient différentes. Jamais il n'avait cru qu'une femme puisse lire dans le cœur d'un homme avec tant de tendresse et de compréhension. Cette femme avait laissé un ex-libris : Hollis Meynell. Il avait alors déniché un annuaire téléphonique de la ville de New York et avait trouvé son adresse. Il lui avait écrit, elle avait répondu. Le lendemain, il partait pour le front, mais ils continuèrent de correspondre.

Pendant treize mois, elle avait fidèlement répondu à ses lettres. Et même plus, car lorsque des lettres à lui n'arrivaient pas, elle écrivait quand même. Il était maintenant persuadé qu'il l'aimait et qu'elle l'aimait.

Cependant, toutes les fois qu'il lui avait demandé d'envoyer une photographie d'elle, elle avait refusé. Cela n'augurait rien de bon, mais elle s'était expliquée : « Si tes sentiments pour moi sont réels et sincères, mon apparence ne fera aucune différence. Supposons que je suis belle. Si je t'envoyais ma photo, je serais toujours hantée par l'impression que tu as pris une chance pour cette unique raison. Ce genre d'amour me dégoûterait. Supposons au contraire que je suis bien ordinaire (et tu dois admettre que les chances qu'il en soit ainsi sont plus grandes). Je me demanderais constamment si tu as continué de m'écrire seulement parce que tu te sentais seul et que tu n'avais personne d'autre. Non, ne me demande pas de photo. Lorsque tu viendras à New York, tu me verras et tu prendras ta décision. N'oublie pas, lorsque nous nous verrons, nous serons libres d'interrompre ou de poursuivre notre relation. Tout dépendra de notre choix… »

Six heures moins une. Il tira nerveusement sur sa cigarette.

Puis, le cœur du lieutenant Blandford explosa comme aucune bombe ne l'avait fait sur le front.

Une jeune femme à la silhouette élancée s'avançait vers lui. Ses cheveux blonds pendaient en boucles derrière ses oreilles délicates. Ses yeux étaient bleus comme la mer, ses lèvres et son menton, finement profilés. Dans son tailleur vert pomme, on aurait dit une fleur du printemps.

Il s'avança vers cette femme sans vérifier si elle portait une rose à la boutonnière. Dès qu'elle le vit venir de son côté, elle esquissa un petit sourire provoquant.

« Tu viens avec moi, soldat ? » murmura-t-elle.

Incapable de faire autrement, il fit un pas de plus en sa direction. C'est à ce moment qu'il aperçut Hollis Meynell.

Elle se tenait tout juste derrière la fille. C'était une femme de quarante ans passés, les cheveux grisonnants rentrés sous un chapeau usé. Ses pieds, enfoncés dans des souliers plats, étaient surmontés de chevilles épaisses ; elle était plus que grassouillette. C'était bel et bien elle, toutefois, car elle portait une rose au revers tout fripé de son manteau brun.

À présent, la fille au tailleur vert s'éloignait rapidement.

Blandford se sentit écartelé : d'un côté, son envie brûlante de suivre la fille ; de l'autre, son désir profond pour cette femme dont l'esprit l'avait toujours accompagné et soutenu. Le visage pâle et plein de Hollis respirait la douceur et la sagesse, des qualités qu'il avait devinées, mais qu'il pouvait maintenant voir. Quant à ses yeux gris, ils exprimaient la chaleur et la bonté.

Le lieutenant Blandford n'hésita pas. Ses doigts agrippèrent le petit exemplaire de cuir bleu usé de *Of Human Bondage*, censé permettre à Hollis de le reconnaître. Non, ce ne serait pas de l'amour, mais ce serait quelque chose de précieux, quelque chose qui serait peut-être même plus rare que l'amour : une amitié dont il était et serait éternellement reconnaissant.

Il redressa ses larges épaules, fit un salut et montra le livre à la femme. Lorsqu'il ouvrit la bouche, il sentit toute l'amertume de sa déception.

« Je suis le lieutenant Blandford et vous… vous êtes mademoiselle Meynell. Je vous remercie d'avoir accepté de venir me rencontrer. Puis-je… puis-je vous inviter à souper ? »

Le visage de la femme s'illumina d'un sourire indulgent. « Je ne sais pas ce qui se passe, mon garçon, répondit-elle. Cette jeune femme au tailleur vert – celle qui vient juste de s'en aller – m'a suppliée de mettre cette rose rouge sur mon manteau. Elle m'a dit que si vous m'invitez à sortir avec vous, je dois vous répondre qu'elle vous attend dans le grand restaurant de l'autre côté de la rue. Elle a dit qu'il s'agit d'une sorte de test. Comme j'ai moi-même deux garçons sous les drapeaux, ça m'a fait plaisir de vous rendre ce service. »

Sulamith ISH-KISHOR

Un après-midi avec Dieu

Il était une fois un petit garçon qui voulait rencontrer Dieu. Comme il savait que ce serait un long voyage pour se rendre à Sa maison, il remplit sa valise de bonbons et de six bouteilles de limonade, et il se mit en route.

Trois pâtés de maisons plus loin, il vit une vieille dame. Assise dans le parc, elle fixait quelques pigeons. Le garçon s'assit près d'elle et ouvrit sa valise. Il s'apprêtait à prendre une limonade lorsqu'il remarqua l'air affamé de la vieille dame. Il lui offrit donc un bonbon. Elle accepta avec reconnaissance et lui sourit. Son sourire était si joli que le garçon voulut le voir encore. Il lui offrit donc une limonade. Elle lui sourit de nouveau. Le garçon était ravi !

Ils restèrent ainsi tout l'après-midi à manger et à sourire, sans dire un seul mot.

Lorsque le soir tomba, le garçon se rendit compte qu'il était très fatigué et se leva pour partir. Cependant, au bout de quelques pas à peine, il se retourna, courut vers la vieille dame et la serra dans ses bras. Elle lui fit alors son plus beau sourire.

Peu de temps après, lorsque le garçon franchit la porte de sa maison, son regard joyeux étonna sa mère.

Elle lui demanda : « Qu'as-tu fait aujourd'hui qui te rende si heureux ? »

Il répondit : « J'ai déjeuné avec Dieu. » Mais avant que sa mère puisse répondre, il ajouta : « Tu sais, elle a le plus merveilleux des sourires ! »

Entre-temps, la vieille dame, rayonnante de joie elle aussi, retourna chez elle.

Frappé de l'expression paisible qu'elle arborait, son fils lui demanda : « Mère, qu'as-tu fait aujourd'hui qui te rende si heureuse ? »

Elle répondit : « Au parc, j'ai mangé des bonbons avec Dieu. » Mais avant que son fils puisse répondre, elle ajouta : « Tu sais, il est beaucoup plus jeune que je ne le croyais. »

Julie A. MANHAN

Pas un seul !

Le petit Chad était un garçon tranquille et timide. Un jour, il entra dans la maison en disant à sa mère qu'il aimerait fabriquer une carte de Saint-Valentin pour chacun de ses camarades de classe. Le cœur serré, sa mère songea « J'espère qu'il ne le fera pas ! », car elle avait observé les enfants lorsqu'ils revenaient de l'école. Son Chad était toujours derrière eux. Les autres enfants riaient, se bousculaient, bavardaient. Mais Chad était toujours exclu. Elle décida malgré tout d'aider son fils. Elle acheta donc du papier, de la colle et des crayons. Pendant trois semaines, soir après soir, Chad fabriqua consciencieusement ses trente-cinq cartes de Saint-Valentin.

Le matin de la Saint-Valentin, Chad était tout excité. Il empila soigneusement ses cartes, les rangea dans un sac et sortit en coup de vent. Sa mère décida de préparer ses biscuits préférés pour qu'après l'école, elle puisse les lui servir encore tout chauds, avec un verre de lait bien froid. Elle pressentait la déception de Chad et se disait que cette attention mettrait du baume sur sa peine. À l'idée qu'il ne recevrait pas beaucoup de valentins – peut-être même aucun – elle avait mal.

Dans l'après-midi, elle plaça les biscuits et le lait sur la table. Lorsqu'elle entendit les enfants qui revenaient de l'école dans la rue, elle regarda par la fenêtre. Comme d'habitude, ils étaient là, riant et s'amusant comme des fous. Et comme d'habitude, Chad traînait derrière. Il marchait un peu plus vite qu'à l'accoutumée, cependant. Elle était certaine qu'il éclaterait en sanglots dès qu'il aurait franchi le seuil de la porte. Elle remarqua qu'il avait les mains vides. Lorsqu'il ouvrit la porte, elle contint ses larmes.

« Maman a préparé des biscuits pour toi », dit-elle.

Toutefois, Chad l'entendit à peine. Il se contenta de passer devant elle, le visage rayonnant, et de répéter : « Pas un seul ! Pas un seul ! »

Son cœur de maman se brisa.

Puis il ajouta : « Je n'en ai pas oublié un seul, pas un seul ! »

Dale GALLOWAY

2
L'art d'être parent

Enseignez seulement à aimer,
car vous n'êtes qu'amour !

A Course in Miracles

Reviens, Paco

Un jour, dans une petite ville d'Espagne, un homme appelé Jorge eut une violente dispute avec son jeune fils Paco. Le lendemain matin, Jorge découvrit que Paco n'était plus dans son lit : il s'était enfui de la maison.

Jorge, en proie au remords, scruta son cœur et prit conscience que son fils était ce qu'il avait de plus précieux. Désireux de recommencer à zéro, Jorge se rendit à un magasin bien connu de la rue principale et posa dans la vitrine une grande affiche qui disait : « Paco, reviens à la maison. Je t'aime. Rendez-vous ici demain matin. »

Le matin suivant, Jorge retourna au magasin. Il y trouva rien de moins que sept jeunes garçons prénommés Paco qui avaient eux aussi fugué. Ces garçons avaient tous répondu à l'appel de l'amour et chacun d'eux espérait que ce fût son père qui l'attendait à bras ouverts pour le ramener à la maison.

Alan COHEN

La composition de Tommy

Un chandail gris gisait mollement sur le pupitre déserté de Tommy, évoquant le jeune garçon découragé qui venait de quitter sa classe de troisième année en compagnie de ses camarades. Séparés depuis peu, les parents de Tommy seraient bientôt là pour discuter avec moi de leur fils dont le rendement scolaire avait baissé et dont le comportement était devenu turbulent.

Enfant unique, Tommy avait toujours été bon élève, souriant et coopératif. Comment allais-je persuader son père et sa mère que ses résultats médiocres des dernières semaines traduisaient le chagrin qu'il éprouvait à l'égard de la séparation et du divorce imminent de ses parents adorés ?

La mère de Tommy entra dans la classe et s'assit sur une des deux chaises que j'avais placées près de mon bureau. Le père arriva peu après. Bon ! Au moins se souciaient-ils suffisamment de la situation pour être ponctuels. Après avoir échangé un regard étonné et agacé, les deux parents s'ignorèrent ostensiblement.

Pendant que je leur faisais un compte rendu du travail scolaire et du comportement de Tommy, j'espérais ardemment trouver les mots qui les réconcilieraient et les aideraient à voir ce qu'ils faisaient à leur fils. Mais, je ne sais pourquoi, les mots ne venaient pas. Je pensai alors à leur montrer un des travaux bâclés et raturés de Tommy.

Dans le fond de son pupitre, je trouvai une feuille chiffonnée et tachée de larmes. C'était une composition de Tommy. À vrai dire, l'écriture du garçon recouvrait les deux côtés de la feuille, mais il n'y avait pas de texte ; Tommy avait gribouillé une seule et même phrase du début à la fin.

Sans dire un mot, je défroissai la feuille et la tendit à la mère de Tommy. Elle lut la « composition » et la passa silencieusement à son mari. Il fronça les sourcils. Puis son visage se radoucit. Il examina les mots griffonnés pendant un moment qui parut interminable.

Finalement, il plia soigneusement la feuille, la mit dans sa poche et allongea le bras pour prendre la main que lui tendait son épouse. Elle essuya ses larmes et lui sourit. J'avais moi-même les yeux dans l'eau, mais ni l'un ni l'autre ne sembla s'en rendre compte. Le père aida sa femme à mettre son manteau et ils repartirent.

À sa façon à lui, Dieu m'avait donné les mots qu'il fallait pour réconcilier ce couple. Il m'avait conduite à cette feuille de papier jauni sur laquelle le cœur brisé d'un petit garçon avait déversé sa détresse : « Chère maman... Cher papa... Je vous aime... Je vous aime... Je vous aime. »

Jane LINDSTROM

Almie Rose

Un jour, au moins deux mois avant Noël, notre fille de neuf ans, prénommée Almie Rose, nous annonça à son père et à moi qu'elle voulait une bicyclette pour cadeau. Sa vieille bicyclette *Barbie* faisait maintenant trop bébé, sans compter qu'elle avait besoin d'un nouveau pneu.

À l'approche de Noël, son désir d'avoir un nouveau vélo sembla s'émousser – c'est du moins ce que nous pensions, car elle n'y fit plus allusion. Nous fîmes donc gaiement le tour des magasins pour lui acheter la poupée qui faisait fureur à l'époque (les poupées *Baby-Sitter's Club*), ainsi que de beaux livres de contes, une maison de poupée, une robe pour le temps des fêtes et quelques jouets. Puis, à notre grand étonnement, le 23 décembre, elle annonça fièrement qu'elle « désirait une nouvelle bicyclette plus que tout au monde ».

À présent, nous ne savions plus que faire. Entre tous les derniers préparatifs du repas de Noël et les achats de dernière minute, il était vraiment trop tard pour aller choisir la « bonne » bicyclette pour notre fille. Toujours est-il que la veille de Noël, aux alentours de vingt-et-une heures, de retour d'une merveilleuse fête, nous nous retrouvâmes devant la longue soirée qui nous attendait : des heures à emballer les cadeaux de nos enfants, les cadeaux de nos propres parents, les cadeaux de la parenté, les cadeaux des amis. Une fois Almie Rose et son frère Dylan, six ans, bien blottis dans leur lit, nous nous sentîmes soudain obsédés par cette bicyclette, coupables à l'idée que nous allions désappointer notre enfant.

C'est à ce moment que Ron, mon mari, eut une inspiration. « Et si je lui fabriquais une petite bicyclette d'argile accompagnée d'une note qui dirait qu'elle peut aller l'échanger contre une vraie bicyclette ? » Évidemment, l'idée qui permettait d'échafauder pareil plan était la suivante : comme il s'agissait d'une grosse dépense et qu'Almie Rose était maintenant une « grande fille », il valait mieux qu'elle la choisisse elle-même. Mon mari passa donc les cinq heures qui suivirent à travailler assidûment l'argile pour en faire sortir une bicyclette miniature.

Trois heures plus tard, soit le matin même de Noël, nous étions très impatients de voir Almie Rose déballer le petit paquet en forme de cœur qui contenait la jolie bicyclette d'argile rouge et blanche, ainsi que le mot qui l'accompagnait. Le moment vint enfin où elle l'ouvrit et lut le mot à voix haute.

Elle nous regarda, moi d'abord, son père ensuite, et dit : « Alors, est-ce que cela veut dire que je vais échanger contre un vrai vélo cette bicyclette que papa a faite pour moi toute seule ? »

Ravie, je répondis « Oui ».

Les yeux pleins de larmes, Almie Rose objecta : « Jamais je ne pourrais échanger cette magnifique bicyclette que papa m'a fabriquée. J'aime mieux la garder que d'avoir un vrai vélo. »

À cet instant, nous aurions remué ciel et terre pour lui acheter toutes les bicyclettes du monde entier !

Michelle LAWRENCE

Un dinosaure à la boutonnière

La compagnie des enfants guérit l'âme.

Fedor DOSTOÏEVSKI

Comment un père de famille respecté et bien connu de ses concitoyens peut-il sans gêne aucune se promener avec un dinosaure à la boutonnière ?

Toute cette histoire commença un jour que je sortais de mon garage en voiture pour aller faire une commission urgente. J'aperçus mon fils qui courait vers moi en tendant sa petite main.

Il sourit, ses yeux doux tout excités : « J'ai une surprise pour toi, papa ! »

« Vraiment ? », répondis-je, feignant la curiosité, frustré du retard et espérant qu'il se dépêche.

Il ouvrit alors sa menotte pour me montrer son trésor de garçon de cinq ans. « Je les ai trouvés pour toi, papa. » Dans sa main, il y avait une bille blanche, une petite voiture de course en métal tordu et quelques autres objets que je ne me rappelle pas. Que ne donnerais-je pas aujourd'hui pour me souvenir de tous ces trésors d'enfant ! « Prends-les, papa, ils sont à toi », s'exclama-t-il fièrement.

« Je ne peux pas en ce moment, mon garçon. Je dois aller faire une course. Pourquoi ne pas me les laisser sur le congélateur dans le garage ? »

Son sourire s'éteignit, mais il se dirigea docilement vers le garage. Je m'éloignai en voiture. À peine rendu au bout de la rue, j'éprouvai du remords. Je me promis alors qu'à mon retour, j'accepterais son présent avec plus de gratitude et de bonne grâce.

Lorsque je revins à la maison, j'allai le voir. « Eh ! mon garçon, où sont les surprises géniales que tu avais pour moi ? »

Il me regarda sans expression. « Eh bien... Je ne pensais pas que tu les voulais, alors je les ai données à Adam. » Adam est un petit garçon qui habite à quelques maisons de chez nous. Je l'imaginai en train de recevoir les trésors de mon fils et j'étais certain qu'il avait manifesté beaucoup plus de gratitude et d'enthousiasme que moi.

Sa décision me blessa, mais je la méritais. Elle me fit mal non seulement parce qu'elle me renvoyait mon manque d'égards, mais aussi parce qu'elle faisait resurgir en moi le souvenir d'un autre petit garçon.

Une blessure d'enfance

C'était le jour d'anniversaire de sa sœur aînée, et on avait donné au petit garçon deux dollars pour qu'il lui achète un cadeau au magasin à prix unique.

Le petit garçon était donc allé arpenter le rayon des jouets de ce magasin, sans grand succès d'abord. Il voulait absolument trouver un présent très spécial. Finalement, il aperçut exactement ce qu'il recherchait. Sur une tablette, se détachant de tout le reste, il y avait un joli distributeur de gommes à mâcher fait en plastique et rempli de trésors moelleux aux couleurs éclatantes. Le petit garçon voulut le montrer à sa sœur dès son retour à la maison, mais il résista courageusement à la tentation.

Plus tard, lors de la fête d'anniversaire à laquelle ses amies avaient été conviées, la sœur du petit garçon commença à ouvrir ses présents. Chaque cadeau qu'elle déballait la faisait crier de ravissement.

Et chaque fois qu'elle criait de joie, une appréhension grandissait dans le cœur du petit garçon. Les amies de sa sœur venaient de familles aisées qui avaient les moyens de dépenser beaucoup plus que deux dollars pour un présent. Les cadeaux qu'elles avaient apportés étaient tous plus coûteux et plus superbes les uns que les autres. Son petit paquet à lui sembla soudain minuscule et insignifiant.

Malgré tout, il demeura impatient de voir arriver le moment où les yeux de sa sœur brilleraient devant son présent. Après tout, elle n'avait rien reçu encore qui se mange ou qui serve à amasser des pièces de monnaie.

Elle ouvrit enfin le présent de son petit frère, qui vit tout de suite la déception qu'elle ressentit sur le moment.

En fait, son présent embarrassait quelque peu sa sœur. Tout à coup, le magnifique distributeur de gommes à mâcher avait l'air de ce qu'il était réellement : un bidule de plastique bon marché. Pour ne pas perdre la face devant les amies, sa sœur ne pouvait pas montrer trop d'enthousiasme. Il y eut un silence pendant qu'elle cherchait la façon dont elle devait réagir.

Puis, elle fit un sourire de connivence à ses amies, se tourna vers son frère et lui dit d'un ton condescendant et assuré : « Merci, c'est exactement ce que je voulais. » Quelques-unes de ses amies ne purent retenir leurs gloussements.

Elle retourna alors aux festivités qui l'attendaient, tandis que le petit garçon, blessé et confus, baissa les yeux. Ce jouet qui lui avait paru si merveilleux au magasin à prix unique avait maintenant l'air d'une ridicule pacotille.

Il prit le distributeur, sortit sur la véranda et éclata en sanglots. Son minable cadeau ne valait pas les autres ; il n'était qu'une source d'embarras.

Les rires et la fête se poursuivaient dans la maison, et son chagrin n'en était que plus intense. Sa mère vint bientôt le rejoindre sur la véranda et lui demanda pourquoi il pleurait. Entre deux sanglots, il lui raconta du mieux qu'il put ce qui s'était passé.

Elle l'écouta sans dire un mot, puis retourna à l'intérieur. L'instant d'après, sa sœur apparut, seule. Il vit tout de suite à son expression qu'elle était venue à la demande de sa mère, mais les regrets véritables qu'elle exprima lui rappelèrent qu'elle n'avait pas eu l'intention d'être cruelle ou désobligeante. Elle n'avait que huit ans et ne savait pas encore comment faire pour arriver à la fois à ménager les susceptibilités et à tempérer son euphorie d'être la « reine de la journée ».

Sur son ton de grande fille de huit ans, elle expliqua gentiment à son frère qu'elle aimait beaucoup le distributeur de gommes à mâcher. Il répondit qu'il comprenait, et c'était vrai. Elle voulait seulement se montrer aimable.

À présent, la boucle était bouclée. Une nouvelle génération se trouvait dans la même situation, sauf que cette nouvelle génération, c'était la mienne. Mon petit garçon allait à son tour vérifier si c'était réellement l'intention qui comptait, et ma réaction influerait beaucoup sur sa décision.

L'ultime cadeau

Tout au long de notre enfance, on nous répète que ce n'est pas le prix d'un cadeau qui compte, mais l'intention de celui qui l'offre. Mais voilà, c'est une chose difficile à croire lorsque votre père s'exclame devant un nouveau *gadget* coûteux et qu'il ignore un témoignage d'amour tout simple fabriqué par des mains minuscules et un cœur immense qui se soucient pourtant cent fois plus de lui que les mains qui ont assemblé cette bicyclette flambant neuve ou ce lecteur de disques compacts hors de prix.

Tout cela m'amène à cette question essentielle à laquelle je dus répondre un matin de Noël. En prévision de ce Noël-là, mes enfants avaient reçu de l'argent pour acheter des cadeaux dans un marché aux puces organisé par l'école et appelé « Bazar sous le gui ».

Ce Bazar sous le gui était une sorte de grand magasin que tenaient des élèves de la maternelle et de l'école primaire, et qui vendait de la marchandise « unique en son genre » (c'est-à-dire le genre de marchandise que les magasins de détail ne vendraient pas même si on les payait). Les prix sont fixés en fonction d'un budget d'enfant, et les jeunes adorent cela.

Mes enfants m'avaient donc acheté des présents et ils s'efforçaient de résister à la tentation de me les dévoiler, surtout mon fils. Il me taquinait sans cesse à propos de son cadeau, qu'il avait emballé avec « originalité » et posé sous le sapin. Il ne se passait pas un jour sans qu'il essaie de me faire deviner le contenu du paquet.

Le jour de Noël, au petit matin, mon fils m'enfonça son cadeau dans les mains, impatient et excité. Il insista pour que je l'ouvre en premier. Il ne tenait plus en place, convaincu que je ne recevrais jamais un cadeau aussi remarquable. Je déballai donc le paquet et regardai à l'intérieur. Il y avait là le plus beau présent qui soit. Vraiment. Car je ne le vis pas avec les yeux d'un homme de trente-cinq ans blasé par toutes ces promesses de technologies « nouvelles, rapides, faciles et économiques ».

Au lieu de cela, je le vis avec les yeux émerveillés d'un enfant de cinq ans.

C'était un dinosaure de plastique vert de plusieurs centimètres de long, plus exactement un *Tyrannosaurus Rex*. Et mon fils se hâta de me montrer la caractéristique numéro un de ce dinosaure : ses griffes antérieures étaient également des pinces grâce auxquelles – vous l'avez deviné – on pouvait l'accrocher et le porter en tout temps.

Je n'oublierai jamais les yeux de mon fils lorsque je le regardai en ce matin de Noël. Ils étaient remplis d'espérances, d'espoir et d'amour, le genre d'amour qu'on trouve seulement dans les yeux des tout-petits.

L'histoire, donc, se répétait. Ce petit garçon aux cheveux blonds et aux yeux bleus me posait la question que j'avais moi aussi posée des années auparavant : « Est-ce vraiment l'intention qui compte ? » Je songeai à tous les doutes qui avaient dû l'assaillir au Bazar pendant qu'il essayait de trouver, parmi toute la marchandise, le bijou qui exprimerait le mieux son sentiment d'amour pour son papa.

Je donnai à sa question la seule réponse qu'un enfant de cinq ans puisse désirer. J'accrochai immédiatement le dinosaure à ma boutonnière, puis, enthousiasmé, je dis à mon fils que son cadeau était vraiment génial et que, oui, il me plaisait beaucoup. Pendant les quelques semaines qui suivirent, j'allai littéralement partout avec mon dinosaure à la boutonnière. Bizarrement, personne ne semblait le remarquer, surtout lorsque mon fils m'accompagnait. Personne, sauf mon garçon.

J'ai pris conscience, depuis, que l'expression des jeunes enfants qui offrent des présents venant droit du cœur, surtout à Noël, est extraordinairement différente de l'expression des adultes qui essaient d'acheter l'amour à coups de bijoux ou de disques compacts coûteux.

À Noël, l'an passé, deux enfants de notre quartier ont offert à nos enfants des bas de Noël en papier, faits à la main, chargés de petits trésors et cousus de centaines d'agrafes de métal.

Dans ces bas se trouvaient quelques bonbons de Noël dépareillés et des petites figurines usagées, mais autrefois chères à leur cœur. Ces enfants venaient d'une famille désunie et défavorisée, mais on voyait bien à leur expression radieuse qu'ils avaient mis une bonne dose d'amour et d'attention dans leurs versions enfantines de l'ancienne offrande d'or, d'encens et de myrrhe.

À quel moment l'intention cesse-t-elle de compter ? Voilà une question que je me suis posée maintes fois. J'imagine qu'elle cesse de compter lorsque nous réduisons à une stricte valeur commerciale l'amour que nous nous portons les uns les autres.

Les présents que mon fils m'offre ne valent presque rien en argent, mais ils représentent de l'or à mes yeux.

Par conséquent, la prochaine fois que vous verrez quelqu'un qui porte une cravate grossière en papier ou un tatouage (lavable) très « cool » en forme de chenille, la prochaine fois que vous verrez quelqu'un affublé d'une de ces excentricités qui ne collent pas vraiment à son image d'adulte respectable, ne pensez surtout pas qu'il fait pitié. Si vous lui dites qu'il a l'air idiot, il se contentera de vous répondre en souriant : « Peut-être bien, mais j'ai un fils de cinq ans qui trouve que je suis la meilleure chose qu'on ait inventée depuis le beurre d'arachide, et rien au monde ne pourrait me convaincre de l'enlever. »

Voilà pourquoi je porte un dinosaure de plastique à la boutonnière.

Dan SCHAEFFER

Le plus chic papa du monde

Il avait cinquante ans lorsque je suis née, et il fut un « monsieur maman » bien avant qu'on trouve une expression pour décrire ce rôle. Je ne savais pas pourquoi c'était lui plutôt que maman qui restait à la maison, mais j'étais jeune et la seule de mon cercle d'amis dont le père était toujours présent. Je me trouvais très chanceuse.

Mon père fit beaucoup pour moi durant mes années d'écoles primaire et secondaire. Il persuada le chauffeur d'autobus scolaire de me prendre devant chez moi plutôt qu'à l'arrêt habituel qui se trouvait à six coins de rue plus loin. Il s'organisait toujours pour que j'aie une collation en arrivant de l'école, habituellement un sandwich au beurre d'arachide et à la confiture, qu'il décorait selon la saison. Ma collation préférée était celle qu'il me préparait à l'approche de Noël : il parsemait les sandwiches de sucre vert et les découpait en forme de sapin.

Au début de mon adolescence, alors que j'amorçais ma quête d'autonomie, je voulus prendre mes distances face à ces témoignages d'amour un peu trop enfantins. Mais mon père n'avait pas du tout l'intention de lâcher prise. À l'école secondaire, ne pouvant plus revenir chez moi pour le déjeuner, j'apportais mon lunch. Papa se levait un peu plus tôt chaque matin pour me le préparer. Je ne savais jamais à quoi ressemblerait mon lunch. Mon père pouvait tout aussi bien dessiner sur le sac de papier un paysage montagneux (qui devint sa marque de commerce) ou un cœur portant l'inscription « Papa & Angie K.K. ». Dans mon sac à lunch, je pouvais trouver une serviette de papier ornée du même cœur, ou l'inscription « Je t'aime ». Souvent, aussi, il écrivait une blague ou une devinette du genre : « Pourquoi dit-on barbe à papa plutôt que cheveux-de-maman ? ». Il m'écrivait toujours un mot rigolo pour me faire sourire et me laisser savoir qu'il m'aimait.

J'avais pris l'habitude de cacher mon lunch pour que personne ne voie le sac ou les inscriptions sur la serviette de papier. Un jour, toutefois, une de mes amies vit la serviette, me l'arracha et la fit passer dans la salle à manger de l'école. J'étais rouge d'embarras. Le lendemain, à mon grand étonnement, tous mes amis attendaient de voir la serviette. À leur réaction, je pense qu'ils auraient tous aimé avoir quelqu'un qui leur démontre ainsi son amour. Je me sentis alors très fière de mon père. Il continua de me donner ces serviettes de papier pendant tout le reste de mes études secondaires, et je les ai presque toutes conservées.

Mon père n'en resta pas là. Lorsque je quittai la maison pour aller étudier à l'université (je fus la dernière à partir), je m'attendais à ne plus recevoir de petits mots doux. Cependant, mes amis et moi fûmes contents de constater le contraire.

Comme cela me manquait de ne plus voir mon père en revenant de l'école, je lui téléphonais souvent. Mes factures de téléphone étaient d'ailleurs assez salées. Le contenu de nos conversations m'importait peu ; je voulais seulement entendre sa voix. Au cours de ma première année d'études universitaires, nous prîmes une habitude que nous gardâmes par la suite : lorsque je lui disais au revoir avant de raccrocher, il me disait toujours : « Angie ?

— Oui, papa ?, répondais-je.

— Je t'aime, disait-il.

— Je t'aime aussi, papa. »

Puis je me mis à recevoir une lettre de lui presque tous les vendredis. Le personnel de la réception savait toujours de qui ces lettres venaient : l'adresse de retour disait « Le beau mec ». Souvent, il avait écrit mon adresse au crayon de couleur et avait ajouté à sa lettre un dessin de notre chat ou de notre chien, des « bons-hommes-allumettes » de lui et maman, ou, si j'étais allée à la maison le week-end précédent, des dessins de moi toujours sortie en ville avec les amis et ne revenant à la maison que pour dormir. Il utilisait encore son paysage montagneux et le cœur portant l'inscription « Papa & Angie K.K. ».

Le courrier arrivait tous les jours juste avant le déjeuner ; le vendredi, j'allais donc chercher ma lettre avant d'aller à la cafétéria. Je savais qu'il était inutile de cacher mes lettres, car ma compagne de chambre avait fait l'école secondaire avec moi et connaissait l'histoire des serviettes de papier. Rapidement, mon courrier devint le rituel du vendredi après-midi. Je lisais ma lettre, et mes amis se passaient les dessins et l'enveloppe.

Ce fut à cette époque que le cancer frappa mon père. Lorsque je ne recevais pas de lettre un vendredi, je savais qu'il avait été mal en point les jours précédents et qu'il n'avait pas pu écrire. Il avait l'habitude de se lever à quatre heures du matin pour s'occuper de sa correspondance dans la maison encore endormie. Lorsqu'il n'avait pas envoyé de lettre pour le courrier du vendredi, sa lettre me parvenait habituellement avec un ou deux jours de retard, mais elle arrivait toujours. Mes amis avaient surnommé mon père « le plus chic papa du monde ». Un jour, même, ils lui envoyèrent une carte lui décernant ce titre et signée par chacun d'entre eux. Je crois qu'il nous a tous enseigné ce qu'était l'amour paternel. Je ne serais nullement étonnée si mes amis se mettaient à personnaliser comme lui des serviettes en papier pour leurs enfants. Il a laissé sur eux une empreinte durable qui les incite à donner à leurs enfants des témoignages d'amour.

Tout au long de mes quatre années d'études à l'université, les lettres et les appels téléphoniques furent réguliers. Le jour vint toutefois où je décidai de retourner à la maison et de rester avec lui à cause de sa maladie qui s'aggravait, sachant très bien que mes jours auprès de lui étaient comptés. Ces jours furent les plus difficiles de ma vie. Je trouvai pénible de regarder cet homme au cœur d'enfant vieillir au point de faire plus que son âge. À la fin, il ne me reconnaissait plus et m'appelait par le prénom d'une parente qu'il n'avait pas vue depuis des années. Même si je savais que cette confusion était due à la maladie, j'avais mal.

Quelques jours avant sa mort, je me trouvai seule avec lui dans sa chambre d'hôpital. Nous regardions la télévision main dans la main. Au moment où j'allais partir, il me dit : « Angie ?

— Oui, papa ?

— Je t'aime.

— Je t'aime aussi, papa. »

Angie K. WARD-KUCER

L'ouvrier

Je ne suis pas de ceux qui tendent l'oreille pour surprendre une conversation,
Mais tard un soir, en arrivant dans la cour chez moi, je me comportai tel un espion ;
Dans la cuisine se trouvait ma femme discutant avec notre plus jeune fils, assis sur le plancher.
Je m'arrêtai juste derrière la porte, puis sans faire de bruit les écoutai.

Elle avait entendu les amis de mon fils se vanter et c'est de pères dont il était question.
Leurs papas étaient des gens importants, s'étaient-ils exclamés avant de se tourner vers mon fiston ;
« Dans quel domaine ton père fait-il carrière ? » s'étaient-ils empressés de lui demander.
Bob avait baissé les yeux et murmuré : « Ce n'est qu'un ouvrier. »
Une fois les amis partis, ma femme fit venir notre petit garçon.
« J'ai quelque chose à te dire, mon fils, lui dit-elle en bécotant la fossette de son menton.
Ton père n'est qu'un ouvrier, dis-tu, et c'est la stricte vérité.
Mais sais-tu ce que cela signifie vraiment ? Laisse-moi te l'expliquer. »

« Regarde ces industries qui font la richesse de notre nation ;
Regarde ces boutiques, ces magasins et ces camions qui chaque jour déchargent leur cargaison ;

Regarde ces maisons surgir du sol, et dis-toi que jamais il ne faut oublier,
Que rien n'est possible sans les mains de l'ouvrier ! »

« Je sais, il est vrai, les gens importants travaillent sans jamais se salir.
Ils échafaudent de grands projets dont ils confient à d'autres la tâche de les accomplir.
Mais seuls, souviens-toi mon fils, ils ne peuvent transformer ces rêves en réalité,
Car rien n'est possible sans les mains de l'ouvrier ! »

« Si tous les patrons de la terre décidaient un jour de ne plus travailler,
Dis-toi bien, mon fils, que les usines jamais ne cesseraient de tourner.
Mais si des gens comme ton père s'arrêtaient, ces usines devraient aussi fermer,
Car vois-tu, rien n'est possible sans les mains de l'ouvrier ! »

Refoulant mes larmes, je me raclai la gorge, puis de ma cachette je finis par sortir.
Mon fils, les yeux illuminés de joie, vint contre moi se blottir.
Il me dit : « Grâce à toi, Papa, je sais maintenant ce qu'est la fierté,
Car tu es l'un de ces hommes, ceux que l'on appelle les ouvriers. »

Ed PETERMAN

Tout est dans la manière de jouer

À Terre Haute, dans l'Indiana, lors d'un match de baseball des ligues mineures qu'il arbitrait, Donald Jenson reçut sur la tête un bâton qui avait glissé des mains d'un frappeur. Jenson continua d'arbitrer, mais il dut plus tard se rendre à l'hôpital sur recommandation du médecin. C'est pendant la nuit qu'il y passa sous observation qu'il écrivit cette lettre.

Chers parents d'un jeune joueur de baseball,

Je suis arbitre. Ce n'est pas mon gagne-pain, mais un moyen de me détendre la fin de semaine.

J'ai tout fait en matière de baseball : joueur, entraîneur, spectateur. Mais rien ne vaut le rôle d'arbitre. Peut-être parce que j'ai l'intime conviction de donner une chance égale à tous les enfants de pratiquer ce sport dans l'harmonie.

Malgré tout le plaisir que j'en retire, il y a quelque chose qui me dérange dans ce travail… Certains d'entre vous comprennent mal la nature de mon rôle. Vous, les parents, croyez parfois que je suis là pour exercer une autorité sur votre enfant. Il vous arrive même de crier après moi lorsque je commets une erreur, ou d'encourager vos enfants à me dire des paroles blessantes.

Combien d'entre vous comprennent réellement que j'essaie d'être parfait ? Je m'efforce de ne faire aucune erreur. Je ne veux pas que votre enfant se sente victime d'une mauvaise décision de l'arbitre.

Toutefois, malgré tous mes efforts, je ne peux pas être parfait. Une fois, j'ai compté les décisions que j'avais prises au cours d'un match de six manches. En comptant les balles, les prises, les joueurs retirés et les joueurs saufs, j'avais rendu un total de cent quarante-six décisions.

Durant ce match, j'avais fait de mon mieux pour toujours prendre la bonne décision, mais je m'étais sûrement trompé à quelques reprises. En calculant sur papier mon pourcentage de réussite, j'ai découvert que pour huit décisions peut-être erronées, j'avais pris de bonnes décisions dans une proportion de 95 %. Dans la plupart des professions, un tel pourcentage serait synonyme d'excellence. Si j'étais à l'école, j'obtiendrais certainement un « A ».

Or, vos attentes sont si élevées. Par conséquent, laissez-moi vous décrire le match que j'ai arbitré aujourd'hui.

L'issue du match s'est décidée sur un jeu serré. Un joueur de l'équipe locale posté au troisième but a voulu profiter d'une balle passée pour essayer de voler le marbre. Le receveur a récupéré la balle et l'a relayée au lanceur qui couvrait le marbre. Le lanceur a touché le coureur, que j'ai déclaré retiré.

Alors que je ramassais mon équipement et m'apprêtais à partir, j'ai entendu ce commentaire d'un parent qui avait assisté au match : « Dommage que nos enfants aient perdu à cause d'un arbitre pourri. Il a pris une des plus mauvaises décisions que j'aie vues. »

Peu après, j'ai surpris une conversation entre enfants. « Les gars, les arbitres ont été tellement mauvais ; c'est leur faute si on a perdu », a dit l'un d'entre eux.

Les ligues mineures ont pour mission d'enseigner le baseball aux enfants. De toute évidence, lorsque les joueurs d'une équipe jouent mal pendant un match et qu'on leur donne l'occasion de blâmer l'arbitre pour justifier leur défaite, on leur permet ainsi de se décharger de la part de responsabilité qui leur revient.

Quelle que soit la compétence de l'arbitre, le parent ou l'adulte en charge qui laisse un jeune joueur blâmer l'arbitre pour ses propres échecs lui rend un très mauvais service. Plutôt que d'apprendre à l'enfant à assumer les conséquences de ses actes, cette attitude l'amène à se faire une conception erronée des idéaux mêmes que le sport véhicule. Et cette irresponsabilité risque de se perpétuer plus tard dans sa vie.

Pendant que j'écris cette lettre, je ne sens plus la colère que je ressentais après le match d'aujourd'hui. Cet après-midi, je ne voulais plus arbitrer. Heureusement, ma femme m'a rappelé un autre événement survenu la semaine dernière.

J'étais en position derrière le marbre, et le lanceur devant moi manifestait son mécontentement chaque fois qu'une décision serrée n'était pas en faveur de son équipe. On aurait dit qu'il voulait convaincre les spectateurs qu'il était un bon joueur talentueux faisant de son mieux pour que ça aille bien, et que j'étais le vilain au cœur de pierre qui s'opposait à lui.

Ce jeune lanceur a poursuivi son petit manège pendant deux manches, sans se gêner pour engueuler ses propres coéquipiers qui avaient le malheur de commettre une erreur. Son instructeur observait tout. Au milieu de la troisième manche, profitant que son équipe était au bâton, l'instructeur prit son jeune lanceur à l'écart.

D'une voix forte que j'ai clairement entendue, l'instructeur l'a sermonné : « Écoute, mon gars, il faut que tu prennes une décision : ou bien tu es un arbitre, ou un comédien, ou un lanceur. Mais tu ne peux pas tout être à la fois si tu joues pour moi. Présentement, ton travail consiste à lancer et, à vrai dire, tu lances très mal aujourd'hui. Laisse la comédie aux comédiens et l'arbitrage aux arbitres, ou alors je trouve un autre lanceur. Bon, qu'est-ce que tu choisis ? »

Inutile de préciser que le jeune a choisi de lancer. Son équipe a d'ailleurs remporté la victoire. Une fois le match terminé, il m'a suivi jusqu'à ma voiture. S'efforçant de contenir ses larmes, il s'est excusé pour son comportement et m'a remercié d'avoir arbitré la partie. Il m'a dit aussi qu'il avait appris une leçon qu'il n'oublierait pas de sitôt.

Je ne peux m'empêcher de penser… à tous ces bons garçons pleins de talent qui ratent leur chance de devenir d'excellents joueurs de baseball parce que leurs parents les encouragent à jouer à l'arbitre plutôt qu'à travailler fort pour jouer au baseball comme il se doit.

Le matin suivant, Donald Jenson mourut des suites d'une commotion cérébrale.

Danny WARRICK
Texte soumis par Michael J. BOLANDER

Gratis, mon fils

Un soir, notre petit garçon vint voir mon épouse qui préparait le souper dans la cuisine et lui remit un bout de papier sur lequel il avait écrit quelque chose. Ma femme essuya ses mains sur son tablier et lut le message :

Tonte du gazon	5,00 $
Nettoyage de ma chambre cette semaine	1,00
Commissions au magasin	0,50
Surveillance de mon jeune frère pendant ton absence	0,25
Sortie des poubelles	1,00
Bon bulletin	5,00
Nettoyage et ratissage du terrain	2,00
Montant dû :	14,75 $

Eh bien ! Croyez-moi, lorsque ma femme leva la tête et regarda notre fils resté planté au milieu de la cuisine pour attendre son dû, je vis tous les souvenirs qui déferlaient dans ses yeux. Elle prit un stylo, tourna la feuille de papier et écrivit ce qui suit :

Pour les neuf mois pendant lesquels je t'ai porté afin que tu te développes : GRATIS.

Pour toutes les nuits où je t'ai veillé et soigné, et où j'ai prié pour toi : GRATIS.

Pour tous les moments éprouvants et toutes les larmes dont tu as été la cause : GRATIS.

Si tu fais le compte, tu verras que mon amour t'a été donné GRATIS.

Pour toutes les nuits remplies d'angoisse et tous les soucis anticipés : GRATIS.

Pour les jouets, la nourriture, les vêtements et même le mouchage de ton nez : GRATIS, mon fils.

Et si tu fais le compte de tout cela, tu verras que l'amour véritable ne te revient pas cher : il est GRATIS.

Laissez-moi vous dire, mes amis, lorsque notre fils eut fini de lire ce message, ses bonnes vieilles larmes d'autrefois brillaient à travers ses cils. Il regarda sa mère droit dans les yeux et lui dit : « Maman, je t'aime tellement. » Puis, il prit le stylo et écrivit en grosses lettres majuscules : « PAYÉ ».

M. ADAMS

Un cœur courageux

Je suis assise sur une chaise branlante de l'amphithéâtre, une caméra vidéo sur l'épaule, les larmes aux yeux. Ma fille de six ans, calme, pleine d'assurance et concentrée, chante de tout son cœur sur la scène. Je suis fébrile, nerveuse, émotive. J'essaie de retenir mes larmes.

« *Écoutez, entendez-vous ce son, ces cœurs qui battent partout dans le monde ?* » chante-t-elle.

Son petit visage rond se tourne vers la lumière, son petit visage si cher, si familier et pourtant si différent du mien dont les traits sont plus fins. Ses yeux – si dissemblables aux miens – regardent l'auditoire avec une confiance absolue. Elle se sait aimée.

« Là-bas dans les plaines, là-bas dans les vallons, partout dans le monde, les cœurs battent à l'unisson. »

C'est le visage de sa mère biologique que je vois maintenant dans celui de ma fille. Ces yeux qui parcourent l'auditoire, ce sont les yeux d'une jeune femme qui un jour plongea son regard dans le mien avec confiance. Ces traits, ce sont les traits dont ma fille a hérité de sa mère biologique : des yeux en amande et des petites joues roses et dodues que je ne peux cesser d'embrasser.

« *Rouge ou brun, blanc ou ébène, c'est le cœur de l'espèce humaine... oh, oh, qui bat au loin, qui bat au loin* », termine-t-elle.

L'auditoire est transporté. Moi aussi. La salle résonne d'un tonnerre d'applaudissements. Nous nous levons tous en même temps pour montrer à Mélanie que nous avons adoré sa performance. Elle sourit ; elle le savait déjà. À présent, je pleure. Je me sens si heureuse d'être sa mère. Elle me donne tellement de joie que mon cœur fait mal.

Le cœur de l'espèce humaine… un cœur courageux qui nous montre la voie dans les ténèbres… un cœur qui unit deux étrangères dans un même but : voilà le cœur que me montra la mère biologique de Mélanie. Du plus profond de son être, Mélanie ressentait le courage immense de sa mère biologique qui, à seize ans, était devenue femme par amour et avait accepté d'offrir à son enfant ce qu'elle ne pouvait lui donner : une vie meilleure que la sienne.

Le cœur de Mélanie bat contre le mien pendant que je la tiens dans mes bras en lui disant combien sa performance était merveilleuse. Elle se détache de moi et me demande : « Pourquoi pleures-tu, maman ? »

« Parce que je suis si heureuse pour toi et parce que tu t'en es si bien tirée, comme une grande ! », que je lui réponds. Je sens que je l'étreins avec beaucoup plus que mes bras. Je l'étreins avec l'amour de mon cœur, mais aussi avec celui de cette femme merveilleuse et courageuse qui prit la décision de donner naissance à ma fille et qui prit ensuite la décision de me la donner. Je transmets à Mélanie l'amour de deux cœurs… celui de la mère biologique qui eut l'immense courage de me la confier et celui de la femme dont les bras vides attendaient avec amour, *car nos deux cœurs battent à l'unisson.*

Patty HANSEN

Le sens de l'adoption

Debbie Moon, une enseignante, discutait d'une photo de famille avec ses élèves âgés d'environ six ans. Sur la photo, il y avait un petit garçon dont la couleur de cheveux différait de celle des autres membres de sa famille.

Un élève laissa entendre que le garçon sur la photo devait être un enfant adoptif, puis une petite fille appelée Jocelynn dit : « Je sais tout sur l'adoption, moi, car je suis une enfant adoptive. »

« Qu'est-ce que c'est, un enfant adoptif ? », demanda un autre élève.

La petite Jocelynn répondit : « C'est quand notre mère nous porte dans son cœur plutôt que dans son ventre. »

George DOLAN

On a tous besoin de la reconnaissance des autres, mais peu de gens le font savoir aussi clairement que ce petit garçon qui demande à son père : « Jouons aux fléchettes, papa. Moi je lance et toi tu dis "Merveilleux !" »

The Best of Bits & Pieces

Les retrouvailles

Il y a quelques semaines, alors que je vaquais à mes affaires habituelles, je reçus le coup de fil « inévitable », celui qui, d'une sonnerie stridente et redoutée, vous assomme presque autant que l'annonce d'un décès dans la famille. L'appel venait d'un ancien camarade d'école secondaire ; il m'invitait à une soirée qui allait réunir les élèves de la classe dans laquelle j'étais il y a vingt ans.

Se pouvait-il que vingt ans déjà se fussent écoulés, songeai-je en frémissant. Pendant que des frissons me parcouraient l'échine, des gouttelettes de sueur perlaient sur mon front. Qu'avais-je fait de ma vie au cours des vingt dernières années ? Ma mère m'avait bien dit qu'un jour cette grande question m'assaillerait. Mais à l'époque, j'avais tourné la chose en plaisanterie, de la même façon que je ridiculisais les horribles bigoudis de plastique rose qu'elle se mettait sur la tête. (J'en ai acheté des semblables dans un bazar pas plus tard que la semaine dernière !)

C'est étonnant comme un simple appel téléphonique peut chambarder une vie. Soudain, j'entendais les mélodies des années 1970 (les succès souvenirs, comme on les appelle aujourd'hui) dans des arrangements différents, me rendant compte que Mick Jagger était maintenant dans la cinquantaine, que les paroles de *Smoke on the Water* étaient plutôt incohérentes et que la chanson *Seasons in the Sun* était littéralement tombée dans l'oubli. Étais-je déjà arrivée à l'automne de ma vie ?

Je jetai un coup d'œil dans le miroir. (D'accord, je restai plantée devant ce sacré miroir.) J'examinai les minuscules rides de mon visage, les moindres pores, depuis mon front jusqu'à la base de mon cou, en passant par ces fins sillons qu'on appelle euphémiquement « pattes-d'oie ». Pas encore de double menton, pensai-je.

Les semaines qui suivirent tinrent de l'enfer absolu. Chaque matin débutait par un entraînement éreintant : dès 6 h 30, j'allais courir dans le vain espoir de faire fondre ce vilain surplus qui s'était accumulé sur mes cuisses et que je venais, du jour au lendemain, de remarquer. Je fis également le tour des magasins pour trouver « la » robe (vous savez bien, celle qui vous fait paraître vingt ans plus jeune), mais je me rendis compte qu'on avait cessé d'en vendre depuis 1975 environ. Trois essayages plus tard, je retrouvai la raison. Une seule chose pouvait expliquer ma réaction : je traversais la crise de la quarantaine.

Je pris alors conscience que c'étaient mes genoux qui produisaient ce drôle de craquement lorsque je montais l'escalier. Je pensai même sérieusement à ajouter dans mon curriculum vitae une chose qui, tout compte fait, me paraissait être un accomplissement par rapport au reste de ma vie : l'apprentissage de la propreté à l'âge de deux ans. Les céréales de son faisaient maintenant partie de ma vie quotidienne – et ce n'était aucunement par goût. J'organisais des soirées de bridge dans le seul but de compter les amis qu'il me restait.

La vie n'avait tout simplement pas tourné comme je le prévoyais. Bien sûr, j'étais heureuse. J'avais au cœur de ma vie un époux merveilleux et deux enfants magnifiques. Mais, quelque part, mon travail de secrétaire à temps partiel et mon rôle de mère ne correspondaient guère à l'image de cette femme que mes camarades de classe avaient à l'époque nommée « élève la plus prometteuse ». Venais-je de gaspiller vingt ans de ma vie ?

À l'instant même où j'allais jeter l'éponge ainsi que l'invitation, mon enfant de sept ans me tapota l'épaule : « Je t'aime, maman. Donne-moi un bisou. » Vous savez, en fin de compte, c'est avec bonheur que j'entrevois les vingt prochaines années.

Lynne C. GAUL

Le présent

C'est par une chaude journée d'été que les dieux le lui offrirent. Elle trembla d'émotion lorsqu'elle le vit, si fragile. Les dieux lui confiaient un présent tout à fait particulier, un présent qui, un jour, appartiendrait à la terre tout entière. D'ici là, lui demandèrent les dieux, elle devait en prendre soin et le protéger. Elle répondit qu'elle avait compris et le ramena respectueusement chez elle, résolue d'être à la hauteur de la confiance que les dieux lui avaient manifestée.

Au début, elle ne le quitta pratiquement jamais des yeux, le protégeait de tout ce qui aurait pu nuire à son bien-être. Lorsqu'il commença à s'éloigner du cocon protecteur qu'elle avait érigé autour de lui, elle le surveilla, le cœur rongé d'inquiétude. Cependant, elle prit bientôt conscience qu'elle ne pouvait pas le garder indéfiniment à l'abri. Il fallait qu'il apprenne à affronter la dure réalité pour devenir plus fort. Avec précaution, elle lui donna donc l'espace dont il avait besoin pour grandir en toute liberté.

Parfois, elle se couchait sans pouvoir dormir, submergée par le sentiment de ne pas être à la hauteur. Elle doutait de sa capacité d'assumer l'immense responsabilité qu'on lui avait confiée. Dans ces moments difficiles, elle entendait le doux murmure des dieux qui la rassuraient en lui disant qu'elle faisait certainement de son mieux. Réconfortée, elle trouvait alors le sommeil.

Avec les années, elle prit de l'assurance face à ses responsabilités. Le présent qu'elle avait reçu avait tellement enrichi sa vie, de par sa seule existence, qu'elle ne pouvait plus ni se rappeler la vie qu'elle menait avant de le recevoir, ni s'imaginer ce que serait la vie sans lui. Elle en avait presque oublié l'engagement qu'elle avait pris devant les dieux.

Un jour, elle se rendit compte à quel point le présent avait changé. Il ne donnait plus cette impression de vulnérabilité. Maintenant, l'aplomb et la solidité semblaient émaner de lui, comme si une force commençait à l'habiter. Mois après mois, elle le regarda grandir en force et en puissance, et sa promesse lui revint alors à l'esprit. Dans son cœur, elle sentit que se rapprochait le moment où elle allait devoir s'en séparer.

Inévitablement, le jour arriva où les dieux vinrent reprendre le présent pour l'offrir au monde. La femme éprouva un immense chagrin, car elle savait que la compagnie du présent lui manquerait. Profondément reconnaissante, toutefois, elle remercia les dieux de lui avoir donné le privilège de veiller sur lui pendant si longtemps. Elle releva fièrement la tête, car il y avait là un présent véritablement unique, un présent qui allait participer à la beauté et à l'essence même du monde autour de lui. Dès lors, la mère laissa partir son enfant.

Renee R. VROMAN

3

L'apprentissage et l'enseignement

Les enseignants sont ceux qui jettent des ponts
sur lesquels ils invitent les élèves à passer ;
une fois les élèves de l'autre côté,
le pont s'écroule gaiement,
incitant ceux qui viennent de le traverser
à construire leurs propres ponts.

Nikos KAZANTZAKIS

La rentrée de Beth

Je ne connaissais pas l'homme qui était devant moi ce matin-là, mais j'avais remarqué que nous marchions tous les deux la tête haute et le cœur fier tandis que nous tenions nos filles par la main. Le cœur fier, certes, mais inquiet aussi, en ce jour important : nos fillettes entraient en classe pour la première fois. Nous nous apprêtions à les confier, pour un certain temps du moins, à l'institution qui a pour nom l'école. Lorsque nous avons franchi la porte de l'édifice, l'homme m'a regardé. Nos regards ne se sont croisés qu'un bref instant, mais ce fut suffisant : dans ses yeux comme dans les miens se lisaient notre amour pour notre enfant, nos espoirs pour son avenir, notre souci de son bien-être.

Vous, leur enseignant, nous attendiez à la porte. Après les présentations d'usage, vous avez indiqué aux filles leurs places respectives. Nous les avons alors embrassées et sommes repartis. Nous n'avons pas échangé un seul mot lorsque nous nous sommes rendus à nos voitures pour aller au travail chacun de notre côté, car vous étiez au centre de nos pensées.

Nous avions tant de choses à vous dire, vous, l'enseignant. Tant de choses, en fait, que j'ai décidé d'écrire cette lettre pour vous les dire.

J'espère que vous avez remarqué la robe de Beth. Elle lui allait à ravir. Je sais, vous vous dites peut-être que mon opinion paternelle est loin d'être impartiale, mais Beth se trouvait vraiment belle dans sa robe, et c'est tout ce qui compte. Sachez que nous avons passé une semaine entière à courir les magasins pour trouver la robe qui conviendrait parfaitement à cette occasion spéciale. Elle ne vous le montrera pas, mais je suis persuadé qu'elle aimerait que vous sachiez qu'elle a choisi cette robe pour la façon dont elle voletait quand elle dansait devant les miroirs de la boutique. Dès qu'elle l'a essayée, elle a su qu'elle avait trouvé sa robe spéciale. Je me demande si vous avez remarqué. Un seul mot de vous rendrait cette robe encore plus merveilleuse.

Les souliers de Beth en disent long sur elle et sur sa famille. Ils méritent au moins une minute de votre attention. Oui, ce sont des souliers bleus munis d'une lanière. Ils sont robustes et de bonne qualité, sans être trop chics, vous voyez ce que je veux dire. Ce que vous ignorez, ce sont les nombreuses discussions que nous avons eues avec notre fille qui voulait des souliers pareils à ceux que, selon elle, toutes les fillettes porteraient. Mais nous refusions d'acheter des souliers en plastique de couleur violette, rose ou orange.

Beth avait peur que les autres enfants se moquent de ses souliers de bébé. Finalement, elle a essayé les robustes souliers bleus et nous a dit en souriant qu'elle avait toujours aimé ce genre de chaussures. Beth est bien l'aînée de la famille, c'est-à-dire une enfant désireuse de plaire. Elle est à l'image de ses souliers – solide et fiable. Comme elle aimerait que vous fassiez allusion à ses fameux souliers !

J'espère aussi que vous constaterez rapidement la timidité de Beth. Dès qu'elle vous connaîtra un peu mieux, elle deviendra intarissable, mais vous devrez faire les premiers pas. Ne prenez pas son côté réservé pour un manque d'intelligence. Donnez-lui un livre pour enfants et elle vous le lira. Beth a appris à lire comme cela devrait s'enseigner, c'est-à-dire tout naturellement, blottie dans son lit tandis que sa mère et moi lui lisions des histoires avant la sieste, avant la nuit ou dans les quelques moments de détente de la journée. Pour Beth, les livres sont synonymes de plaisir et de chaleur familiale. Je vous en supplie, ne tuez pas sa passion de la lecture en transformant son apprentissage en pénible corvée. Il nous a fallu toutes ces années depuis sa naissance pour lui inculquer l'amour des livres et de l'apprentissage.

Savez-vous que pendant tout l'été, Beth et ses amis ont joué à l'école en vue de la rentrée ? Laissez-moi vous raconter une histoire à propos de « sa classe ». Elle et ses « camarades de classe » devaient chaque jour écrire quelque chose. Beth encourageait ceux qui disaient ne rien trouver à écrire et elle les aidait à épeler les mots. Un jour, elle est venue me voir, bouleversée. Elle disait avoir peur de vous décevoir parce qu'elle ne savait pas épeler le mot « soustraction ». Elle en est maintenant capable. Vous n'avez qu'à lui demander. Sa classe imaginaire de cet été était remplie d'encouragements et animée par la voix douce d'un enseignant rassurant. J'espère qu'il en sera ainsi dans sa classe réelle.

Je sais que les enseignants sont très occupés en début d'année, je serai donc bref. J'aimerais seulement conclure en racontant ce qui s'est passé la veille de la rentrée. Nous avons mis le déjeuner de Beth dans sa boîte à lunch et ses fournitures scolaires dans son sac d'école. Nous avons préparé sa robe et ses souliers neufs. Je lui ai lu une histoire et j'ai éteint sa lampe de chevet. Je l'ai embrassée pour lui souhaiter bonne nuit. Puis, au moment où j'allais sortir de sa chambre, elle m'a fait revenir auprès d'elle. Elle m'a alors demandé si je savais que Dieu écrivait des lettres aux gens.

J'ai répondu que je n'en avais jamais entendu parler et je lui ai demandé si elle en avait reçu une. Oui, m'a-t-elle dit. Dans cette lettre, Dieu lui disait que son premier jour d'école serait un des plus beaux jours de sa vie. J'ai essuyé une larme avant qu'elle ne roule sur ma joue et je me suis dit : « *Faites qu'il en soit ainsi.* »

Un peu plus tard le même soir, j'ai découvert une note que Beth avait laissée à mon intention. Elle disait : « Je suis si chanceuse de t'avoir comme papa. »

À mon tour, cher enseignant, je vous dis que je vous trouve chanceux d'avoir Beth comme élève. Sur vous reposent nos espoirs à nous, les parents. Le matin de la rentrée, nous vous avons confié nos enfants et nos rêves. Lorsque vous prendrez nos enfants par la main, relevez la tête et marchez fièrement, car le rôle d'un enseignant comporte une très grande responsabilité.

Dick ABRAHAMSON

Le monde selon M. Washington

Un jour de dernière année du secondaire, j'entrai dans une classe pour attendre un de mes amis. Je venais de franchir la porte lorsque le titulaire de la classe, M. Washington, apparut soudainement et me demanda d'aller au tableau écrire quelque chose, pour faire un problème. Je répondis que j'en étais incapable. Il rétorqua : « Et pourquoi donc ? ».

« Parce que je ne suis pas un de vos élèves », dis-je.

Il dit : « Cela n'a pas d'importance. Allez quand même au tableau. »

Je répondis de nouveau : « Je ne peux pas. »

Il répéta : « Et pourquoi donc ? »

Embarrassé, je restai un moment silencieux. Puis j'avouai : « Parce que je suis un déficient mental léger. »

Il contourna son bureau, s'avança vers moi, me regarda et dit : « Ne redites jamais cela. Vous n'êtes pas obligé de croire ce que les autres pensent de vous. »

Ce fut un instant très libérateur pour moi. À l'école, les moqueries des autres élèves m'humiliaient, car ils savaient tous que j'étais dans une classe adaptée. Puis voilà que M. Washington me libérait du carcan de l'opinion des autres en me faisant remarquer que je n'avais pas besoin de m'y assujettir.

C'est ainsi que M. Washington est devenu mon conseiller. Avant de le rencontrer, j'avais redoublé à deux reprises. Au début de ma dernière année au primaire, on m'avait étiqueté « déficient mental léger » et on m'avait redescendu dans la classe inférieure. J'avais également raté ma première année du secondaire.

M. Washington marqua profondément ma vie. Je me dis aujourd'hui qu'il agissait dans l'esprit de ces paroles de Goethe : « Traitez quelqu'un tel qu'il est, et il ne fera qu'empirer. Traitez-le tel qu'il pourrait être, et il deviendra tel qu'il devrait être. » M. Washington avait aussi fait sienne cette maxime de Calvin Lloyd : « On ne s'élève pas en deçà de ses espérances. » Il donnait toujours à ses élèves l'impression qu'il avait de grandes espérances pour eux ; et nous, ses élèves, nous nous efforcions d'être à la hauteur de ses attentes.

J'étais encore un élève de premier cycle à l'école secondaire lorsque je l'entendis un jour prononcer un discours devant des élèves qui allaient obtenir leur diplôme d'études secondaires. Il disait : « Vous avez tous en vous la grandeur, quelque chose d'exceptionnel. Si seulement l'un de vous peut entrevoir sa pleine mesure, ce qu'il est véritablement, ce qu'il a d'unique, ce qu'il peut apporter au monde, alors d'un point de vue historique, l'humanité ne sera plus jamais la même. Vos parents, votre école, votre milieu, tous seront fiers de vous. Vous pouvez toucher la vie de millions de gens. » M. Washington s'adressait à des finissants, mais j'eus l'impression que c'est à moi qu'il parlait.

Je me rappelle l'ovation que les finissants firent à M. Washington. Après son discours, je le rattrapai dans le stationnement et lui dis : « M. Washington, vous souvenez-vous de moi ? J'étais dans la salle pendant votre discours aux élèves de dernière année.

— Que faisiez-vous là ? Si je ne m'abuse, vous êtes encore en premier cycle ?, répondit-il.

— Je sais, Monsieur. Votre discours m'est parvenu à travers les portes de l'auditorium et je suis entré, car j'ai senti que c'est à moi qu'il s'adressait. Vous disiez que chacun avait en lui la grandeur. Je l'ai entendu. Est-ce que j'ai la grandeur en moi, Monsieur ?

— Oui, M. Brown, dit-il.

— Alors comment se fait-il que j'ai échoué en anglais, en maths et en histoire, et que je devrai suivre des cours d'été ? Comment se fait-il, Monsieur ? Je suis plus lent que les autres. Je ne suis pas aussi intelligent que mon frère ou que ma sœur qui va étudier à l'université de Miami.

— Cela n'a pas d'importance. Cela signifie uniquement que vous devez redoubler d'ardeur. Ce ne sont pas vos résultats scolaires qui déterminent ce que vous êtes et ce que vous pouvez faire dans la vie.

— J'aimerais offrir une maison à ma mère.

— C'est une chose possible, M. Brown. Vous en êtes capable. » Et il se retourna pour continuer son chemin.

« M. Washington ?

— Qu'est-ce qu'il y a encore ?

— Euh !... je suis celui dont vous parliez tout à l'heure, Monsieur. Souvenez-vous de moi, n'oubliez pas mon nom. Un jour, vous l'entendrez de nouveau. Je suis celui dont vous serez fier un jour, Monsieur. »

L'école avait été jusque-là une lutte de tous les instants. Je montais d'une classe chaque année parce que je n'étais pas un vilain garnement. J'étais plutôt gentil garçon. J'amusais, je faisais rire les autres. J'étais poli et respectueux. Les enseignants m'accordaient donc les notes de passage, ce qui ne m'aidait guère. Puis, il y eut M. Washington qui m'imposa ses exigences. Il m'apprit à être responsable de mes actes, et c'est ainsi que je commençai à croire que j'étais capable, que je pouvais réussir.

Pendant ma dernière année à l'école secondaire, M. Washington me prit sous son aile, même si j'étais encore en classe adaptée. En temps normal, les élèves des classes adaptées ne suivent pas le cours d'art dramatique, mais on fit exception pour moi. Le directeur de l'école se rendit compte du lien qui s'était noué et de l'influence que M. Washington exerçait sur moi, car mes résultats scolaires étaient meilleurs. Pour la première fois de ma vie, mon nom figura au tableau d'honneur de l'école. C'était un véritable miracle, puisque je voulais aller en voyage d'études avec le département d'art dramatique et qu'il fallait figurer au tableau d'honneur pour y participer !

M. Washington transforma de fond en comble ma perception de moi-même. Il me révéla ma pleine mesure, celle qui dépassait mon conditionnement mental et les circonstances de ma vie.

Des années plus tard, devenu producteur d'une série de cinq émissions spéciales diffusées sur un réseau de télévision publique, je demandai à des amis de téléphoner à M. Washington dans le cadre de mon émission « You Deserve » (Gens de mérite), diffusée par la station de télévision éducative de Miami. J'étais assis près du téléphone à attendre son appel lorsqu'il me téléphona de Détroit. Il dit : « Puis-je parler à M. Brown, s'il vous plaît ?

— Qui est à l'appareil ?

— Vous le savez très bien.

— Ah ! C'est vous, M. Washington.

— Vous étiez bel et bien celui dont je parlais, n'est-ce pas ?

— Oui, Monsieur, celui-là même. »

Les BROWN

Foi, espoir et amour

À l'âge de quatorze ans, on m'envoya au Cheshire Academy, un pensionnat du Connecticut qui accueillait des garçons aux prises avec des problèmes familiaux. Ma mère était alcoolique et son comportement dysfonctionnel avait détruit notre famille. Après le divorce de mes parents, j'avais pris soin de ma mère comme d'un bébé jusqu'au moment où j'échouai dans tous les cours de ma première année du secondaire. C'est alors que mon père et le directeur de mon école décidèrent qu'un pensionnat axé sur la discipline et le sport (et situé assez loin de ma mère alcoolique) pourrait peut-être me donner la chance de terminer mes études.

Au tout début de ma première année à Cheshire, il y eut une cérémonie d'accueil. Le dernier à prendre la parole fut Fred O'Leary[1], responsable de la discipline. Cet ancien joueur de football tout étoile de l'Université Yale était un homme de forte carrure. Avec sa grosse mâchoire et son énorme cou, il ressemblait à la mascotte de Yale, « Bulldog ». Lorsque cet homme au physique imposant s'approcha du micro, on aurait pu entendre voler une mouche. À côté de moi se trouvait un élève plus âgé qui me dit : « Mon petit, arrange-toi pour qu'il ne te remarque pas. Change de côté de rue, s'il le faut. Mais fais en sorte que cet homme ignore jusqu'à ton existence ! »

Ce soir-là, devant toute l'école réunie, le discours de M. O'Leary fut bref et on ne peut plus clair. « Il est inter-

---

1. Fred O'Leary est un pseudonyme. Le nom a été changé pour préserver l'anonymat.

dit, je répète, interdit de sortir du campus, de fumer et de boire de l'alcool. Aucun contact avec les filles du coin. Si vous enfreignez ces règles, la punition sera très sévère et je me chargerai personnellement de vous botter le derrière ! » Je croyais son discours terminé lorsqu'il ajouta, sur un ton beaucoup plus doux : « Si vous avez un problème, quel qu'il soit, ma porte est toujours ouverte. » Cette dernière phrase se grava dans ma mémoire.

Plus l'année scolaire avançait, plus ma mère s'enfonçait dans l'alcool. Elle me téléphonait à toute heure du jour ou de la nuit. En bafouillant, elle me suppliait de quitter l'école et de revenir vivre avec elle. Elle me jurait qu'elle cesserait de boire et que nous partirions en vacances en Floride, et ainsi de suite. J'aimais ma mère. Il m'était difficile de lui dire non et chacun de ses appels me bouleversait. Je me sentais coupable. Je me sentais honteux. J'étais très confus.

Un après-midi, pendant un cours d'anglais, je songeai à ma conversation de la veille avec ma mère et mes émotions s'emparèrent de moi. Comme je sentais mes yeux se remplir de larmes, je demandai à l'enseignant la permission de sortir de classe.

« Sortir de classe ? Pour quelle raison ?, demanda-t-il.

— Pour voir M. O'Leary », répondis-je. Stupéfaits, tous mes camarades de classe se tournèrent vers moi.

« Qu'est-ce que tu as fait, Peter ? Je peux peut-être t'aider, suggéra l'enseignant.

— Non ! Je veux aller au bureau de M. O'Leary tout de suite », dis-je. En quittant la classe, mon esprit entier était occupé par ces mots : « Ma porte est toujours ouverte. »

Le bureau de M. O'Leary donnait sur le vaste hall de la salle principale, et on pouvait en apercevoir l'intérieur à travers la grande vitre de la porte. Chaque fois qu'un élève s'était attiré de sérieux ennuis, M. O'Leary le faisait entrer dans son bureau, refermait la porte et baissait le store. Souvent, on l'entendait crier : « On t'a vu hier soir en train de fumer une cigarette derrière la caserne de pompiers avec un autre type et une fille du coin qui travaille au café ! » C'était un très mauvais moment à passer pour le malheureux contrevenant.

Il y avait en permanence une file d'attente à l'extérieur de son bureau : des garçons aux prises avec toutes sortes de problèmes, assis piteusement. Dès que je pris ma place dans la file, les autres garçons voulurent savoir ce que j'avais fait de mal.

« Rien, dis-je.

— Es-tu tombé sur la tête ? Fiche le camp ! » me crièrent-ils, mais je n'avais nulle part où aller.

Finalement, mon tour arriva. La porte du bureau de M. O'Leary s'ouvrit et j'aperçus droit devant moi le visage de la discipline. Je tremblais et je me sentais imbécile, mais j'avais le curieux pressentiment que quelqu'un ou quelque chose m'avait poussé vers cet homme – l'homme le plus redouté du campus. Je levai les yeux et nos regards se croisèrent.

« Qu'est-ce qui vous amène ici ? aboya-t-il.

— À la cérémonie d'accueil, vous avez dit que votre porte était toujours ouverte si on avait un problème, balbutiai-je.

— Asseyez-vous », me dit-il en m'indiquant un grand fauteuil vert. Il baissa le store de la porte vitrée, alla derrière son bureau, s'assit et me regarda.

Je levai les yeux, mais dès que j'ouvris la bouche, les larmes se mirent à couler sur mes joues. « Ma mère est alcoolique. Quand elle est soûle, elle me téléphone. Elle veut que j'abandonne l'école et que je revienne à la maison. Je ne sais pas quoi faire. J'ai peur. Je vous en prie, ne croyez pas que je suis un idiot ou un fou. »

J'enfouis ma tête entre mes jambes, incapable de retenir plus longtemps mes sanglots. Oubliant où je me trouvais, je n'entendis pas cet ex-athlète imposant se lever sans bruit et s'approcher tout près du grand fauteuil vert dans lequel je sanglotais, frêle adolescent, enfant de Dieu perdu dans un lieu sombre et glacé.

Puis survint un de ces miracles que Dieu accomplit à travers les gens. Je sentis la grande main de M. O'Leary se poser doucement sur mon épaule, son pouce appuyé contre mon cou.

J'entendis ce monstre de la discipline me dire doucement : « Mon gars, je sais ce que tu ressens. Vois-tu, je suis moi-même alcoolique. Je ferai tout en mon pouvoir pour t'aider et aider ta mère. Dès aujourd'hui, je vais demander à mes amis des AA (Alcooliques anonymes) d'entrer en contact avec elle. »

En cet instant, les nuages se dissipèrent dans mon esprit. Je sus que les choses s'arrangeraient et ma peur disparut. Cette main que M. O'Leary mit sur mon épaule me fit sentir la présence de Dieu. Pour la première fois de ma vie, les mots foi, espoir et amour prirent tout leur sens. Je pouvais les voir, les sentir ; j'étais rempli de foi, d'espoir et d'amour pour tous ceux qui m'entouraient. L'homme le plus redouté du campus devint mon ami secret et je m'entretenais avec lui régulièrement, une fois par semaine. Lorsque je passais près de sa table à l'heure du dîner, il me lançait un regard et me faisait un clin d'œil amical. Mon cœur se gonflait de fierté à la pensée que ce personnage redoutable s'intéressait à moi avec bonté et affection.

J'avais crié à l'aide dans un moment de détresse… et il m'avait secouru.

Peter SPELKE
avec la collaboration de Dawn SPELKE
et Sam DAWSON

Les souliers à lacets

Quelle est notre raison d'être, sinon de se faciliter la vie les uns les autres ?

George ELIOT

Les années 1930 furent très difficiles dans toutes les villes minières et ouvrières du pays. Dans ma ville natale située dans l'ouest de la Pennsylvanie, des milliers d'hommes traînaient dans les rues en quête d'ouvrage. Parmi eux se trouvaient mes frères aînés. Ma famille n'était pas dans la misère noire, remarquez bien, mais nous ne mangions pas toujours à notre faim.

Comme j'étais un des cadets d'une famille nombreuse, je portais les vieux vêtements des aînés. On coupait les pantalons trop longs à la hauteur des genoux et on utilisait les retailles pour rapiécer ou renforcer ce qui était devenu des culottes courtes. On refaisait les chemises afin qu'elles aillent aux plus jeunes. Pour ce qui est des chaussures, eh bien ! c'était autre chose. On les usait jusqu'à la corde et on les jetait seulement quand on pouvait voir le pied en sortir.

Avant de recevoir mes souliers à lacets, je me rappelle avoir porté une paire de chaussures dont les côtés étaient fendus et dont les semelles décollées produisaient un bruit de claquement quand je marchais. J'avais alors découpé, dans une vieille chambre à air, deux morceaux de caoutchouc que j'avais collés sur le bout de mes chaussures pour faire tenir les semelles.

À l'époque, j'avais une sœur qui, après son mariage, avait déménagé dans l'ouest du pays pour s'installer au

Colorado. Lorsqu'elle le pouvait, elle nous envoyait ses vieux vêtements pour nous aider.

Une année, à la veille de l'Action de Grâces, nous reçûmes un colis de ma sœur. Nous nous réunîmes tous autour du paquet. Dans un coin se trouvaient des chaussures. À ce moment-là, je ne savais pas de quel genre de chaussures il s'agissait. Ma mère non plus et, maintenant que je me rappelle, ni mon père ni aucun de mes frères. Ils pensèrent tous comme moi : ce n'était qu'une paire de chaussures dont ma sœur ne voulait plus.

Ma mère regarda mes pieds sortir de mes vieux souliers, se pencha sur la boîte, prit les chaussures et me les offrit. Je plaçai mes mains derrière mon dos en regardant l'un après l'autre les membres de ma famille, puis je me mis à pleurer doucement. Ce fut un miracle que mes frères ne se moquèrent pas de moi ou ne me traitèrent pas de pleurnichard.

Il m'est encore pénible, trente ans plus tard, de repenser à cette scène. Ma mère me prit à part pour me dire qu'elle était désolée, mais qu'il n'y avait tout simplement pas d'autres chaussures pour moi ; qu'avec l'hiver qui arrivait, j'allais devoir m'habituer à les porter. Mon père, lui, me tapota l'épaule sans dire un mot. Quant à mon frère préféré, Mike, il m'ébouriffa les cheveux et me dit de ne pas m'en faire.

Finalement, une fois seul, j'enfilai les chaussures de ma sœur. De couleur ocre, elles avaient un bout pointu et des talons un peu hauts, mais elles étaient plutôt confortables. Je m'assis et, sanglotant doucement, je regardai mes chaussures à travers mes larmes.

Le lendemain matin, je me levai et m'habillai pour l'école, sans me presser, afin de retarder le plus possible le moment où j'allais mettre ces chaussures. Une fois de plus, je sentis mes yeux se remplir de larmes, mais je les refoulai. Je dus finalement partir pour l'école, mais je sortis par derrière et je ne rencontrai personne avant d'arriver dans la cour de récréation. Mais voilà qu'il y avait mon unique ennemi, Timmy O'Toole. Il était plus vieux et plus grand que moi, mais nous étions tous les deux dans la classe de Mlle Miller.

Il jeta un coup d'œil sur les chaussures de ma sœur, me prit par le bras et se mit à crier : « Evan porte des chaussures de fille ! Evan porte des chaussures de fille ! » Oh ! J'aurais bien aimé lui flanquer mon poing dans la figure, mais il était plus gros et plus fort que moi ; je n'aurais pas eu le temps de lever le petit doigt. Il me harcela jusqu'à ce qu'un attroupement se forme autour de moi. J'ignore comment tout cela se serait terminé si le directeur, le vieux Weber comme nous l'appelions, n'était pas soudainement arrivé.

« Entrez, sinon vous allez être en retard », dit-il. Je courus vers la porte et me réfugiai dans la classe afin d'échapper aux sarcasmes de Timmy.

Je m'assis en silence, les yeux rivés au plancher et les pieds ramenés sous ma chaise, mais rien ne pouvait plus arrêter Timmy. Il se moqua et se moqua encore. Chaque fois qu'il passait près de mon pupitre, il esquissait un pas de danse et m'appelait Edna, ou alors il lançait une blague stupide à propos des chaussures de ma sœur.

Au milieu de la matinée, nous abordâmes le sujet de la conquête de l'Ouest et Mlle Miller nous parla longuement des pionniers qui avaient découvert le Kansas, le Colorado, le Texas et d'autres endroits. C'est à ce moment que le vieux Weber entra dans la classe et resta debout près de la porte pour écouter en silence.

Jusqu'à ce matin-là, j'étais comme tous les autres garçons, c'est-à-dire que je n'aimais pas beaucoup

M. Weber. On disait qu'il était très méchant, qu'il avait mauvais caractère et qu'il préférait les filles.

M. Weber était toujours là, près de la porte. Sauf peut-être Mlle Miller, nous ignorions tous que M. Weber avait déjà vécu sur un ranch dans l'Oklahoma. Mlle Miller se tourna vers lui et l'invita à se joindre à la discussion ; à notre grand étonnement, il accepta. Toutefois, au lieu de nous raconter ses histoires habituelles, M. Weber se mit à parler de la vie des cow-boys, des indiens et d'autres choses du genre. Il chanta même quelques chansons de cow-boy ! Il continua de la sorte pendant une quarantaine de minutes.

Midi approchait, l'heure pour nous de retourner à la maison pour le dîner. C'est alors que M. Weber se mit à marcher dans ma rangée en continuant de parler. Tout à coup, il s'arrêta près de mon pupitre et se tut. Je levai les yeux et compris qu'il regardait sous mon pupitre, fixant les chaussures de ma sœur.

Je me sentis rougir tandis que j'essayais de ramener mes pieds sous ma chaise. Mais avant que je ne puisse les dissimuler tout à fait, il murmura : « Des souliers à lacets de cow-boy, des "oxfords" de cow-boy. »

Je dis : « Vous dites ? »

Il répéta : « Des souliers à lacets de cow-boy, des "oxfords" de cow-boy ! ». Puis, tandis que les autres élèves s'étiraient le cou pour voir ce qu'il regardait et tendaient l'oreille pour entendre ce qu'il disait, il s'exclama sur un ton enjoué : « Evan, où diable as-tu déniché ces souliers à lacets de cow-boy ? »

Croyez-moi, l'instant d'après, tous les élèves ainsi que Mlle Miller étaient autour de M. Weber et moi. Et tous répétaient : « Evan porte de vrais souliers à lacets de cow-boy ! » Ce fut, et de loin, le plus beau jour de ma vie.

Comme la classe tirait à sa fin, M. Weber dit à Mlle Miller que, si j'étais d'accord, il aimerait bien laisser les autres élèves voir de près ces fameux « oxfords » de cow-boy. Eh bien ! Tous mes camarades, y compris Timmy O'Toole, défilèrent devant mon pupitre pour admirer mes magnifiques souliers. Je me sentis tel un géant, mais, me rappelant les conseils de ma mère au sujet de l'orgueil, je restai assis en m'efforçant de rester modeste. Finalement, l'heure du déjeuner arriva.

J'eus peine à me frayer un chemin vers la sortie, car tous voulaient marcher à mes côtés. Et tous voulaient essayer mes souliers à lacets de cow-boy. Je répondis que j'allais y réfléchir. Quand même !

Dans l'après-midi, je demandai à M. Weber si je devais permettre aux autres d'essayer mes souliers à lacets de cow-boy. Après y avoir longuement réfléchi, il répondit que ce serait correct de laisser les autres garçons les essayer, mais pas les filles. Après tout, ces souliers n'étaient pas faits pour elles. C'est curieux, M. Weber et moi pensions exactement la même chose.

Je laissai donc tous les garçons de ma classe les essayer, y compris Timmy O'Toole, que je fis toutefois passer en dernier. Et il était le seul, à part moi, à qui les souliers allaient parfaitement.

Timmy O'Toole voulait que j'écrive à ma sœur pour qu'elle lui en trouve une paire. Mais je n'en fis rien. J'étais le seul en ville à porter des « oxfords » de cow-boy et c'était parfait ainsi.

Paul E. MAWHINNEY

Tête de bois

Aussi longtemps que je vivrai, je me rappellerai ma première rencontre avec Alvin C. Hass en 1991. C'est un détenu qui suivait un cours que je donnais en prison qui me le présenta. Mais ce détenu n'utilisa pas le nom « Alvin Hass ». Loin de là. Il me présenta Alvin en l'appelant « Tête de bois ». Tout de suite, ce surnom me mit mal à l'aise. Alvin était grand et sa voix, douce. Il ne leva pas les yeux lorsqu'il me serra la main. Inutile de préciser que le crâne de « Tête de bois » était complètement dégarni. Les quelques cheveux qu'il lui restait sur les côtés de la tête lui descendaient aux aisselles. J'essayais de le regarder tout en m'efforçant de ne rien remarquer, mais que voulez-vous, il portait un gros (et très intimidant) tatouage sur son crâne chauve. (Eh oui ! Un tatouage sur le crâne !) Le tatouage recouvrait tout le dessus de sa tête et représentait les fameuses ailes « Harley-Davidson ».

En tant qu'enseignant, j'essaie toujours de garder mon sang-froid dans les moments de tension. Aussi réussis-je à passer au travers de cette première journée de classe. À la fin du cours toutefois, « Tête de bois » me refila une note en sortant de la classe. Je pensai : « Oh non ! Il veut me prévenir qu'un des copains de sa bande « Harley » s'occupera de mon cas si je ne lui donne pas de bonnes notes, ou quelque chose du genre. » Plus tard, j'eus le temps de lire son message. Il disait : « Prof [il m'appelait toujours ainsi], le dîner est un repas important ; si vous n'êtes pas rentré avant le dîner, vous aurez de sérieux ennuis ! » Et c'était signé « Tête de bois, le hippie des montagnes. »

Tête de bois suivit une série de six cours avec moi pendant plusieurs mois. C'était un excellent élève. Il parlait très peu, mais il me refilait presque chaque jour une note de son cru qui contenait des potins, des anecdotes ou de sages conseils de vie. J'avais hâte de les recevoir, à tel point que j'étais désappointé si un jour il ne m'en donnait pas. J'ai encore toutes ses notes aujourd'hui.

Le courant passait entre Tête de bois et moi. Je ne sais pourquoi, mais chaque fois que j'ouvrais la bouche pour enseigner, je savais qu'il me comprenait. Il absorbait en silence tout ce que je disais. Bref, le courant passait.

À la fin de la série de cours, chaque élève reçut un diplôme. Comme Tête de bois avait remarquablement bien travaillé du début à la fin, il me tardait de lui remettre le sien.

Nous étions seuls lorsque je lui présentai son diplôme. En lui serrant la main, je lui dis que j'étais très heureux de l'avoir eu comme élève et que j'avais apprécié son bon travail, son assiduité et son excellente attitude. J'entends encore sa réponse aujourd'hui, car elle a laissé des traces profondes en moi. De sa voix douce, Tête de bois dit : « Merci, Larry. De toute ma vie, tu es le premier professeur à me dire que j'ai fait quelque chose de bien. »

Lorsque je m'éloignai, j'étais bouleversé. J'avais peine à retenir mes larmes à l'idée que Tête de bois, pendant toute son enfance, n'avait jamais été félicité.

J'avoue que je suis de la « vieille école ». J'ai grandi dans un milieu conservateur et je crois que les criminels doivent répondre de leurs actes et payer pour leurs crimes. Néanmoins, je me suis souvent posé cette question : « Se pouvait-il, par hasard, que Tête de bois ait abouti en prison parce qu'il n'avait jamais entendu des paroles d'encouragement telles que "C'est bien" ou "Bon travail" ? »

La réponse de Tête de bois m'a marqué. Aujourd'hui, lorsqu'un de mes élèves fait quelque chose de « bien », je me fais un devoir de le féliciter.

Je te remercie, Tête de bois, de m'avoir dit que j'avais, moi aussi, fait quelque chose de bien.

Larry TERHERST

Des empreintes dans mon cœur

Certains entrent dans notre vie et ne font que passer ; d'autres s'y attardent et laissent des empreintes qui nous transforment à jamais.

Source inconnue

Par une journée glaciale de janvier, un nouvel élève entra dans ma classe de fin du primaire, une classe pour enfants en difficulté d'apprentissage, et laissa ses empreintes dans mon cœur. La première fois que je vis Bobby, il portait un débardeur et un jeans usé, de toute évidence trop petit pour lui. Il faisait pourtant très froid dehors. Il avait aussi un soulier sans lacet qui lui sortait du pied à chaque pas. Même vêtu de façon décente, Bobby n'aurait pas eu l'air d'un enfant normal. Je n'avais jamais vu un enfant au regard si égaré, si solitaire, si perdu, et j'espère ne jamais en revoir un.

Non seulement Bobby avait-il une allure étrange, mais il se comportait de manière si bizarre que j'étais convaincue qu'il aurait été mieux dans une classe qui enseigne le savoir-vivre. Bobby pensait que l'évier arrondi se trouvant dans le corridor était un urinoir. Son parler normal ressemblait à un cri. Il était obsédé par Donald le Canard. Son regard fuyant ne croisait jamais celui des autres. Durant les cours, il lâchait sans cesse des commentaires. Une fois, il déclara fièrement devant tout le monde que le professeur d'éducation physique lui avait dit qu'il sentait mauvais et l'avait obligé à mettre du déodorant.

Si son savoir-vivre était atroce, ses aptitudes scolaires étaient nulles. À onze ans, Bobby ne savait ni lire ni écrire. Il était incapable d'écrire même les lettres de l'alphabet. Le moins que l'on pût dire, c'est qu'il était tout à fait différent des autres.

J'étais certaine qu'on m'avait confié Bobby par erreur. En vérifiant son dossier, je fus stupéfaite de constater que son quotient intellectuel était normal. Comment expliquer alors un comportement si étrange ? J'en parlai au psychologue de l'école qui me révéla avoir rencontré la mère de Bobby. Il me dit : « Bobby est beaucoup plus normal que sa mère. » Je fouillai davantage son dossier et découvris que Bobby avait passé les trois premières années de sa vie en foyer d'accueil. Par la suite, on l'avait retourné à sa mère, avec laquelle il avait changé de ville au moins une fois par année. Voilà le portrait de la situation. Malgré son comportement étrange, Bobby avait une intelligence normale et on allait le laisser dans ma classe.

Je déteste l'admettre, mais sa présence dans ma classe me dérangeait. J'avais déjà suffisamment d'élèves sous ma responsabilité, dont plusieurs qui demandaient beaucoup d'attention. Je n'avais jamais enseigné à un enfant si peu avancé. La seule préparation d'une leçon pour lui était pénible. Pendant ses premières semaines à notre école, je me réveillais avec des nœuds dans l'estomac et j'appréhendais le moment d'aller travailler. Certains jours, en me rendant à l'école en voiture, j'espérais qu'il serait absent. Mon travail d'enseignante était pour moi une source de fierté et je me dégoûtais moi-même de ne pas aimer cet enfant et de souhaiter son départ.

Bobby me rendait folle, mais j'essayai vaillamment de le traiter comme tous les autres élèves. Je ne laissai jamais personne le harceler en classe. Toutefois, à l'extérieur de la classe, les élèves prenaient un malin plaisir à se montrer méchants envers lui. On aurait dit une meute d'animaux sauvages qui attaquaient un des leurs parce qu'il était malade ou blessé.

Environ un mois après son arrivée, Bobby entra dans la classe, le chandail déchiré et le nez ensanglanté. Quelques-uns de mes élèves l'avaient pris à partie. Bobby s'assit à son pupitre comme si de rien n'était. Il ouvrit son livre et essaya de lire pendant que des gouttes de sang mêlées de larmes tombaient sur les pages. Outrée, j'envoyai Bobby à l'infirmerie, puis je tombai à bras raccourcis sur les élèves qui l'avaient battu. Je leur dis qu'ils devaient avoir honte de s'en prendre à Bobby pour la seule raison qu'il était différent. Je leur criai que son comportement étrange était même une raison de le traiter gentiment. À un moment donné, durant cette attaque verbale, je me mis à écouter mes propres paroles et je me rendis compte qu'il me fallait *moi aussi* changer mon opinion de lui.

Cet incident transforma mes sentiments à l'égard de Bobby. Je réussis à voir plus loin que son comportement étrange et je découvris un petit garçon qui avait désespérément besoin qu'on prenne soin de lui. Je compris que le véritable défi de l'enseignement n'était pas d'enseigner, mais de répondre aux besoins des élèves. Bobby avait des besoins extraordinaires auxquels je devais répondre.

Tout d'abord, j'achetai des vêtements pour Bobby à l'Armée du Salut. Je savais que les autres enfants se moquaient de lui parce qu'il avait seulement trois chandails. Je pris soin de choisir des vêtements en bon état et à la mode. Non seulement fut-il ravi de les recevoir, mais son amour-propre s'en trouva rehaussé. Parfois, lorsqu'il avait peur que d'autres enfants le battent, je l'escortais. Aussi, avant le début des cours, je l'aidais à faire ses devoirs.

Ces nouveaux vêtements et ce surcroît d'attention produisirent des changements étonnants. Bobby sortit de sa coquille et je découvris un enfant vraiment aimable. Son comportement s'améliora et il commença même à me regarder dans les yeux. Je n'allais plus travailler à reculons. Au contraire, j'avais hâte de le voir arriver dans le couloir le matin. Je m'inquiétais même de ses absences. Je remarquai aussi que le comportement des autres élèves s'améliorait à mesure que ma propre attitude changeait. Ils cessèrent de le harceler et l'acceptèrent comme membre du groupe.

Un jour, Bobby arriva à l'école avec une note disant qu'il déménageait dans deux jours. Mon cœur se brisa. Je n'avais pas encore fini de lui trouver tous les vêtements dont il avait besoin. Pendant ma pause, je me rendis dans un magasin pour lui acheter un ensemble. Je le lui offris en disant que c'était un cadeau d'adieu. En apercevant l'étiquette sur l'ensemble, il dit : « C'est la première fois de ma vie que j'ai des vêtements neufs. »

Quelques-uns de mes élèves apprirent le départ de Bobby. Après la classe, ils me demandèrent s'ils pouvaient organiser une fête d'adieu en son honneur. Je leur dis « Bonne idée ! », mais je songeai : « Ils arrivent à peine à se souvenir de leurs devoirs. Jamais ils ne pourront préparer une fête pour demain matin. » À mon grand étonnement, ils relevèrent le défi. Le lendemain, ils apportèrent un gâteau, des serpentins, des ballons et des cadeaux pour Bobby. Ses bourreaux étaient devenus ses amis.

Pour son dernier jour de classe, Bobby entra dans la classe avec un énorme sac à dos rempli de livres pour enfants. Il s'amusa beaucoup durant la fête que les autres avaient préparée pour lui, puis lorsque le calme fut revenu, je lui demandai ce qu'il pouvait bien fabriquer avec autant de livres. Il répondit : « Ces livres sont pour vous. J'en ai beaucoup à la maison et je me suis dit que je pourrais vous en offrir quelques-uns. » J'étais persuadée que Bobby n'avait rien qui lui appartenait chez lui, encore moins des livres. Comment diable un enfant qui avait seulement trois chandails pouvait-il avoir tant de livres ?

En feuilletant les livres, je compris : la plupart avaient été empruntés dans les bibliothèques des villes où il avait résidé. Certains portaient l'inscription « Exemplaire du maître ». Je savais que ces livres ne lui appartenaient pas vraiment et qu'il les avait acquis par des moyens douteux. Mais il m'offrait tout ce qu'il avait à offrir. Jamais personne ne m'avait donné un si merveilleux cadeau. Bobby me donnait tout ce qu'il possédait, à l'exception des vêtements que je lui avais offerts.

Avant de partir ce jour-là, Bobby me demanda s'il pouvait m'écrire. Il quitta ma classe, mon adresse en poche, me laissant ses livres et ses empreintes à jamais gravées dans mon cœur.

Laura D. NORTON

4

La mort et les mourants

Ne viens pas pleurer sur ma tombe.
Je n'y repose pas.
Je suis toujours vivant.
Je suis le vent qui se lève.
Je suis la neige qui scintille.
Je suis le soleil qui mûrit le grain.
Je suis la pluie d'automne.
Lorsque tu t'éveilles dans le silence du matin,
Je suis le tourbillon vif et réjouissant
des oiseaux qui virevoltent dans le ciel.
Je suis les étoiles qui brillent dans la nuit.
Ne viens pas pleurer sur ma tombe.
Je n'y repose pas.
Je suis toujours vivant.

Auteur inconnu

La grue d'or

Art Beaudry enseignait l'origami (l'art traditionnel japonais du papier plié) à l'Institut d'éducation permanente LaFarge de Milwaukee, dans le Wisconsin. Un jour, on lui demanda de représenter l'institut à une exposition tenue dans un grand centre commercial de Milwaukee.

Il décida d'apporter avec lui quelque deux cents grues en papier plié pour les distribuer aux gens qui visiteraient son stand.

Peu de temps avant l'exposition, toutefois, une chose bizarre se produisit : une voix intérieure lui dit de trouver une feuille d'or vierge et de fabriquer une grue d'or. L'étrange voix était si insistante qu'Art se mit à fouiller dans sa collection de papier à plier qu'il avait chez lui jusqu'à ce qu'il trouve une feuille d'or brillante encore intacte.

« Qu'est-ce qui me prend ? » se demanda-t-il. Il n'avait jamais travaillé avec du papier d'or, car ce papier ne se pliait pas aussi facilement et aussi nettement que les feuilles de papier multicolores, plus rigides. Mais la petite voix continuait de le hanter. Art protesta et essaya de ne pas l'entendre. « Pourquoi du papier d'or ? Le papier ordinaire se travaille beaucoup mieux », grommela-t-il.

La voix répéta : « Allez ! Fabrique une grue d'or, et tu l'offriras demain à quelqu'un de spécial. »

Art devenait de plus en plus irrité. « Et qui est donc cette personne spéciale ?, demanda-t-il à la voix.

— Tu le sauras en la voyant », répondit la voix.

Ce soir-là, Art plia et façonna avec le plus grand soin la foutue feuille d'or jusqu'à ce qu'elle devienne gracieuse et délicate comme une véritable grue prête à prendre son envol. Il rangea ensuite dans une boîte le ravissant oiseau ainsi que toutes les autres grues en papier qu'il avait fabriquées au cours des semaines précédentes.

Le lendemain, au centre commercial, des dizaines de personnes s'arrêtèrent au stand d'Art pour lui poser des questions au sujet de l'origami. Il passa beaucoup de temps à faire des démonstrations de son art. Il pliait, dépliait, puis repliait. Il expliquait les menus détails et insistait sur l'importance de plier le papier avec précision.

À un moment donné, une femme arriva devant le stand d'Art. C'était elle, la personne spéciale. Art ne connaissait pas du tout cette femme qui l'observait en silence tandis qu'il transformait minutieusement une feuille de papier rose vif en une grue aux ailes gracieuses et effilées.

Art regarda la femme et, sans réfléchir, il fouilla dans la boîte qui contenait sa réserve de grues en papier. Le délicat échassier en papier d'or, fruit de son labeur du soir précédent, était là. Il le prit et le tendit doucement à la femme.

« Je ne sais pas pourquoi, mais une voix très insistante à l'intérieur de moi me dit que je suis censé vous remettre cette grue d'or. Cet oiseau est un ancien symbole de paix », dit-il simplement.

Sans dire un mot, la femme prit dans sa petite paume le fragile oiseau, précautionneusement, comme s'il était vivant. Lorsque Art leva la tête pour la regarder, il vit ses yeux remplis de larmes.

La femme fit alors un long soupir et dit : « Mon mari est décédé il y a trois semaines. C'est la première fois que je sors de chez moi depuis sa mort. Et aujourd'hui… »

Elle essuya ses larmes de sa main libre, tenant encore délicatement la grue d'or de l'autre.

Elle poursuivit d'une voix faible : « Aujourd'hui, nous aurions célébré nos noces d'or. »

Puis d'une voix claire, cette femme qu'il ne connaissait pas ajouta : « Je vous remercie de ce merveilleux cadeau. Maintenant, je sais que mon mari repose en paix. Ne comprenez-vous pas ? La voix que vous avez entendue est celle de Dieu, et cette magnifique grue est un cadeau de Sa part. Je n'aurais pu recevoir plus beau présent pour mon cinquantième anniversaire de mariage. Merci d'avoir écouté votre cœur. »

C'est ainsi qu'Art a appris à écouter attentivement lorsqu'une petite voix intérieure lui demande de faire une chose qu'il ne comprend pas sur le coup.

Patricia LORENZ

Chaque chose que vous ratez vous en fait réussir une autre.

Ralph Waldo EMERSON

La dernière lettre du camionneur

Le mont Steamboat est meurtrier. Tous les camionneurs qui empruntent la route de l'Alaska le savent et traitent donc cette montagne avec respect, surtout en hiver. Sur cette montagne, la route est sinueuse, glacée et bordée d'escarpements très abrupts. On ne compte plus le nombre de camionneurs qui y ont laissé leur vie, et beaucoup d'autres encore suivront leurs dernières traces.

Un jour, alors que je roulais sur cette route, je croisai des policiers de la Gendarmerie royale du Canada ainsi que plusieurs dépanneuses qui hissaient du fond d'un ravin ce qui restait d'une semi-remorque. Je garai mon camion et rejoignis les quelques camionneurs qui observaient en silence l'épave qu'on remontait lentement.

Un des policiers vint vers nous et dit doucement : « Je suis désolé. Le conducteur était déjà mort lorsque nous l'avons trouvé. L'accident a probablement eu lieu il y a deux jours pendant la grosse tempête. Il n'y avait pratiquement aucune trace sur la neige. C'est par hasard que nous avons aperçu des chromes briller au soleil. »

Il secoua lentement la tête et fouilla dans une des poches de son parka.

« Tenez, les gars, vous devriez peut-être lire ceci. Je pense que le malheureux a survécu quelques heures avant de mourir de froid. »

C'était la première fois que je voyais un policier aux yeux larmoyants. J'avais toujours cru qu'à force de côtoyer la mort et le désespoir, les policiers s'immunisaient en quelque sorte. Le policier s'essuya les yeux et me tendit la lettre. En la lisant, je me mis aussi à pleurer. Chaque camionneur lut la lettre en silence, puis retourna sans dire un mot vers son camion. Les mots qu'elle contenait sont restés gravés dans ma mémoire. Les années ont passé, mais je m'en souviens comme si je la tenais encore entre mes mains. Voici donc cette lettre, pour vous et votre famille.

Décembre 1974

À ma tendre épouse,

Voici une lettre qu'aucun homme ne veut écrire, mais j'ai la chance d'avoir un peu de temps pour te dire ce que j'ai tant de fois oublié de te dire. Je t'aime, ma chérie.

Tu avais l'habitude de me taquiner en disant que je préférais mon camion à mon épouse, car je passais plus de temps avec lui qu'avec toi. C'est vrai que j'aime cette machine de métal – elle a toujours été bonne pour moi. Elle et moi avons traversé des endroits périlleux et des moments difficiles. Elle était fiable pendant les longs voyages, sans compter qu'elle était rapide sur les routes droites. Jamais elle ne m'a laissé tomber.

Mais, sais-tu, je t'aime pour les mêmes raisons ! Peu importe les circonstances, j'ai toujours pu compter sur toi.

Te rappelles-tu mon premier camion ? Cette vieille machine nous coûtait les yeux de la tête et rapportait à peine assez pour mettre du pain sur la table. Tu as dû trouver du travail pour que nous puissions payer le loyer et les factures. Tout l'argent que je gagnais était affecté aux réparations de ce camion, alors que ton revenu nous permettait de manger et d'avoir un toit.

Je me rappelle avoir pesté contre ce camion. Pourtant, jamais je ne t'ai entendue te plaindre quand tu rentrais fourbue du travail et que je te demandais de l'argent pour reprendre la route. Et même si tu t'étais plainte, je crois que je n'aurais rien entendu, trop absorbé par mes propres problèmes pour me préoccuper des tiens.

Je songe maintenant à toutes les choses auxquelles tu as renoncé pour moi : les vêtements, les vacances, les réceptions, les amis. Jamais tu ne te lamentais et, je ne sais pourquoi, je ne pensais jamais à te remercier d'être ce que tu es.

Quand je prenais un café avec les gars, je disais toujours mon camion, ma semi-remorque, mes paiements. J'imagine que j'oubliais que tu étais mon associée même si tu n'étais pas dans la cabine du camion avec moi. C'est grâce à tes sacrifices et à ta détermination, autant qu'aux miens, que nous avons finalement eu les moyens d'acheter le nouveau camion.

Les mots ne peuvent décrire la fierté que me procurait ce camion. J'étais fier de toi également, mais sans jamais te le dire. Je tenais pour acquis que tu le savais déjà. Si seulement j'avais consacré autant d'heures à parler avec toi que j'en ai passées à polir des chromes, j'aurais peut-être eu la chance de te le dire.

Pendant toutes ces années où j'ai sillonné les routes, j'ai toujours su que tes prières m'accompagnaient en tout temps. Mais aujourd'hui, elles n'ont pas suffi.

Je suis blessé. Gravement. Je viens de parcourir mon dernier kilomètre et je veux te dire les choses qui auraient dû être dites tant de fois auparavant. Ces choses qui sont passées sous silence parce que j'étais trop préoccupé par le camion et le travail.

Je songe à toutes les occasions manquées, fêtes et anniversaires. Je pense aussi aux spectacles de l'école et aux matches de hockey auxquels tu as assisté toute seule parce que j'étais sur la route.

Je songe à toutes les nuits de solitude que tu as passées à te demander où j'étais et comment les choses allaient.

Je songe à toutes les fois où j'ai voulu te téléphoner seulement pour te dire bonjour, sans finalement le faire. Je songe à la tranquillité d'esprit que me procurait l'idée de te savoir à la maison avec les enfants, dans l'attente de mon retour.

J'imagine toutes les réunions de famille où tu devais trouver mille excuses pour expliquer mon absence : j'étais occupé à faire une vidange d'huile ; j'étais occupé à chercher des pièces de rechange ; j'étais déjà couché parce que je partais tôt le lendemain. Il y avait toujours des raisons, mais elles m'apparaissent sans importance aujourd'hui.

Lorsque nous nous sommes mariés, tu savais à peine comment changer une ampoule électrique. Quelques années plus tard, tu réparais la fournaise pendant une tempête de neige tandis que j'étais en Floride à attendre une cargaison. Tu es devenue une bonne mécanicienne, au point de pouvoir m'aider à faire des réparations ; j'étais extrêmement fier de toi lorsque tu montais dans la cabine et que tu reculais le camion le long des rosiers.

J'étais fier de toi lorsque j'arrivais à la maison et que je te trouvais endormie dans la voiture, m'attendant. À deux heures du matin comme de l'après-midi, tu étais belle comme une vedette de cinéma. Sais-tu à quel point tu es belle ? Je ne te l'ai pas dit dernièrement, mais c'est vrai.

J'ai commis beaucoup d'erreurs dans ma vie, mais j'ai pris au moins une bonne décision, celle de te demander en mariage. Tu n'as jamais vraiment compris pourquoi j'aimais mon métier. Je ne saurais le dire moi-même, mais c'était ma façon de vivre et tu m'as appuyé. Beau temps mauvais temps, tu m'as toujours soutenu. Je t'aime, mon amour, et j'aime nos enfants.

Mon corps me fait mal, mais mon cœur me fait encore plus mal. Je ne reviendrai pas de ce voyage. Pour la première fois depuis que nous sommes ensemble, je me sens vraiment seul et j'ai peur. J'ai tant besoin de toi, mais je sais qu'il est trop tard.

C'est drôle, j'imagine, mais tout ce que j'ai, en ce moment, c'est mon camion. Ce damné camion qui a gouverné nos vies pendant si longtemps. Un amas de tôle tordue avec lequel et dans lequel j'ai vécu durant tant d'années, mais qui ne peut pas me donner de l'amour. Toi seule le peux.

Des milliers de kilomètres nous séparent, mais je te sens à mes côtés. Je peux voir ton visage et sentir ton amour. Mais j'ai peur d'affronter seul la mort.

Dis aux enfants que je les aime beaucoup et ne permets pas aux garçons de faire le métier de camionneur.

Chérie, je crois que c'est tout. Mon Dieu, comme je t'aime ! Prends soin de toi et n'oublie jamais que je t'ai aimée plus que tout au monde. J'ai simplement oublié de te le dire.

Je t'aime,

Bill

Rud KENDALL
Histoire soumise par Valerie TESHIMA

Pour l'amour d'un enfant

À dix-sept ans, Mike Emme conduisait une Ford Mustang. Lorsqu'il l'avait achetée, elle traînait depuis plus de sept ans dans un champ au Colorado. Il l'avait reconstruite et repeinte d'un jaune vif. Élève doué, plein de vie et toujours prêt à aider, Mike avait un avenir aussi brillant que sa voiture. Ses amis le surnommaient « Mustang Mike ».

« Comme j'aurais aimé apprendre à haïr », disait la note laissée par Mike. « Maman, papa, ce n'est pas de votre faute. Je vous aime. Je serai toujours à vos côtés. » C'était signé « Avec amour, Mike, 11 h 45 ».

Cet été-là, Mike avait vécu une histoire d'amour avec une fille qui, le 23 août, mit brusquement fin à leur relation pour se fiancer avec un autre homme. Le 8 septembre, Mike commit un geste qui stupéfia tout ceux qui le connaissaient. Il se glissa sur le siège avant de sa Mustang jaune, ferma la porte et se suicida d'un coup de feu.

À 11 h 52, ses parents, Dar et Dale Emme, ainsi que son frère, Victor, arrivèrent à la maison et garèrent leur voiture derrière celle de Mike. Sept minutes trop tard.

Vers midi, le lendemain, des adolescents se rendirent au domicile des Emme, chacun portant un tee-shirt sur lequel les mots « À la mémoire de Mike Emme » étaient imprimés au-dessus d'une Mustang jaune vif. (C'était le meilleur ami de Mike, Jarrod, qui les avait fabriqués avec l'aide de sa mère.)

Pendant les jours qui suivirent, une foule d'histoires commencèrent à circuler à propos de Mike. La plupart de ces histoires, sa famille les entendait pour la première fois. Certaines dataient de l'école secondaire, comme celle qui racontait que Mike avait partagé son dîner avec un camarade moins fortuné et celle où il avait donné l'argent de son dîner à quelque campagne de financement.

Une inconnue téléphona pour raconter comment elle s'était retrouvée seule dans un coin perdu avec ses deux jeunes enfants à cause d'une panne de voiture. Mike s'était arrêté, lui avait montré son permis de conduire pour la rassurer sur ses intentions, avait réussi à faire démarrer la voiture et l'avait suivie jusqu'à son domicile pour s'assurer qu'elle et ses enfants rentreraient sains et saufs.

Un camarade de classe venant d'une famille monoparentale raconta que Mike avait annulé sa commande d'une transmission flambant neuve pour sa Mustang et qu'il avait plutôt utilisé ses économies pour acheter deux transmissions usagées : une pour lui et l'autre pour son ami qui en avait besoin pour sa propre voiture.

Il y eut aussi une jeune fille qui raconta que c'était grâce à Mike si elle avait pu participer à la fête annuelle de l'école. Mike avait appris qu'elle n'avait pas les moyens de s'offrir une robe de soirée. Il lui avait donc acheté une jolie robe qu'elle avait dénichée dans une boutique de vêtements usagés.

L'année où Mike eut quatorze ans, une de ses nièces était née avec un handicap majeur. Mike avait appris à remplacer son tube de trachéotomie en cas d'urgence, à pratiquer la réanimation cardio-respiratoire et à utiliser le langage des signes pour chanter avec elle, car le tube de trachéotomie, sans lequel elle ne pouvait vivre, l'empêchait de parler. Leur chanson favorite contenait un refrain qui disait : « Dieu nous regarde de loin… » On aurait dit que Mike était toujours là pour aider, égayer ou réconforter.

Des adolescents se rassemblèrent chez les Emme, tant pour réconforter la famille que pour se consoler les uns les autres. Ils discutèrent de la tragédie du suicide chez les jeunes et du fait que la majorité des adolescents qui choisissent de s'enlever la vie sont des enfants doués (dont le quotient intellectuel est supérieur à la moyenne). Ils apprirent que le suicide, par ordre d'importance, est la sixième cause de mortalité chez les enfants de cinq à quatorze ans et la troisième chez les jeunes de quinze à vingt-quatre ans. Ils découvrirent que chaque année, aux États-Unis, plus de sept mille enfants de dix à dix-neuf ans se suicident et que la tendance prend des proportions épidémiques, même dans les écoles primaires. Quelqu'un mentionna une étude qui comparait des adolescents mentalement sains qui s'étaient suicidés avec des adolescents du même âge qui ne s'étaient pas suicidés. Une seule chose les distinguait : la présence d'une arme chargée dans la maison.

Pendant une discussion sur les moyens de prévention du suicide, quelqu'un leva les yeux, aperçut la Mustang jaune sur un des t-shirts et trouva l'idée du *Projet Ruban Jaune*. Linda Bowles, une amie de la famille, se procura un gros rouleau de ruban jaune et fit imprimer sur des petites cartes les instructions qui expliquaient comment utiliser les rubans. On pouvait y lire :

« PROJET RUBAN JAUNE »
À la mémoire de Michael Emme

CE RUBAN EST UNE BOUÉE. *Il indique que des gens sont prêts à écouter et à aider. Si vous (ou quelqu'un que vous connaissez) avez besoin d'aide sans savoir vers qui vous tourner, prenez ce ruban, ou n'importe quel ruban ou carte jaune, puis remettez-le à un conseiller, à un enseignant, à un prêtre, à un rabbin, à un ministre du culte, à un parent ou à un ami et dites simplement : « JE VOUDRAIS UTILISER MON RUBAN JAUNE. »*

Réunis dans le salon des Emme, les amis de Mike racontèrent leurs histoires et exprimèrent leur chagrin. Ils pleurèrent la perte de leur ami en agrafant un bout de ruban jaune sur chaque carte d'instructions.

On mit cinq cents cartes dans un panier qu'on apporta aux funérailles de Mike. À la fin de la cérémonie, le panier était vide. Les cinq cents rubans jaunes, chacun accompagné d'une petite carte, amorcèrent leur mission : aider d'autres enfants à renoncer au suicide. Après quelques semaines seulement, on apprit que le Projet Ruban Jaune avait permis de sauver la vie de trois adolescents. Peu de temps après, on distribua des rubans jaunes dans toutes les écoles du Colorado. Le mouvement continue aujourd'hui de prendre de l'ampleur.

Étant donné que la dépression, la solitude et la peur sont des souffrances qui se vivent souvent intérieurement, des milliers d'enfants – nos très chers enfants qui semblent pourtant parfaitement heureux – crient à l'aide dans leur silence, en proie à la plus profonde détresse. Que pouvons-nous faire ?

Thea ALEXANDER

La dernière danse

Une des premières tâches qu'on me confia lorsque j'étais enfant fut de ramasser du bois de chauffage. J'adorais ce travail, car je pouvais accompagner mon père dans les bois pour couper et fendre le bois. Nous étions comme une formidable équipe de bûcherons ; nous travaillions pour tenir au chaud notre maison et nos femmes. C'est ainsi que mon père m'enseigna à pourvoir aux besoins d'une famille. Et j'en retirais une sensation merveilleuse. Souvent, mon père me mettait au défi de fendre une grosse bille de bois noueux en, disons, cinq cents coups de hache. Comme j'y allais avec ardeur ! Je réussissais presque toujours à relever le défi, mais je pense qu'il me facilitait la tâche avec quelques coups de sa hache, uniquement pour voir mon visage rayonner de fierté et de bonheur lorsque, au quatre-cent-quatre-vingt-dix-neuvième coup, je parvenais enfin à fendre la bille en deux. Avec le nez qui coule à cause du froid, nous tirions ensuite le traîneau vers la maison où nous attendaient un bol de soupe et la chaleur apaisante d'un feu de foyer.

Quand j'étais au début du primaire, mon père et moi regardions la télévision ensemble les mardis soir, avec au programme des émissions de westerns et d'aventures. Mon père avait réussi à me convaincre qu'il avait chevauché avec eux dans ses jeunes années. Je le croyais, car il était toujours capable de prédire ce que les personnages allaient faire. S'il pouvait deviner leurs gestes, prétendait-il, c'est parce qu'il les connaissait bien. J'étais tellement fier de lui : mon père était un vrai cowboy qui avait frayé avec les plus grands. Un jour, à l'école, je racontai cela à mes camarades. Ils se moquèrent de moi et dirent que mon père mentait. Pour défendre son honneur, je me battais sans cesse. Un jour, je sortis plutôt amoché d'une bagarre, le pantalon déchiré et les lèvres en sang. Mon enseignant me prit alors à l'écart pour tirer l'affaire au clair. De fil en aiguille, mon père dut me révéler la vérité. Inutile de préciser que j'en fus bouleversé, mais je ne l'en aimai pas moins.

Mon père commença à jouer au golf alors que j'avais environ treize ans. Je lui servais de « caddie ». Dès que nous étions hors de vue, il me laissait frapper quelques balles. Je tombai amoureux de ce sport et devint même un excellent joueur. De temps à autre, mon père invitait deux de ses amis à se joindre à nous. Lorsque nous les entraînions dans un « skins game » et que nous le remportions, j'éprouvais une joie immense. Nous formions une équipe.

Mon père, Marvin, et ma mère, Maxine, avaient une deuxième passion (la première étant leurs enfants) : la danse. Ils formaient un couple superbe et les habitués des salles de danse les avaient surnommés les fabuleux M & M. Grâce à la danse, leur rêve romantique devenait réalité. Ils étaient toujours souriants lorsqu'ils dansaient. Dans les banquets de mariage, nous les accompagnions, mes sœurs et moi. Ils donnaient un magnifique spectacle !

Les dimanches matin, après la messe, mon père et moi avions pour mission de préparer le déjeuner. Pendant que le gruau aux raisins mijotait, nous pratiquions nos pas de danse à claquettes sur le plancher fraîchement lavé et poli de maman. Jamais, elle ne s'en plaignit.

Avec les années, nos liens se relâchèrent peu à peu. Dès mon entrée à l'école secondaire, je commençai à consacrer beaucoup de temps aux activités parascolaires. Mes copains d'alors étaient des sportifs doublés de musiciens : nous nous adonnions au sport, nous jouions de la musique et nous draguions les filles. Je me rappelle à quel point je me sentis seul et blessé quand mon père commença à travailler de nuit, ne pouvant plus m'accompagner à mes activités. Je me donnai à corps perdu dans le hockey et le golf. Ma colère se traduisait ainsi : « Je vais te montrer. Je n'ai pas besoin de toi pour être le meilleur. » J'étais le capitaine à la fois de mon équipe de hockey et de mon club de golf, mais mon père ne vit *aucun* de mes matches. J'avais l'impression que son manque d'attention m'incitait à me transformer en rescapé plein d'amertume. Comment pouvait-il ignorer à quel point j'avais besoin de lui ?

L'alcool devint pour moi une partie intégrante de ma vie sociale. Je ne considérais plus mon père comme un héros, mais comme quelqu'un qui ne comprenait ni mes sentiments ni ma détresse. À l'occasion, nous prenions un verre ensemble et, l'alcool aidant, les liens du passé semblaient se resserrer. Cependant, ce n'était qu'une illusion. En onze ans, c'est-à-dire de mes quinze ans à mes vingt-six ans, jamais nous ne prononçâmes les mots « je t'aime ». Onze ans !

Puis tout changea. Un matin, pendant que nous nous préparions pour aller au travail, je remarquai une masse sur la gorge de mon père qui se rasait. « Papa, qu'est-ce que tu as dans le cou ? », lui demandai-je.

« Je ne sais pas. Je vais justement voir le médecin aujourd'hui pour en savoir plus long », répondit-il.

Ce matin-là, je vis pour la première fois la peur dans les yeux de mon père.

Le médecin découvrit que la masse était en réalité un cancer. Pendant les quatre mois qui suivirent, je vis chaque jour mon père mourir à petit feu. Ce qui lui arrivait l'étonnait beaucoup. Il n'avait jamais été malade. Ce fut particulièrement pénible de voir ses quatre-vingts kilos de muscles et de chair se transformer en cinquante kilos d'os et de peau. Je tentai de me rapprocher de lui, mais il avait la tête ailleurs et ne pouvait se concentrer sur moi et sur les sentiments que nous éprouvions l'un pour l'autre.

Les choses se passèrent ainsi jusqu'à la veille de Noël.

Ce soir-là, en arrivant à l'hôpital, je vis que ma mère et mes sœurs avaient passé toute la journée auprès de mon père. Je pris la relève pour qu'elles puissent retourner à la maison et prendre un peu de repos. Quand j'entrai dans sa chambre, papa dormait. Je m'installai sur une chaise près de son lit. Il se réveillait de temps à autre, mais il était si faible que j'entendais à peine ce qu'il disait.

Aux environs de 23 h 30, la fatigue commença à se faire sentir. Je m'allongeai sur le lit de camp qu'un infirmier avait installé, puis je m'assoupis. Tout à coup, mon père me réveilla. Il criait mon nom. « Rick ! Rick ! » En me relevant, j'aperçus mon père assis dans son lit, le regard résolu comme jamais. « Je veux danser. Je veux danser tout de suite », disait-il.

Sur le coup, je ne sus que dire ou que faire. Je restai assis sans bouger. Mais il insistait. « Je veux danser. Mon fils, je t'en prie. Accorde-moi cette dernière danse. » Je m'approchai de son lit et lui demandai en m'inclinant légèrement : « Père, voudrais-tu m'accorder cette danse ? » Aussi incroyable que cela puisse paraître, il descendit de son lit presque sans aide. On aurait dit que Dieu lui avait insufflé un regain d'énergie. Main dans la main, nous nous enlaçâmes pour danser dans la chambre.

Aucun écrivain ne pourrait trouver les mots pour décrire l'énergie et l'amour que nous éprouvâmes ce soir-là. C'était une symbiose, l'image même de l'amour, une compréhension totale et mutuelle. Tous les moments passés ensemble semblèrent resurgir en cet instant précis. La danse à claquettes, la chasse, la pêche, le golf –

tous ces souvenirs remontaient en même temps à la surface. Le temps n'existait plus. Nous n'avions nul besoin de la radio ou d'un disque, car toutes les chansons présentes et à venir jouaient simultanément. La petite chambre était plus vaste que toutes les salles de danse où j'avais posé les pieds. Jamais je n'avais vu un tel éclat dans les yeux de mon père, une telle joie teintée de tristesse. Des larmes nous montèrent aux yeux tandis que nous dansions. Nous nous disions adieu. Le temps nous était compté et nous nous rendions compte encore une fois à quel point c'était magnifique de s'aimer inconditionnellement.

Lorsque nous cessâmes de danser, j'aidai mon père à se remettre au lit, car il était au bord de l'épuisement. Dans une ultime étreinte, il me prit la main, me regarda droit dans les yeux et me dit : « Merci, mon fils. Je suis si heureux que tu sois avec moi ce soir. Ta présence compte tellement pour moi. » Il s'éteignit le lendemain, jour de Noël.

Cette dernière danse était le cadeau que Dieu m'offrait pour ce Noël – un présent de bonheur et de sagesse qui me fit comprendre à quel point l'amour entre un père et un fils peut être fort et significatif.

Papa, je t'aime et j'anticipe déjà notre prochaine danse dans la salle de bal du paradis.

Rick NELLES

Papa

Mon père est mort quand j'avais trois ans. Quatre ans plus tard, ma mère se remaria. Je devins alors la petite fille la plus chanceuse au monde, car voyez-vous, j'eus la chance de choisir mon papa. Après que maman et « papa » se fussent fréquentés pendant quelque temps, je déclarai à ma mère : « C'est le bon. On le prend. »

À leur mariage, on me confia le rôle de bouquetière. Ce seul événement était merveilleux en soi : combien de gens peuvent se vanter d'avoir assisté au mariage de leurs parents (et d'avoir descendu avec eux l'allée jusqu'à l'autel) ?

Mon papa était très fier de sa famille (laquelle, deux ans plus tard, accueillit un nouveau membre : une petite sœur). Même les gens qui nous connaissaient à peine disaient à ma mère : « Charlie semble toujours si fier d'être avec vous et les enfants. » Cette fierté allait au-delà de considérations purement matérielles. Papa était fier de notre intelligence, de nos convictions, de notre bon sens et de notre sociabilité (ainsi que de mon charmant sourire).

Juste avant mes dix-sept ans, une chose terrible survint : mon papa tomba malade. Malgré toute une batterie de tests, les médecins restaient incapables de poser un diagnostic. « Si nous, *médecins tout-puissants,* ne trouvons rien, c'est qu'il va forcément bien. » Ils dirent à papa de retourner au travail.

Le lendemain, il rentra à la maison en pleurant. Nous comprîmes alors qu'il était très gravement malade. C'était la première fois que je voyais mon père pleurer, lui qui trouvait que les larmes étaient un signe de faiblesse. (Cette situation donna lieu à une drôle de relation, car l'adolescente en pleine puberté que j'étais pleurait à tout moment ; même les annonces publicitaires à la télévision m'arrachaient des larmes.)

Finalement, mon papa fut hospitalisé ; cette fois, on diagnostiqua un cancer du pancréas. Les médecins déclarèrent qu'il pouvait mourir à tout moment. Toutefois, nous étions persuadées qu'il lui restait au moins trois semaines à vivre, car l'anniversaire de ma sœur avait lieu une semaine plus tard et le mien, deux semaines après. Mon papa défierait la mort – il implorerait Dieu d'en avoir la force – et tiendrait le coup jusqu'après ces événements, me disais-je. Il ne permettrait pas que nos anniversaires, pour le reste de nos vies, nous rappellent un si terrible souvenir.

On dit souvent que la vie doit suivre son cours, et cela est d'autant plus vrai lorsque quelqu'un se meurt. Papa voulait à tout prix que la vie continue pour nous. De notre côté, nous voulions à tout prix qu'il reste avec nous. Nous fîmes donc un compromis : nous ne changerions rien à nos activités « habituelles », mais papa devait s'arranger pour y participer, même depuis son lit d'hôpital.

Après une de nos visites quotidiennes, le compagnon de chambre de papa suivit ma mère jusque dans le couloir. « Charlie est toujours si calme et si positif quand vous êtes avec lui. Je pense que vous ignorez à quel point il souffre. Il utilise toutes ses forces et toute son endurance pour que rien n'y paraisse. »

À cela, ma mère répondit : « Je sais qu'il cache sa souffrance, mais c'est plus fort que lui. Il veut nous épargner et il sait à quel point nous souffrons de le voir si malade. »

Pour la fête des Mères, nous apportâmes tous nos présents à l'hôpital. Papa descendit nous rejoindre dans le hall d'entrée (ma sœur était trop jeune pour être admise dans sa chambre). J'avais acheté un cadeau que papa offrit à maman. Nous passâmes un moment délicieux dans notre petit coin du hall d'entrée.

La semaine suivante, c'était l'anniversaire de ma sœur. Comme papa n'allait pas assez bien pour descendre, nous célébrâmes la fête, avec gâteau et présents, dans la salle d'attente située à son étage.

Mon bal des finissants avait lieu le week-end suivant. Après les photos d'usage à la maison et avec mon cavalier, nous nous rendîmes à l'hôpital. Eh oui ! Je me promenai dans l'hôpital vêtue d'une robe longue avec cerceau (et je pus à peine entrer dans l'ascenseur). J'étais un peu gênée, mais mon embarras disparut dès que j'aperçus le visage de mon père. Il attendait depuis tant d'années de voir sa petite fille aller à son premier bal de finissants.

Le spectacle de danse annuel de ma sœur était toujours précédé, la veille, d'une répétition générale. On permettait alors aux parents de prendre des photos. Bien entendu, après la répétition, nous nous rendîmes à l'hôpital. Ma sœur se balada dans les couloirs vêtue de son costume de danse, puis elle dansa pour mon père, qui ne cessa de sourire malgré les maux de tête cruellement douloureux que lui donnait tout ce tapage.

Vint enfin le jour de mon anniversaire. Nous réussîmes à introduire ma sœur dans sa chambre qu'il ne pouvait désormais plus quitter (les infirmières fermèrent gentiment les yeux). Une fois de plus, nous célébrâmes l'événement. Papa, cependant, était mal en point. À vrai dire, il était temps pour lui de lâcher prise, mais il s'accrochait.

Ce soir-là, nous reçûmes un coup de fil de l'hôpital : l'état de papa s'était considérablement détérioré. Quelques jours plus tard, il rendit son dernier souffle.

Une des leçons les plus difficiles à tirer de la mort, c'est que la vie doit continuer. Papa voulait que nous continuions à vivre pleinement nos vies. Jusqu'à la fin, il s'intéressa à nous et se montra fier de nous. Quel fut son dernier souhait ? Être enterré avec une photo de sa famille dans sa poche.

Kelly J. WATKINS

Le paradis des moineaux

Enfant, je me posais souvent la question : « Où vont les moineaux lorsqu'ils meurent ? » J'ignorais la réponse à l'époque, et je ne la connais toujours pas aujourd'hui. Maintenant, lorsque j'aperçois un oiseau mort, foudroyé par quelque force diabolique, je sais qu'il n'est pas mort de sa belle mort. Quelque chose l'a tué, s'en est emparé ; c'est une âme perdue dans la nuit.

Lorsque j'avais six ans, mon meilleur ami était un petit garçon qui habitait la même rue que moi. Nous jouions souvent dans mon carré de sable et discutions de choses que les adultes avaient oubliées depuis longtemps – du refus de grandir, par exemple, ou encore des monstres qui se cachaient sous nos lits ou dans de sombres placards. Il s'appelait Tommy, mais je l'avais surnommé Moineau parce qu'il était petit pour son âge. Il est ironique de penser aujourd'hui à ce surnom, car Tommy est mort depuis.

Je me rappelle le jour où j'appris que Tommy allait mourir. Je l'attendais dans mon carré de sable, terminant sans grand enthousiasme le château que nous avions commencé la veille. Sans Tommy, je me sentais comme une moitié seulement. Toujours est-il qu'après une attente qui sembla durer une éternité, il se mit à pleuvoir. Peu après, j'entendis au loin le téléphone qui sonnait chez moi. Environ dix minutes plus tard, ma mère vint me chercher dehors ; malgré son parapluie, son visage ruisselait. Nous rentrâmes à la maison. Juste avant d'entrer, je me retournai pour observer la pluie détruire le château de sable que Tommy et moi avions construit.

Une fois à l'intérieur, je bus une tasse de chocolat chaud, puis ma mère me fit venir à la table de la cuisine. Elle posa ses mains sur les miennes. Elles tremblaient. Je compris immédiatement : il était arrivé quelque chose à Tommy. Elle me raconta que les médecins avaient effectué des analyses sanguines dernièrement ; les résultats avaient indiqué que Tommy souffrait d'un problème appelé leucémie. Trop jeune pour savoir ce que cela signifiait, je regardai ma mère avec des yeux perplexes, mais mon cœur attristé savait déjà. Elle m'expliqua que les gens qui avaient ce dont Tommy souffrait – non : *ce qui faisait souffrir Tommy* – devaient partir. Je ne voulais pas que Tommy parte. Je voulais qu'il reste avec moi.

Le lendemain, il fallait que je voie Tommy, que je constate par moi-même que tout cela était bien vrai. Je demandai donc au chauffeur de mon autobus scolaire de me déposer chez Tommy plutôt que chez moi. Quand la porte de sa maison s'ouvrit, sa mère m'annonça que Tommy ne voulait pas me voir. Elle ne se rendit pas compte de ce qu'elle venait de faire. Mon cœur de petite fille se brisa en morceaux comme du verre de mauvaise qualité. Je courus chez moi en pleurs. Une fois à la maison, le téléphone sonna : c'était Tommy. Il me demanda de venir le rejoindre dans le carré de sable dès que nos parents seraient endormis. J'acceptai.

Tommy n'avait pas changé, sauf qu'il était peut-être un peu plus pâle que d'habitude. Mais c'était bel et bien lui. En fin de compte, il voulait me voir. Tout en reconstruisant notre château de sable, nous discutâmes encore de sujets incompréhensibles aux adultes. Tommy me dit que nous pourrions vivre dans un château pareil à celui que nous bâtissions et ne jamais devenir de grandes personnes. Je le crus de tout mon cœur. Puis, grisés par le sentiment d'amitié, nous nous endormîmes, entourés de sable chaud et protégés par notre château de sable.

Je me réveillai tout juste avant l'aube. Notre carré de sable était comme une île déserte encerclée d'une mer d'herbe que seuls le balcon arrière et la rue endiguaient. L'imagination d'un enfant est sans borne. La rosée faisait miroiter cette mer imaginaire, et je me rappelle avoir étendu le bras pour la toucher et voir si je pouvais faire onduler l'eau. Mais rien ne bougea. Je me retournai alors et Tommy me ramena à la réalité. Déjà réveillé, il regardait notre château. Je me rapprochai de lui et nous restâmes assis, envoûtés par la magie merveilleuse qu'incarne un château de sable pour deux petits enfants.

Tommy brisa le silence et annonça : « Je m'en vais au château maintenant. » Nous bougions comme des robots, comme si nous étions conscients de ce qui allait se passer. Et je pense qu'à notre façon nous le savions. Tommy posa sa tête sur mes genoux et dit, d'un ton somnolent : « Je m'en vais au château maintenant. Tu viendras me rendre visite, car je me sentirai seul. » Je lui en fis la promesse, de tout mon cœur. Il ferma ensuite les yeux, et je compris immédiatement que mon Moineau s'en allait là où vont tous les autres moineaux pour mourir. C'est ainsi qu'il me quitta, me laissant dans les bras un petit oiseau blessé et sans âme.

Vingt ans plus tard, j'allai me recueillir sur la tombe de Tommy et j'y déposai un petit château en plastique sur lequel j'avais inscrit : « À Tommy, mon Moineau. J'irai un jour te rejoindre pour toujours dans ton château. »

Le jour où je serai prête, je retournerai à l'endroit où se trouvait notre carré de sable et j'imaginerai notre château. Puis mon âme, comme celle de Tommy, se transformera en oiseau et s'envolera vers le château, vers Tommy, vers tous les autres petits moineaux perdus. Et je serai de nouveau une enfant de six ans qui ne grandira jamais.

Casey KOKOSKA

Je veux qu'on m'habille en rouge

Comme je travaille à la fois dans le domaine de l'éducation et dans celui des soins de santé, j'ai connu de nombreux enfants infectés par le virus du sida. Les relations que j'ai nouées avec ces enfants différents des autres ont été autant de cadeaux dans ma vie. J'ai appris beaucoup de choses grâce à eux, notamment que le courage n'est pas l'apanage des adultes. À ce propos, laissez-moi vous raconter l'histoire de Tyler.

Tyler était séropositif à la naissance ; sa mère lui avait transmis le virus. Dès les premiers jours de sa vie, il dépendait des médicaments pour survivre. À l'âge de cinq ans, on l'opéra pour lui insérer un tube dans une veine thoracique. Ce tube était relié à une pompe qu'il transportait avec lui dans un petit sac à dos. Grâce à cette pompe, Tyler recevait de façon continue ses médicaments. De temps à autre, il avait également besoin d'un supplément d'oxygène pour l'aider à respirer.

Tyler refusait de céder, ne serait-ce qu'un seul instant de son enfance, à cette maladie mortelle. On pouvait le voir jouer et courir dans sa cour, portant son sac à dos bourré de médicaments et traînant dans un petit chariot sa bonbonne d'oxygène. Tous ceux qui connaissaient Tyler s'émerveillaient de son bonheur d'être en vie et de l'énergie que cela lui procurait. Sa mère le taquinait souvent en lui disant qu'il courait tellement vite qu'elle devait l'habiller en rouge. Ainsi, lorsqu'elle jetait un coup d'œil par la fenêtre pour surveiller ses jeux, elle pouvait le repérer rapidement.

Toutefois, cette implacable maladie finit par rattraper Tyler, aussi énergique fût-il. Son état s'aggrava et, malheureusement, celui de sa mère aussi. Lorsqu'il devint évident que la fin de Tyler approchait, sa mère lui parla de la mort. Elle le réconforta en lui disant qu'elle allait bientôt mourir elle aussi et qu'elle le rejoindrait vite au paradis.

Quelques jours avant sa mort, Tyler me fit venir à son chevet et murmura : « Je vais peut-être mourir bientôt. Je n'ai pas peur. Mais lorsque je serai mort, je veux qu'on m'habille en rouge. Ma mère a promis de venir me rejoindre au paradis. Je serai sûrement en train de jouer lorsqu'elle arrivera, alors je veux être certain qu'elle me trouvera. »

Cindy Dee HOLMS

Ne crains rien, tout ira bien

En tant que mère et psychologue en milieu scolaire, je suis témoin de nombreuses amitiés extraordinaires entre enfants. Mon fils Court et son ami Wesley entretiennent des liens d'amitié très profonds. Leur relation est vraiment exceptionnelle.

Court n'eut pas une enfance facile. Il fut aux prises avec un trouble de la parole et du langage, ainsi qu'avec un retard sur le plan de la motricité globale. À l'âge de quatre ans, il fit la connaissance de Wesley dans une classe spéciale de prématernelle. À cause d'une tumeur au cerveau, Wesley présentait un retard de développement semblable à celui de Court. Dès le début, un lien se créa entre les deux enfants qui devinrent les meilleurs amis du monde. Lorsqu'un des deux n'était pas à l'école une journée, il manquait quelque chose à l'autre.

C'est à l'âge de deux ans qu'on diagnostiqua chez Wesley une tumeur « inopérable » au tronc cérébral. Il subit plusieurs interventions chirurgicales, mais sans succès. Un jour, on commença à remarquer que Wesley traînait la jambe. Une imagerie par résonance magnétique indiqua que la tumeur grossissait. De nouveau, Wesley devait se faire opérer, et l'intervention aurait lieu cette fois à Oklahoma City.

Tout au long de la période préscolaire, Court et Wesley eurent la chance d'avoir une enseignante merveilleuse. Les enfants la surnommaient affectueusement « Bachmann ». Dans toute ma carrière de psychologue en milieu scolaire, c'est la meilleure que j'aie rencontrée. Pour préparer ses élèves atteints de troubles du langage au départ de leur camarade, Bachmann leur expliqua que Wesley allait se rendre à Oklahoma City pour se faire opérer. Court fut bouleversé et pleura. Il ne voulait pas que son ami parte si loin en avion, et encore moins que les médecins lui fassent du mal.

Le jour de son départ, Wesley et ses camarades de classe se firent leurs adieux. Des larmes coulaient sur les joues de Court. Bachmann permit alors à Court et à Wesley de sortir de la classe pour se dire au revoir seul à seul. Court avait peur de ne plus jamais revoir son meilleur ami. Quant à Wesley, le plus frêle et le plus petit des deux, il donna une accolade à Court, le regarda droit dans les yeux d'un air entendu et le rassura : « Ne crains rien, tout ira bien. »

L'opération était extrêmement risquée, mais Wesley s'en tira une fois de plus. Quelques semaines plus tard, il était de retour à l'école. Les liens qui unissaient Court et Wesley se resserrèrent davantage.

Les années passèrent et Wesley dut subir plusieurs autres opérations délicates et prendre des médicaments qui étaient encore au stade expérimental. Chaque fois, il dut supporter des effets secondaires pénibles. Il passa le plus clair de son temps en fauteuil roulant ou devait faire porter son corps frêle pour se déplacer.

Comme Wesley adorait les épreuves de jogging de l'école, il essayait de participer comme les autres, de toutes les façons possibles. Comme ses jambes lui faisaient défaut, ses caramades l'aidaient. Une année, c'est sa mère qui poussa son fauteuil roulant pendant que Wesley criait : « Plus vite, maman ! » Une autre année, c'est le père d'un autre élève qui le transporta sur ses épaules.

L'année de ses onze ans, on avait épuisé toutes les opérations et toutes les médecines douces susceptibles d'aider Wesley. Son corps délicat n'était plus de taille pour la tumeur. Le 9 mars de cette année-là, Bachmann téléphona à Court pour lui dire que le temps était venu de faire ses adieux définitifs à son meilleur ami, Wesley, maintenant confiné chez lui. La mort était proche.

À onze ans, Court avait réalisé d'énormes progrès dans son développement, même s'il éprouvait encore des difficultés d'apprentissage et que l'épreuve de jogging n'était pas sa spécialité. Le lendemain du coup de téléphone de Bachmann, Court participa à l'épreuve de jogging de l'école. Il venait tout juste de se remettre d'un rhume et d'une crise d'asthme, mais il m'avait persuadée de le laisser participer. Lorsque je passai le prendre à l'école cet après-midi-là, il me dit que ses poumons étaient en feu. Il avait dans les mains un diplôme et le ruban brillant de la victoire. Le diplôme disait : « La première place chez les élèves de cinquième année est décernée à Court, en hommage à son ami Wesley. »

Ce soir-là, Court, un enfant habituellement peu sûr de lui qui laisse l'initiative aux autres, insista pour aller rendre visite à Wesley. La mère de Wesley s'arrangea pour que nous puissions le voir à un moment approprié, en fonction des heures où il devait prendre ses médicaments. On avait placé le lit de Wesley dans le salon. Une lumière douce tombait sur son corps fragile et angélique, tandis qu'une musique de Noël jouait en sourdine. Wesley était impotent, coincé entre son cancer et les médicaments contre la douleur. De temps à autre, il réussissait à serrer le doigt de quelqu'un et à ouvrir un œil.

Bachmann, qui était présente, parvint à réveiller Wesley et à lui faire comprendre que Court était là, à ses côtés. Court prit la main de Wesley et lui montra le diplôme de première place. Il lui expliqua qu'il avait remporté l'épreuve de jogging pour lui, parce qu'il ne pouvait pas y assister. Wesley serra le doigt de Court et lui lança un regard que seuls les deux amis pouvaient comprendre. Court se pencha pour embrasser Wesley et lui murmura : « Au revoir, mon ami. Ne crains rien. Tout ira bien. »

Wesley survécut assez longtemps pour célébrer son onzième anniversaire de naissance, puis il mourut en juin. Comme tout le monde, Court se plia aux formalités entourant les funérailles. Toutefois, lorsqu'on lui demandait comment il se sentait, il répondait qu'il avait déjà fait ses adieux à Wesley et qu'il était convaincu que tout irait bien pour lui.

Je croyais que l'histoire de leur amitié s'était terminée à la mort de Wesley. Je me trompais. Exactement un an après la mort de son grand ami, Court attrapa une méningite et tomba gravement malade. Pendant que nous attendions dans la salle des urgences, Court s'accrochait désespérément à moi. Nous avions peur tous les deux. Court avait froid et ne pouvait s'empêcher de frissonner. Lorsqu'enfin le médecin termina la ponction lombaire, Court et moi sentîmes une chaleur et une paix indescriptible nous envahir. Court se détendit presque instantanément et cessa de grelotter. Lorsque le médecin et l'infirmière quittèrent la chambre, Court et moi nous regardâmes longuement. Court, maintenant tout à fait calme, se tourna vers moi et dit : « Maman, Wesley était ici il y a un instant, dans cette chambre, et il m'a dit : "Ne crains rien, tout ira bien". »

Je crois du plus profond de mon être que certaines amitiés ne meurent jamais.

Janice HUNT

L'éternel optimiste

Nous avons eu la chance et le bonheur de mettre au monde trois fils qui, de par leur personnalité respective, nous ont chacun procuré beaucoup de joie. Nous avons affectueusement surnommé notre deuxième fils, Billy, « l'éternel optimiste ». J'aimerais bien affirmer que c'est nous qui lui avons inculqué cette attitude, mais il est tout simplement né ainsi. Par exemple, il a toujours été très matinal et avait pris l'habitude, tout jeune, de venir nous rejoindre dans notre lit à cinq heures du matin. Lorsqu'il se glissait sous les draps, nous le prévenions de ne pas déranger et de se rendormir. Il se couchait sur le dos et chuchotait : « Ce sera un matin magnifique ; j'entends les oiseaux chanter. »

Si nous lui demandions de cesser de nous parler, il répliquait : « Je ne vous parle pas ; je me parle à moi-même ! »

Un jour, en maternelle, on lui demanda de dessiner un tigre. Si l'optimisme est le point fort de Billy, les arts plastiques ne le sont pas. Aussi dessina-t-il un tigre qui avait la tête crochue et un œil fermé. Lorsque son enseignante lui demanda pourquoi l'œil du tigre était fermé, il répondit : « C'est parce qu'il dit : "Je t'ai à l'œil, mon enfant !" »

À cinq ans, à l'occasion d'une dispute avec son frère aîné qui insistait pour traiter de chauve un homme qui figurait dans une émission télévisée, Billy rétorqua : « Il n'est pas chauve. Il est comme papa. Il est chauve seulement quand il te regarde. Quand il s'en va, il a beaucoup de cheveux ! »

Ce sont ces souvenirs, et d'innombrables autres, qui menèrent à l'ultime manifestation d'optimisme de Billy. Notre cadet, Tanner, fut frappé du syndrome de Gasser un mardi. Le dimanche suivant, il mourait. Billy avait sept ans. Le lendemain des funérailles de Tanner, j'étais en train de border Billy dans son lit. J'avais l'habitude de m'allonger à ses côtés pour parler de la journée qui s'achevait. Toutefois, ce soir-là, nous restâmes couchés dans l'obscurité sans avoir grand-chose à nous dire. Puis, tout à coup, dans le noir, Billy se mit à parler.

Il dit : « Je suis triste de ce qui nous arrive, mais je suis encore plus triste pour les autres gens. » Je lui demandai de quels autres gens il parlait. Il m'expliqua : « Les gens qui n'ont pas connu Tanner. Comme nous avons été chanceux de l'avoir eu avec nous pendant vingt mois ! Penses-y, plein de gens n'ont pas eu la chance de le connaître. Oui, nous sommes vraiment chanceux. »

Beth DALTON

En souvenir de moi

Le jour viendra où mon corps reposera sur un drap blanc soigneusement replié aux quatre coins du matelas, dans un hôpital affairé à s'occuper des vivants et des mourants. À un moment donné, un médecin déclarera que mon cerveau a cessé de fonctionner et, à toutes fins utiles, que ma vie est arrivée à son terme.

Lorsque ce moment viendra, n'essayez pas d'insuffler à mon corps une vie artificielle au moyen d'une machine. Et ne dites pas que je suis sur mon lit de mort. Parlez plutôt d'un lit de vie et permettez qu'on vienne y prendre mon corps et qu'on l'utilise pour aider les autres à vivre une vie meilleure.

Donnez mes yeux à l'homme qui n'a jamais vu l'aube, le visage d'un bébé ou l'amour dans les yeux d'une femme. Donnez mon cœur à celui dont le cœur ne cause que d'interminables journées de souffrance. Donnez mon sang à l'adolescent qu'on vient d'extirper de sa voiture accidentée, afin qu'il vive assez longtemps pour voir jouer ses petits-enfants. Donnez mes reins à quelqu'un qui dépend d'une machine pour vivre semaine après semaine. Prenez chacun de mes os, chacun de mes muscles, chaque fibre et chaque nerf de mon corps, et trouvez le moyen de faire marcher l'enfant cloué à un fauteuil roulant.

Explorez chaque recoin de mon cerveau. S'il le faut, emparez-vous de mes cellules et laissez-les croître pour permettre un jour à un petit garçon muet de crier sa joie au son d'un bâton de baseball frappant la balle, ou à une fillette sourde d'entendre la pluie marteler sa fenêtre.

Brûlez ce qui reste de mon corps et dispersez les cendres aux quatre vents pour aider les fleurs à pousser.

Si vous tenez absolument à enterrer quelque chose, alors enterrez mes fautes, mes faiblesses et tout le mal que j'ai fait à mon prochain.

Donnez mes péchés au diable et confiez mon âme à Dieu.

Si, par hasard, vous désirez faire quelque chose en souvenir de moi, alors ayez un mot ou un geste aimable pour quelqu'un qui en a besoin. Si vous faites tout ce que j'ai demandé, je vivrai éternellement.

Robert N. TEST
Soumis par Ken KNOWLES

Garde ta fourchette

Le frère Jim souriait toujours lorsqu'il entendait la voix de Martha à l'autre bout du fil. Elle était non seulement la plus ancienne parmi les membres de la congrégation, mais aussi une des plus fidèles. Partout où elle allait, tante Martie, comme l'appelaient tous les enfants, incarnait la foi, l'espoir et l'amour.

Cette fois, cependant, sa voix n'était pas tout à fait la même au téléphone.

« Mon père, pouvez-vous venir me voir cet après-midi ? J'ai quelque chose à vous dire. »

« Bien sûr. Je serai là aux alentours de quinze heures. Ça vous convient ? »

Une fois assis en face de Martha dans la quiétude de son petit salon, Jim apprit ce qui la perturbait. Martha lui annonça que son médecin venait de découvrir une tumeur qui était déjà là depuis un certain temps.

« Il pense qu'il me reste probablement six mois à vivre. » Le moment était grave, certes, mais Martha semblait très calme.

« Je suis désolé... » Mais Martha ne laissa pas Jim terminer sa phrase.

« Ne soyez pas désolé. Le Seigneur a été bon pour moi. J'ai eu une longue vie. Je suis prête à partir, vous le savez bien.

— Je sais, murmura Jim en approuvant d'un hochement de tête.

— Ce dont j'ai besoin, c'est de discuter avec vous de mes funérailles. J'ai bien réfléchi et je sais ce que je veux. »

Ils discutèrent ainsi pendant un long moment. Ils parlèrent des chants favoris de Martha, des extraits de la Bible qui l'avaient le plus marquée au fil des ans et des nombreux souvenirs qu'ils avaient en commun depuis que Jim s'était joint à la congrégation cinq ans auparavant.

Lorsque tout eut été dit, Martha cessa de parler, regarda Jim d'un œil pétillant et ajouta : « Une dernière chose : lorsqu'on m'enterrera, je veux qu'on me mette ma vieille bible dans une main et une fourchette dans l'autre.

— Une fourchette ? » Jim, qui croyait avoir tout entendu dans sa vie, était surpris. « Pourquoi voulez-vous être enterrée avec une fourchette ?

— J'ai repensé à tous ces repas et banquets organisés par notre église et auxquels j'ai pris part pendant des années, expliqua-t-elle. Je serais bien incapable de me rappeller tous les détails, mais il y a une chose que je n'ai pas oubliée.

« Dans tous ces rassemblements fort agréables, lorsque le repas tirait à sa fin, un serveur, ou bien l'hôtesse, venait ramasser la vaisselle sale. Je revois très clairement ce moment. Parfois, lors des meilleurs repas, quelqu'un se penchait au-dessus de mon épaule pour me souffler à l'oreille : "Vous pouvez garder votre fourchette". Et savez-vous ce que cela signifiait ? Que le dessert arrivait !

« Par dessert, je ne veux pas dire une coupe de gelée de fruits, de pouding ou même de crème glacée. Pas besoin de fourchette pour manger cela. Je parle des vrais bons desserts, comme le gâteau au chocolat ou la tarte aux cerises ! Lorsqu'on me disait de garder ma fourchette, cela signifiait que le meilleur était à venir !

« C'est exactement ce dont je veux que l'on parle à mes funérailles. Bien sûr, les gens pourront aussi se remémorer tous les bons moments qu'on a vécus ensemble. Ce sera agréable.

« Mais lorsqu'ils défileront devant mon cercueil et qu'ils admireront ma jolie robe bleue, je veux qu'ils se tournent les uns vers les autres et qu'ils se demandent "Pourquoi une fourchette ?".

« Et c'est vous qui leur répondrez. Vous leur direz que j'ai gardé ma fourchette parce que le meilleur est à venir. »

Roger William THOMAS

Le paradis sur terre

Mon grand-père était prêtre bouddhiste. Au moment de sa mort, il était le lama de race blanche le plus haut placé dans le monde. Toutefois, en présence de mon grand-père, on remarquait moins la distinction de ses accolades que l'énergie qu'il dégageait. Une mystérieuse vitalité émanait de ses yeux verts et brillants. Malgré son apparente tranquillité, il se distinguait toujours dans une foule. Grand-papa rayonnait de l'intérieur. Le silence qui l'entourait était particulièrement éloquent.

Sa femme, c'est-à-dire ma grand-mère, était une catholique convaincue. Brillante et énergique, c'était une femme avant-gardiste. Je l'appelais « Gagi », car « gaga » avait été mon tout premier mot quand j'étais bébé et elle était persuadée que j'avais essayé de prononcer son nom. Depuis ce jour, elle fut Gagi pour moi.

Gagi avait axé sa vie sur son mari ; tout au long de leurs cinquante années de mariage, c'est elle qui avait subvenu financièrement aux besoins de leur famille de cinq enfants. Mon grand-père avait donc eu la liberté de se consacrer à sa mission de prêtre et de ministre auprès des démunis, et d'accueillir les dignitaires qui venaient de partout à travers le monde visiter son temple. À la mort de grand-papa, Gagi perdit la lumière de sa vie et sombra dans la dépression. Sa raison de vivre ayant disparu, elle se retira du monde et s'enfonça dans le deuil et le chagrin.

Au cours de cette période, je pris l'habitude de lui rendre visite une fois par semaine, uniquement pour qu'elle sache que j'étais là.

Le temps passa, comme toujours, et la paix revint dans son cœur tout naturellement et pour de bon.

Quelques années plus tard, alors que je venais lui faire ma visite hebdomadaire, je la trouvai assise dans son fauteuil roulant, resplendissante et pétillante de vie. Comme je tardais à l'interroger sur les raisons de son humeur remarquable, elle prit les devants.

« Tu ne me demandes pas pourquoi je suis si heureuse ? Ne serait-ce que par curiosité ?

— Bien sûr, Gagi, m'excusai-je. Dis-moi, qu'est-ce qui te rend si heureuse ? Qu'est-ce qui explique ce nouvel état d'esprit ?

— La nuit dernière, j'ai enfin obtenu une réponse. Je sais maintenant pourquoi Dieu a rappelé vers Lui ton grand-père en me laissant toute seule, déclara-t-elle.

— Et quelle est cette raison, Gagi ? », demandai-je.

Alors, comme si elle s'apprêtait à me confier le plus grand secret de l'univers, elle baissa la voix, se rapprocha de moi et me dit : « Ton grand-père connaissait le secret d'une bonne vie et le mettait en pratique tous les jours. Il était l'amour inconditionnel en personne. Voilà pourquoi il est parti le premier et que je suis restée. » Elle fit une pause, l'air songeur, puis elle poursuivit.

« Ce que je considérais comme un châtiment était, en réalité, un cadeau. Dieu m'a laissée seule pour que je transforme ma vie en amour. Tu vois, la nuit passée, on m'a révélé que l'amour ne s'apprend pas là-haut, ajouta-t-elle en pointant le ciel. L'amour doit se vivre ici, sur terre ; après le grand départ, il est trop tard. On m'a donc fait cadeau de la vie pour que je puisse vivre l'amour ici et maintenant. »

À partir de ce jour, mes visites chez Gagi furent un mélange tout à fait unique de partage et de surprises continuelles. Malgré sa santé qui déclinait, elle était réellement heureuse. En fait, elle avait de nouveau trouvé un sens à sa vie, une raison de vivre.

Une fois, son enthousiasme était tel qu'elle en frappait les appuie-bras de son fauteuil roulant. « Devine ce qui est arrivé ce matin ? », me demanda-t-elle.

Je répondis que je l'ignorais. De plus en plus excitée, elle poursuivit : « Eh bien ! ce matin, ton oncle était fâché contre moi au sujet d'une chose que j'avais faite. Je n'ai pas bronché. J'ai pris sa colère, je l'ai enrobée d'amour et je la lui ai remise avec joie ! » Elle ajouta, les yeux brillants : « C'était même plutôt amusant et, naturellement, sa colère a disparu. »

Les jours passèrent et les visites se succédèrent ; Gagi apprenait l'amour et, inexorablement, vieillissait. Grâce aux histoires qu'elle me racontait, chaque visite était une nouvelle aventure. Elle venait à bout d'innombrables habitudes et se renouvelait sans cesse. Bref, elle était réellement en train de renaître.

Au fil des ans, sa santé se détériora graduellement. Elle faisait de fréquents séjours à l'hôpital. Finalement, à l'âge de quatre-vingt-dix-sept ans, elle fut admise pour de bon à l'hôpital le lendemain de l'Action de Grâces. Je pris l'ascenseur jusqu'au quatrième étage et me rendis au poste des infirmières. « La chambre de Mme Hunt, je vous prie ? », demandai-je.

L'infirmière de garde, penchée sur son travail, leva tout de suite les yeux, enleva ses lunettes et s'exclama : « Vous devez être sa petite-fille ! Elle vous attend et nous a demandé de guetter votre arrivée. » Puis elle sortit de derrière son bureau en offrant de m'accompagner. Nous marchions dans le couloir lorsque soudainement, elle s'arrêta, me regarda droit dans les yeux et me dit tout bas : « Vous savez, votre grand-mère est une femme hors du commun. Elle est lumineuse. Les infirmières qui travaillent à cet étage-ci veulent toujours l'avoir comme patiente lors-qu'elles sont de garde. Elles adorent lui apporter ses médicaments, car elles trouvent votre grand-mère vraiment spéciale. » Elle se tut, presque embarrassée à l'idée d'en avoir trop dit. « Mais évidemment, je ne vous apprends rien.

— C'est vrai, c'est une personne peu commune », répondis-je, pendant qu'une voix intérieure me murmurait : « Gagi arrive à son but. Il ne lui reste plus beaucoup de temps. »

C'était deux jours avant Noël. J'avais passé quelques heures auprès de Gagi à l'hôpital. Le soir même, je me détendais à la maison lorsqu'une voix résonna soudain en moi : « Debout ! Va tout de suite à l'hôpital. Il n'y a pas une minute à perdre. Va à l'hôpital tout de suite ! »

J'enfilai un jeans et un tee-shirt, je sautai dans ma voiture et me précipitai à l'hôpital. Après avoir garé la voiture en catastrophe, je courus jusqu'à l'ascenseur et montai au quatrième étage. En arrivant à la porte de sa chambre, j'aperçus ma tante qui tenait la tête de Gagi entre ses mains. Elle se tourna vers moi, les larmes aux yeux. « Elle nous a quittés, Trin, dit-elle. Elle est partie il y a cinq minutes. Tu es la première arrivée. »

Mon esprit vacilla tandis que je m'approchais du lit de Gagi. Refusant de croire qu'elle était morte, je posai la main sur sa poitrine pour sentir son pouls. Son cœur ne battait plus. Je restai debout, tenant son bras encore chaud, ne pouvant détacher mes yeux de ce corps âgé et magnifique qu'avait habité l'âme d'une femme que j'avais adorée. Gagi avait pris soin de moi quand j'étais petite. Elle m'avait acheté des vêtements et avait payé mes études étant donné que mes jeunes parents avaient du mal à joindre les deux bouts. J'éprouvais un sentiment de perte, incapable de croire que ma grand-mère adorée, ma très chère Gagi, avait quitté ce monde.

Je me rappelle la douloureuse sensation de vide que je ressentis, ce soir-là, quand je fis le tour de son lit pour toucher chaque partie de son précieux corps. J'étais accablée, submergée d'impressions entièrement nouvelles. Devant moi se trouvaient ces jambes et ces bras que je connaissais si bien, mais où était-elle ? Du plus profond de mon esprit, je suppliai d'avoir une réponse. L'instant d'avant, il y avait un corps habité par une âme et l'instant d'après, le corps était inerte, et rien au monde ne pouvait le faire bouger de nouveau ou lui redonner vie. Où était Gagi ? Où était-elle partie ?

Tout à coup, il y eut un éclair de lumière et une explosion d'énergie. Ma grand-mère planait près du plafond, au-dessus de son corps déserté. Elle n'était plus dans son fauteuil roulant et dansait dans la lumière.

« Trin, je ne suis pas partie !, s'exclama-t-elle. J'ai quitté mon corps, mais je suis toujours là. Regarde, Trin, j'ai recouvré l'usage de mes jambes. Tu sais, il n'y a pas de fauteuil roulant au paradis. Je suis avec ton grand-père et ma joie est sans borne. Regarde mon corps inerte et tu comprendras le secret de la vie. Souviens-toi que l'on n'emporte aucune chose matérielle lorsque l'on part. Je ne pouvais pas emporter mon corps, ni l'argent que j'avais amassé dans ma vie, pas plus que les biens que je possédais. À mon départ, j'ai même dû laisser mon trésor le plus précieux, la bague de mariage de ton grand-père. »

La lumière qui entourait Gagi était maintenant très vive. « Tu rencontreras un tas de gens, Trin, et tu dois transmettre cette vérité à tous ceux que tu rencontreras. Dis-leur que la seule chose que l'on emporte lors du grand départ, c'est le bilan de tout l'amour que l'on a donné. La vie, mon enfant, se mesure à ce que l'on donne et non à ce que l'on reçoit. » Sur ces paroles, la lumière se dissipa, puis disparut.

Les années ont passé depuis cet instant, mais le message de ma grand-mère demeure. Il est inscrit à jamais dans mon cœur et il guide les petites choses que j'essaie de faire pour m'améliorer chaque jour. Gagi m'a aimée de tout son cœur. Pendant toute sa vie, elle m'a comblée de cadeaux, mais je sais qu'à sa mort elle m'a offert le plus beau et le plus grand des cadeaux : elle a régénéré ma vie.

D. Trinidad HUNT

5

Une question de perspective

Les choses ne changent pas.
Seule notre façon de les voir change.

Carlos CASTANEDA

Le voleur de biscuits

Un jour, une dame devait attendre dans une aérogare,
Car son vol avait quelques heures de retard.
Elle alla dans une boutique pour se trouver un livre,
Acheta un sac de biscuits, puis s'assit pour lire.

Bien qu'absorbée dans sa lecture, elle s'aperçut
Que l'homme à côté d'elle, effronté s'il en fut,
Prit un ou deux biscuits dans le sac posé entre eux.
Elle fit mine de ne rien voir pour éviter un esclandre fâcheux.

Elle lisait, mangeait des biscuits et surveillait le départ des avions,
Tandis que le « voleur de biscuits » se goinfrait à même ses provisions.
De plus en plus agacée à mesure que le temps passait,
Elle songea : « Si je n'étais pas si aimable, je le giflerais. »

Chaque fois qu'elle prenait un biscuit, l'homme sans gêne se servait.
Lorsqu'il n'en resta qu'un seul, elle se demanda comment il réagirait.
L'air content, il eut un petit rire nerveux,
Puis il prit le dernier biscuit et le cassa en deux.

L'homme lui offrit une moitié et mangea sa part.
Lui arrachant des mains, elle se dit : « Je n'en reviens pas,
Cet homme a du culot et ne pourrait pas être plus *impoli*,
Vraiment, il ne me dit même pas merci ! »

Elle ne se rappelait pas avoir été aussi exaspérée.
Aussi soupira-t-elle, soulagée, lorsque son vol fut annoncé.
Rassemblant ses affaires, elle partit prendre son avion,
Sans même regarder l'ingrat voleur de provisions.

Une fois à bord et confortablement installée,
Elle chercha son livre qu'elle avait presque terminé.
En fouillant dans son sac, elle resta bouche bée,
Ses biscuits étaient là, sous ses yeux étonnés.

« Si mes biscuits sont ici », pensa-t-elle, désespérée,
« Alors les autres étaient les siens, qu'il a bien voulu partager ! »
Trop tard pour s'excuser, elle se rendit compte, malheureuse,
Que c'était elle l'impolie, l'ingrate, la voleuse !

Valerie COX

L'histoire authentique d'Arbutus et de la Mouette

Ma grand-mère avait une ennemie qui s'appelait Mme Wilcox. Après leur mariage respectif, elles s'étaient installées dans des maisons voisines sur la rue principale, tranquille et bordée d'ormes, d'une petite ville où elles allaient passer leur vie. Je ne sais pas ce qui déclencha les hostilités, car elles existaient depuis longtemps lorsque j'arrivai dans le décor trente ans plus tard. Je crois cependant qu'à mon arrivée dans leur vie, ni ma grand-mère ni Mme Wilcox ne s'en rappelaient elles-mêmes.

Ne vous méprenez pas. Je ne parle pas d'échanges verbaux polis. Il s'agissait d'une guerre entre deux dames, donc d'une guerre totale. Rien en ville n'échappa aux contrecoups de leurs opérations. Notre église vieille de trois cents ans avait survécu à la guerre de l'Indépendance, à la guerre de Sécession et à la guerre contre l'Espagne, mais elle s'écroula presque lorsque grand-maman et Mme Wilcox menèrent la Bataille de l'association de bienfaisance. Grand-maman remporta ce combat, mais elle ne put savourer véritablement sa victoire. En effet, Mme Wilcox démissionna de l'association parce qu'elle n'avait pas été élue présidente. Or, quel plaisir y a-t-il à diriger une association quand on ne peut pas humilier son ennemie mortelle ?

Mme Wilcox, elle, gagna la Bataille de la bibliothèque municipale : elle réussit à procurer le poste de bibliothécaire à sa nièce Gertrude plutôt qu'à ma tante Phyllis. Le jour où Gertrude commença son nouvel emploi, ma grand-mère cessa de lire des livres de bibliothèque – devenus, du jour au lendemain, « des choses infestées de microbes » – et se mit à acheter ses propres livres.

La Bataille de l'école secondaire se solda par un match nul. Le directeur se trouva un meilleur poste et quitta l'école. Il ne put donc ni se faire évincer par Mme Wilcox, ni se faire nommer titulaire à vie par grand-maman.

En plus de ces grandes batailles, une guérilla faisait rage. Dans notre enfance, lorsque nous rendions visite à grand-maman, l'un de nos jeux préférés consistait à faire des grimaces aux petits-enfants impossibles de Mme Wilcox (presque aussi impossibles que nous l'étions, je m'en rends compte aujourd'hui) et à voler des grappes de raisins sur sa clôture qui séparait les jardins. Nous poursuivions aussi les poules de Mme Wilcox, et nous déposions des pétards (obtenus lors de la fête nationale) sur les rails de tramway juste en face de chez elle dans l'espoir que l'explosion provoquée par le passage du tramway – une chose bien négligeable en fait – lui fît peur.

Une autre fois, nous mîmes un serpent dans la citerne de Mme Wilcox. Grand-maman avait fait mine de protester, mais nous avions senti l'accord tacite qu'elle avait exprimé et qui tranchait beaucoup avec les interdictions très claires de ma mère. Nous continuâmes donc joyeusement notre carrière de gamins mal élevés. Si ces gamins avaient été les miens… mais ça, c'est une autre histoire.

Ne croyez toutefois pas que les belligérants étaient tous du même côté. N'oubliez pas que Mme Wilcox avait elle aussi des petits-enfants, plus nombreux, plus durs et plus rusés que ceux de grand-maman. Ma grand-mère ne s'en tira donc pas indemne. Un jour, elle eut des mouffettes dans sa cave. Une autre fois, à l'Halloween, tous les objets non fixés qu'elle avait laissés dans sa cour, tel les meubles de jardin, s'étaient miraculeusement retrouvés sur le faîte de la grange, d'où des hommes costauds embauchés à prix fort avaient dû les redescendre.

Il ne se passa pas un jour de lessive venteux où la corde à linge ne cassât pas mystérieusement, laissant traîner dans la poussière les draps qu'il fallait laver de nouveau. Certains de ces événements étaient peut-être le seul fruit du hasard, mais les petits-enfants de Mme Wilcox en furent chaque fois blâmés.

Je ne sais pas comment grand-maman aurait supporté tous ses problèmes si elle n'avait pas eu la page familiale du quotidien auquel elle était abonnée.

Cette page familiale était une merveilleuse institution. En plus de donner les habituels conseils de cuisine, elle comportait une section pour la correspondance entre lecteurs. Ainsi, les gens qui avaient un problème ou quelque colère à évacuer pouvaient écrire une lettre au journal et la signer d'un pseudonyme comme Arbutus. C'était le nom de plume de grand-maman. Puis, les lectrices qui avaient vécu le même problème écrivaient à leur tour au journal pour proposer des solutions et laissaient en guise de signature des noms comme « Celle qui sait », « Xanthippe »... Très souvent, une fois le problème résolu, ces femmes continuaient de s'écrire pendant des années par l'entremise de la page familiale, se racontant toutes sortes de choses sur leurs enfants, la mise en conserve ou la nouvelle décoration de leur salle à manger.

C'est ce qui arriva à grand-maman. Elle et une dame qui signait La Mouette correspondirent de cette façon pendant un quart de siècle. Ma grand-mère lui révéla même des choses dont elle ne soufflait mot à personne – comme la fois où elle espérait avoir un autre bébé et que ce ne fut pas le cas, et la fois où mon oncle Steve contracta vous-savez-quoi dans les cheveux à l'école, mais dont ma grand-mère, humiliée, se débarrassa avant que quiconque ne s'en aperçoive. La Mouette était la véritable amie intime de grand-maman.

Lorsque j'avais seize ans, Mme Wilcox mourut. Dans une petite ville, quelle que soit la haine qu'on porte à son voisin d'à côté, la simple décence oblige à aller voir la famille de la défunte pour offrir de l'aide.

Ma grand-mère, qui avait pris la peine de mettre son plus beau tablier de percale pour montrer qu'elle désirait vraiment se rendre utile, traversa les deux pelouses jusqu'à la maison de Mme Wilcox, où les filles de celle-ci l'affectèrent au nettoyage de leur salon déjà impeccable en prévision des funérailles. Et là, sur la table du salon dans lequel on allait rendre honneur à la défunte, se trouvait un énorme album. Il contenait, soigneusement collées en colonnes parallèles, les lettres que ma grand-mère avait écrites à La Mouette ainsi que celles que La Mouette lui avait écrites. La pire ennemie de ma grand-mère avait été, pendant toutes ces années, sa meilleure amie.

Ce fut la seule fois où je vis ma grand-mère pleurer. À l'époque, je saisissais mal la cause de son chagrin, mais aujourd'hui je sais : elle pleurait toutes les années gaspillées qu'elle ne pourrait plus jamais rattraper. J'étais, à cet âge, impressionnée seulement par les larmes, et celles-ci restèrent gravées à jamais dans ma mémoire. Ce jour-là, je commençai à comprendre une chose en laquelle je crois de tout mon cœur aujourd'hui, à tel point que je veux cesser de vivre si j'en viens à ne plus y croire. Cette chose est la suivante :

Certaines personnes semblent impossibles à côtoyer. On les croit méchantes, mesquines et sournoises. Cependant, si on prend la peine de reculer de quelques pas et de les regarder à nouveau sous un éclairage légèrement différent, il y a fort à parier qu'on puisse enfin voir qu'elles sont généreuses et chaleureuses et aimables. Il n'en tient qu'à nous. Il n'en tient qu'à notre manière de les regarder.

Louise Dickinson RICH

Madame, êtes-vous riche ?

Les deux enfants, vêtus de manteaux élimés trop petits, s'entassèrent entre la contre-porte et la porte.

« Avez-vous de vieux journaux, Madame ? »

J'étais occupée. Je voulais leur dire non, mais je vis leurs pieds : deux paires de petites sandales trop minces trempées de neige fondue. « Entrez. Je vais vous faire un chocolat chaud. » La conversation se termina là. Leurs sandales mouillées laissèrent des traces sur le plancher du salon.

Je leur servis du chocolat chaud et des tartines de confiture pour les fortifier, car il faisait froid dehors. Puis je retournai à la cuisine et continuai à calculer mon budget…

Le silence qui régnait dans le salon me surprit. J'allai jeter un coup d'œil.

La fillette regardait la tasse vide qu'elle tenait entre ses doigts. D'une voix terne, le garçon demanda : « Madame… êtes-vous riche ?

— Si je suis riche ? Seigneur ! Non ! » Je regardai les housses usées qui recouvraient les meubles.

La fillette déposa sa tasse dans la soucoupe, tout doucement. « Vos tasses sont assorties à vos soucoupes. » Sa voix faisait vieux et exprimait une faim qui n'était pas celle de l'estomac.

Ils repartirent alors, tenant leurs liasses de journaux et marchant contre le vent. Ils ne me dirent pas merci. Cependant, ce n'était pas nécessaire, car ils avaient fait beaucoup pour moi. Mes tasses et mes soucoupes en poterie bleue étaient bien ordinaires, mais elles étaient assorties. J'allai piquer les pommes de terre pour voir si elles étaient prêtes et je remuai la sauce. Des pommes de terre en sauce, un toit, un mari qui a un bon emploi stable. Ces choses aussi sont bien assorties.

Je replaçai les fauteuils un peu plus loin du foyer et rangeai le salon. Les empreintes boueuses de leurs petites sandales étaient encore fraîches dans mon cœur. Je les y laissai. Je veux qu'elles restent là, au cas où j'oublierais encore à quel point je suis riche.

Marion DOOLAN

Une fleur dans les cheveux

Elle portait toujours une fleur dans ses cheveux. Toujours. La plupart du temps, je trouvais l'idée bizarre. Une fleur dans les cheveux en plein milieu de la journée ? au travail ? dans les réunions avec des clients ? Ambitieuse, elle travaillait comme conceptrice graphique dans l'entreprise importante et florissante où je travaillais. Chaque jour, lorsqu'elle arrivait à nos bureaux sobres et ultramodernes, elle portait une fleur dans ses cheveux qui lui descendaient jusqu'aux épaules. La fleur, habituellement assortie à sa tenue autrement très convenable, resplendissait, petit parasol vivement coloré planté dans une épaisse crinière noire ondulée. Dans certaines circonstances, comme à la fête de Noël donnée par l'entreprise, sa fleur apportait une touche joyeuse et paraissait appropriée. Mais au travail, elle me semblait déplacée. Certaines de mes collègues qui se voulaient très « professionnelles » s'en indignaient carrément et suggéraient qu'on la prît à part afin de lui rappeler les « règles » à suivre pour se faire prendre au sérieux dans le monde des affaires. D'autres, dont moi-même, trouvaient simplement la fleur un peu excentrique ; lorsque nous parlions d'elle entre nous, nous l'appelions la « hippie » ou la « bouquetière ».

« Notre bouquetière a-t-elle terminé l'ébauche du projet Wal-Mart ?, demandait l'une de nous, sourire en coin, à sa collègue.

— Bien sûr ! Et c'est réussi ; son travail est très florissant », répliquait l'autre, provoquant des sourires de connivence autour d'elle. À l'époque, nous trouvions ces railleries bien innocentes. À ma connaissance, personne n'avait jamais demandé à la jeune femme pourquoi elle portait chaque jour une fleur dans ses cheveux. En fait, nous aurions été plus enclins à la questionner si elle était arrivée sans fleur un matin.

Et cela arriva, un jour qu'elle m'apportait un projet à mon bureau. Je fis une remarque : « Je vois que vous n'avez pas de fleur dans vos cheveux aujourd'hui. Je suis tellement habituée de vous voir avec une fleur qu'on dirait qu'il vous manque quelque chose.

— Oh ! oui... » répondit-elle sur un ton doux mais peu enjoué. Sa voix tranchait avec son entrain et sa gaieté habituels. Le silence lourd de sens qui suivit me sembla plus retentissant qu'un cri et m'incita à lui demander : « Ça va ? » J'espérais obtenir un « Oui, ça va bien », mais, intuitivement, je savais que j'abordais un sujet beaucoup plus délicat que la fleur qu'elle ne portait plus.

« Oh ! murmura-t-elle d'une voix pleine de souvenirs et de chagrin. Aujourd'hui, c'est l'anniversaire de la mort de ma mère. Elle me manque tellement. J'imagine que cela me rend triste. »

— Je comprends », dis-je. J'éprouvais de la compassion, mais je ne voulais pas avancer sur ce terrain fertile en émotions. « Je suis certaine qu'il est très difficile pour vous d'en parler », poursuivis-je. La femme d'affaires en moi espérait qu'elle acquiescerait, mais la femme de cœur savait qu'il y avait autre chose.

« Non. Ça va. Vraiment. Je sais que je suis extrêmement sensible aujourd'hui. C'est un jour de deuil, je suppose. Vous savez... » et elle me raconta son histoire.

« Ma mère savait qu'elle allait mourir du cancer. Puis elle est morte. J'avais quinze ans à l'époque. Nous étions très proches l'une de l'autre. Elle était si aimante, si généreuse. Comme elle savait qu'elle allait mourir, elle m'a enregistré sur cassette vidéo un message de souhaits que je devais regarder chaque année à mon anniversaire de naissance, de mes seize ans jusqu'à mes vingt-cinq ans. Aujourd'hui, c'est mon anniversaire ; j'ai vingt-cinq ans. J'ai donc regardé ce matin le message vidéo qu'elle m'avait préparé. Je me sens triste parce que je n'ai pas fini de le digérer. Et parce que j'aimerais que ma mère soit encore vivante.

— Oh ! Je suis de tout cœur avec vous, dis-je en essayant de me mettre à sa place.

— Merci, vous êtes gentille, répondit-elle. Oh ! J'oubliais de vous dire, au sujet de la fleur que je ne porte pas aujourd'hui. Quand j'étais petite, ma mère mettait souvent des fleurs dans mes cheveux. Un jour, à l'époque où elle était à l'hôpital, j'ai cueilli une belle grosse rose dans son jardin. Lorsque je lui ai rendu visite, j'ai approché la rose de son visage pour qu'elle en hume le parfum. Elle m'a enlevé la fleur des mains et, sans dire un mot, m'a attirée vers elle, a lissé mes cheveux vers l'arrière avec ses doigts et a placé la rose dans mes cheveux, comme elle avait coutume de faire quand j'étais petite. Elle est morte quelques heures plus tard. » Elle ajouta, les larmes aux yeux : « Depuis, j'ai toujours porté une fleur dans mes cheveux. Cela me donne l'impression qu'elle est encore avec moi, du moins en esprit. Mais... » Elle soupira. « Aujourd'hui, j'ai regardé le message vidéo qu'elle a enregistré pour mes vingt-cinq ans. Elle me dit qu'elle est désolée de ne pas avoir été auprès de moi pendant toutes ces années, qu'elle espère avoir été une bonne mère et qu'elle aimerait recevoir un signe qui lui indiquerait que je m'en tire bien par moi-même. C'est ainsi que ma mère pensait, parlait. » Elle me regarda, le souvenir de sa mère faisant naître un grand sourire sur ses lèvres. « Elle savait tellement de choses. »

Je fis signe de la tête pour montrer que j'étais d'accord. « En effet, elle devait être pleine de sagesse.

— Alors je me suis demandé quel signe je pourrais lui donner. Et il m'a semblé que je devais enlever la fleur. Elle me manquera, toutefois. Ce qu'elle représente me manquera aussi. »

Ses yeux noisette quittèrent les miens pour mieux se souvenir. « J'ai été très chanceuse de l'avoir. » Sa voix s'estompa, son regard se posa de nouveau sur moi et elle dit en souriant tristement : « Mais je n'ai pas besoin de porter une fleur pour me rappeler ces choses. Je le sais très bien. Il ne s'agissait que d'un signe extérieur de mes souvenirs les plus chers. Ils sont encore là même si je ne porte plus de fleur... mais quand même, elle me manquera... Oh ! Voici le projet. J'espère que vous en serez satisfaite. » Elle me tendit le dossier soigneusement préparé et signa, en dessinant comme toujours une fleur sous son nom.

Lorsque j'étais jeune, je me rappelle avoir entendu cette phrase : « Ne juge jamais quelqu'un avant de t'être mise dans sa peau toute une journée. » Je songeai à toutes les fois où j'avais été insensible à l'égard de cette femme qui portait une fleur dans ses cheveux et à quel point j'avais manqué de jugement en agissant ainsi sans m'informer d'abord, sans connaître son drame et la croix qu'elle devait porter. Je tirais fierté de connaître les moindres rouages de mon entreprise, et je savais exactement comment chaque rôle et chaque fonction était relié aux autres. Il était vraiment malheureux de ma part d'avoir cru que la vie personnelle de quelqu'un n'avait rien à voir avec sa vie professionnelle et qu'il fallait la laisser chez soi lorsqu'on allait au bureau. Ce jour-là, j'appris que la fleur que cette jeune femme portait dans ses cheveux était le symbole de son trop-plein d'amour, sa façon à elle de demeurer en contact avec la jeune mère qu'elle avait perdue alors qu'elle n'était encore qu'une enfant.

Je feuilletai le dossier du projet qu'elle m'avait remis et me sentis honorée d'avoir entre les mains un travail accompli par une personne si intense et capable d'un sentiment aussi aigu… de son *existence*. Il n'était pas étonnant que son travail fût toujours excellent. Chaque jour elle se laissait guider par son cœur. Et elle m'amena à suivre le mien.

Bettie B. YOUNGS

L'avalanche

À chaque inconvénient son avantage.

W. Clement STONE

C'était le chalet de nos rêves : neuf cent vingt-cinq mètres carrés d'espace luxueux qui surplombait une cascade majestueuse sur un des versants du mont Timpanogos, près des pentes de la célèbre station de ski Sundance appartenant à Robert Redford. Ma femme et moi avions mis plusieurs années à en faire les plans, à le construire et à le meubler.

Et il fut détruit en seulement dix secondes.

Je me souviens de l'après-midi du désastre comme si c'était hier : le jeudi 13 février 1986, la veille de notre neuvième anniversaire de mariage. Il était tombé beaucoup de neige ce jour-là, environ un mètre. Ma femme brava quand même le mauvais temps pour remonter le canyon qui séparait notre maison à Provo, dans l'Utah, du chalet dont nous venions de terminer la construction dans les montagnes. Le chalet se trouvait à trente minutes de chez nous. En compagnie de notre fils de six ans, Aaron, elle partit tôt dans l'après-midi et s'arrêta en chemin pour acheter les ingrédients dont elle avait besoin pour faire le gâteau de notre anniversaire de mariage. J'étais censé la rejoindre plus tard avec Aimée, notre fille de neuf ans, et Hunter, le benjamin.

Un premier signe de danger me parvint vers quinze heures lorsque je reçus un appel téléphonique de l'équipe de patrouilleurs-secouristes de la station Sundance.

« Il y a un problème à votre chalet. Vous devriez venir immédiatement. »

Ils ne m'en dirent pas plus long. J'étais déjà en retard dans la finition d'un projet de livre, mais je laissai mon ordinateur et, nerveusement, je remontai le canyon en roulant à toute allure sur les chemins bloqués par la neige. Lorsque j'arrivai là-haut, le directeur de la station de ski m'accueillit avec une tête d'enterrement.

« Il y a eu une catastrophe à votre chalet. Nous pensons que votre femme et votre fils s'y trouvent. Montez dans mon véhicule tout-terrain. Allons-y. »

Le chalet était à côté de la pente de ski principale de Sundance et on pouvait s'y rendre seulement par une route de montagne étroite et tortueuse. Nous roulâmes très rapidement sur la route que les hauts bancs de neige de chaque côté faisaient ressembler à un labyrinthe. À un moment donné, juste après un virage, nous nous trouvâmes face à face avec un véhicule qui fonçait vers nous sur l'étroit chemin. Nos deux véhicules freinèrent brusquement et entrèrent en collision, sans dommages importants toutefois. Après un bref échange de renseignements, nous continuâmes de serpenter vers le sommet, jusqu'à ce que la couverture en cuivre rouge du chalet apparût au loin.

En approchant du chalet, j'aperçus ma femme et mon fils sur la route, entourés de quelques membres de l'équipe de patrouilleurs-secouristes. Lorsque je sortis du véhicule et courus vers elle, elle montra du doigt les arbres au-dessus du chalet. Ce que je vis me stupéfia.

Une monstrueuse avalanche avait dénudé tout un couloir sur la montagne et laissé sur son passage d'énormes arbres arrachés et cassés tels des allumettes. Je regardai de nouveau le chalet et je vis comment l'avalanche avait éventré notre maison de montagne. En quelques secondes, elle avait fait éclater les fenêtres et s'engouffrer des tonnes et des tonnes de neige dans l'immense salon, fait s'écrouler tous les planchers et complètement détruit notre rêve. Il ne restait plus qu'une charpente. Dehors, les meubles que nous avions soigneusement choisis gisaient en mille morceaux dans la neige. Le spectacle était si dévastateur que je ne l'oublierai jamais.

Les patrouilleurs-secouristes nous incitèrent à quitter rapidement la zone sinistrée, car d'autres avalanches risquaient de se produire. Nous retournâmes à la maison bouche bée, secoués, en état de choc. Je dois l'avouer, la perte de notre chalet nous ébranla réellement. Pendant des mois, je me demandai sans cesse pourquoi nous avions eu la malchance de perdre notre jolie maison dans la montagne. Pourquoi Dieu laissait-il de telles choses arriver ?

L'histoire pourrait se terminer ainsi, mais vous ne sauriez rien du miracle qui se produisit le même jour. En fait, ce miracle, j'en fus informé seulement huit mois plus tard, lorsqu'un de mes collègues, durant une réunion, me posa une question en apparence toute simple :

« Ta femme t'a-t-elle raconté que ma femme et elle ont failli avoir un accident sur la route qui menait à votre chalet le jour de l'avalanche ?

— Non, répondis-je. Qu'est-ce qui est arrivé ?

— Eh bien ! Ma femme et mes fils se trouvaient à notre chalet de Sundance. À cause de la tempête, ils ont décidé de partir et de revenir à la maison. Avant de quitter le chalet, un de mes fils a suggéré à ma femme de prier pour que le trajet se passe bien. Ils ont donc prié quelques instants, puis ils se sont mis en route. Ta femme, qui remontait en sens inverse, a vu ma femme et les garçons en voiture. Mais lorsque ma femme a voulu ralentir, les freins ne fonctionnaient plus. Sa voiture a donc dévalé l'étroite route en prenant de plus en plus de vitesse. Ma femme ne pouvait rien faire pour la ralentir. Finalement, juste avant que les deux voitures se heurtent, elle a tourné le volant. Le devant de la voiture s'est alors engouffré dans un banc de neige, tandis que l'arrière de la voiture s'est enlisé dans le banc de neige de l'autre côté de la route. La voiture de ma femme bloquait donc celle de ta femme. Elles ont essayé pendant presque une heure de dégager la voiture. Finalement, elles ont demandé de l'aide à la station de ski.

— C'est étonnant, dis-je. Ma femme ne m'en a jamais parlé. »

Nous fîmes quelques blagues au sujet de ce quasi-accident et nous nous quittâmes. Puis, d'un seul coup, je pris conscience du miracle qui s'était produit.

Si ce quasi-accident n'avait pas eu lieu, ma femme et mon fils auraient fort probablement péri dans l'avalanche !

Je repense souvent à cette histoire. J'imagine ma femme assise dans la voiture et frustrée de ne pouvoir se rendre au chalet à cause de l'autre voiture enlisée dans la neige. Je vois aussi la femme de mon collègue, embarrassée par la situation. Je vois ses garçons, désappointés et confus, se demandant si Dieu entend véritablement les prières.

À l'époque, tout le monde considéra la situation comme un pur désastre. Et pourtant, avec du recul, il est évident que chacun d'eux participa sans le savoir à un miracle.

Depuis cet événement, je ne juge pas trop vite la situation lorsque des « désastres » surviennent dans ma vie. Avec le temps, à mesure que la situation s'éclaicit, bon nombre de ces désastres finissent par ressembler à des miracles en cours de création. Lorsqu'un « accident » a lieu, je prends le temps de me demander : « Quel miracle Dieu sortira-t-il de ce malheur ? »

Au lieu de penser : « Mon Dieu, pourquoi moi ? », je dis simplement : « Dieu merci ».

Ensuite, j'attends qu'un peu de lumière éclaire les événements.

Robert G. ALLEN

Vous très bonne, vous très rapide

Au moment de cette histoire, je vivais à Bay Area et ma mère venait de passer quelques jours chez moi. Le matin de son départ, je me préparais à aller jogger. Comme je travaillais dans un environnement très négatif, je trouvais que le jogging matinal me faisait beaucoup de bien. Alors que je m'apprêtais à sortir, ma mère me dit : « Je ne crois pas que le jogging soit très fameux ; regarde ce coureur célèbre qui vient de mourir. »

Je lui racontai ce que j'avais lu sur Jim Fixx et sur le fait que le jogging l'avait grandement aidé à vivre beaucoup plus longtemps que la plupart des autres membres de sa famille, mais je savais que mon argumentation ne la ferait pas changer d'idée.

Lorsque je commençai à jogger sur mon parcours préféré, je me rendis compte que les paroles de ma mère me hantaient. J'étais tellement découragée que j'arrivais à peine à courir. Je songeai : « Pourquoi me donner la peine de courir ? Les vrais coureurs me trouvent probablement ridicule ! Je pourrais très bien avoir une crise cardiaque en chemin. » (Mon père avait succombé à une crise cardiaque à cinquante ans et il était en meilleure forme que moi à ce qu'il paraît.)

Les propos de ma mère flottaient au-dessus de ma tête comme un gros nuage noir. Ma course se transforma bientôt en marche, et je me sentis complètement défaite. Voilà où j'en étais, à quarante ans amplement passés : j'attendais encore un mot d'encouragement de ma mère et j'étais furieuse contre moi-même de continuer d'espérer une approbation qu'elle ne me donnerait jamais.

Juste au moment où j'allais faire demi-tour au repère du trois kilomètres pour rentrer chez moi – en proie au pire découragement que je n'avais ressenti depuis des années – j'aperçus un Chinois assez âgé qui marchait à ma rencontre sur le sentier. Ce n'était pas la première fois que je le croisais ; je lui disais toujours bonjour, et il hochait la tête en souriant. Ce matin-là, il vint vers moi et resta planté dans le sentier, me forçant à m'arrêter. Je n'étais pas très contente. J'avais laissé le commentaire de ma mère gâcher ma journée comme tant de fois depuis ma naissance, et voilà maintenant que cet homme me bloquait le chemin.

Je portais un tee-shirt qu'un ami m'avait envoyé d'Hawaii pour le Nouvel An chinois : le devant montrait trois caractères chinois et le dos, une scène du quartier chinois d'Honolulu. Le vieil homme avait vu mon tee-shirt au loin et cela l'avait incité à m'aborder. Dans un français hésitant, il pointa du doigt les caractères chinois et me dit, tout excité : « Vous parlez ? »

Je lui répondis que je ne parlais pas chinois et que le tee-shirt était un cadeau d'un ami d'Hawaii. Je vis bien qu'il ne comprenait pas tout ce que je lui disais, mais, avec beaucoup d'enthousiasme, il me dit : « Chaque fois que je vois vous... vous très bonne... vous très rapide. »

Croyez-moi, je ne suis ni très bonne ni très rapide, mais ces quelques mots me donnèrent des ailes. Je ne fis pas demi-tour à l'endroit où des idées noires m'avaient traversé l'esprit. Je courus plutôt huit autres kilomètres et, vous savez, ce matin-là, j'étais plutôt bonne. Dans mon esprit et dans mon cœur, j'étais très rapide.

Grâce à l'élan que me donna ce vieux Chinois, j'ai continué à courir et j'ai récemment terminé mon quatrième marathon d'Honolulu. Cette année, je vise le marathon de New York. Je sais que je ne gagnerai jamais de course, mais aujourd'hui, lorsqu'on me fait un commentaire négatif, je pense à ce vieil homme aimable qui croyait sincèrement : « Vous très bonne... vous très rapide. »

Kathi M. CURRY

Les vraies bonnes choses qui nous arrivent nous apparaissent souvent sous forme de souffrances, de pertes et de déceptions ; cependant, avec un peu de patience, nous finissons par les voir sous leur vrai jour.

Joseph ADDISON

Faites un vœu

Je n'oublierai jamais le jour où ma mère me *força* à aller à une fête d'anniversaire. J'étais dans la classe de Mme Black, à Wichita Falls, au Texas, et je ramenai à la maison une invitation légèrement tachée de beurre d'arachide.

« Je n'y vais pas, dis-je. C'est une nouvelle élève qui s'appelle Ruth, mais Berniece et Pat ne vont pas à la fête. Elle a invité toute la classe, les trente-six élèves de notre classe ! »

En examinant l'invitation faite à la main, ma mère, bizarrement, eut l'air triste. Puis elle m'annonça : « Bon. Tu y vas. J'irai lui acheter un présent demain. »

Je n'arrivais pas à y croire. Maman ne m'avait jamais forcée à aller à une fête ! J'étais certaine de mourir si elle m'y envoyait. Toutefois, aucune crise d'hystérie ne la fit changer d'idée.

Le samedi matin, maman me pressa de me lever et me fit emballer le joli présent qu'elle avait acheté : un ensemble qui comprenait un miroir, une brosse et un peigne roses aux reflets nacrés.

Elle me conduisit chez Ruth dans sa Ford jaune et blanche. Ruth m'ouvrit la porte et m'invita à monter derrière elle l'escalier le plus escarpé et le plus effrayant que j'aie vu.

En entrant chez elle, je me sentis grandement soulagée. Les parquets de chêne brillaient sous le soleil qui illuminait le salon. Des napperons immaculés ornaient les dossiers et les appuie-bras des meubles rembourrés et très usés.

Un énorme gâteau trônait sur la table du salon. On l'avait décoré de neuf bougies roses, d'un « Joyeux anniversaire Ruthey » grossièrement écrit et de dessins censés représenter des boutons de roses.

Près du gâteau se trouvaient trente-six coupes remplies de fudge maison, chacune portant le nom d'un invité.

Cette fête ne sera pas si mal – une fois que les autres seront arrivés – pensai-je alors.

« Où est ta mère ? », demandai-je à Ruth.

Elle baissa les yeux et répondit : « Euh... elle est un peu malade.

— Oh ! Et où est ton père ?

— Il est parti. »

Puis le silence tomba, hormis quelques toussotements rauques qui nous parvenaient à travers une porte fermée. Une quinzaine de minutes s'écoulèrent... puis dix autres. Soudain, je me rendis compte d'une chose terrible : *personne d'autre ne viendrait.* Comment pouvais-je sortir d'ici ? Pendant que je succombais à l'apitoiement, j'entendis des sanglots étouffés. Je levai les yeux et vis Ruth, le visage ruisselant de larmes. Immédiatement, mon cœur de petite fille de huit ans se prit de sympathie pour elle et se remplit de rage à l'endroit de mes trente-cinq camarades de classe.

Me balançant dans mes souliers blancs en cuir verni, je proclamai bien haut : « Qui a besoin d'eux ? »

L'étonnement de Ruth se métamorphosa en une excitation complice.

Imaginez la scène : deux petites filles seulement, mais un gros gâteau à trois étages, trente-six coupes de fudge, de la glace, des litres de limonade, trois douzaines de chapeaux, de flûtes et de serpentins, des jeux et des surprises à gagner.

Nous commençâmes par le gâteau. Comme nous ne trouvions pas d'allumettes et que Ruthey – elle n'était plus seulement Ruth pour moi – ne voulait pas déranger sa mère, nous fîmes semblant d'allumer les bougies. Je chantai « Joyeux anniversaire », Ruthy fit un vœu et souffla les bougies.

Midi vint trop vite. Ma mère klaxonnait déjà devant la maison. Je rassemblai toutes les gâteries que je ramenais et remerciai Ruthey plusieurs fois, puis je me précipitai vers la voiture. Je débordais de joie.

« J'ai gagné *tous* les jeux ! Bon, en faït, Ruth a gagné le jeu de l'âne, mais elle a dit que la personne dont c'est l'anniversaire n'est pas censée gagner un prix, alors elle m'a fait gagner, et nous avons partagé les accessoires de fête moitié-moitié. Maman, elle a adoré l'ensemble que tu lui as acheté. Je suis la seule qui y soit allée ; la seule de toute ma classe. Et j'ai tellement hâte de leur dire à tous quelle belle fête ils ont ratée ! »

Ma mère se rangea sur le côté, arrêta la voiture et me serra dans ses bras. Les yeux noyés de larmes, elle me dit : « Comme je suis fière de toi ! »

Ce jour-là, j'appris qu'une seule personne pouvait changer des choses. Ma présence changea beaucoup de choses à l'anniversaire de Ruthey, et ma mère changea beaucoup de choses dans ma vie.

LeAnne REAVES

L'accident

La veille de Noël tombait un dimanche cette année-là. Par conséquent, la réunion du groupe de jeunes, qui se tenait habituellement le dimanche soir, allait être une grande célébration. Après le service religieux du matin, la mère de deux adolescentes du groupe me demanda si je pouvais trouver quelqu'un pour conduire ses filles à cette rencontre. Elle était divorcée, son ex-mari avait déménagé et elle détestait conduire sa voiture le soir, surtout qu'on annonçait du verglas. Je lui promis donc d'aller prendre ses filles pour les emmener à la réunion.

Le dimanche soir, les deux adolescentes étaient assises à côté de moi sur la banquette avant de la voiture, en route vers l'église. En arrivant en haut d'une côte, nous vîmes qu'un carambolage venait de se produire sur un viaduc du chemin de fer juste devant nous. À cause du verglas qui avait rendu la route très glissante, je me trouvai incapable de freiner et nous heurtâmes violemment l'arrière de la voiture qui nous précédait. Je me tournai vers les filles pour m'assurer qu'elles n'avaient rien lorsque j'entendis crier celle qui était assise à côté de moi : « Oooh ! Donna ! ». Je me penchai pour voir ce qui était arrivé à sa sœur qui se trouvait près de la fenêtre. À l'époque, il n'y avait pas de ceintures de sécurité dans les automobiles. Donna avait heurté le pare-brise la tête la première et, quand elle était retombée sur son siège, le bord coupant de la vitre cassée avait creusé deux balafres profondes sur sa joue gauche. Le sang ruisselait. C'était un spectable horrible.

Heureusement, parmi les gens qui se trouvaient dans les autres voitures, quelqu'un avait une trousse de premiers soins et appliqua une compresse sur la joue de Donna pour réprimer l'hémorragie. Le policier chargé de l'enquête affirma que l'accident était inévitable et qu'aucune accusation ne serait portée, mais je trouvais épouvantable qu'une belle jeune fille de seize ans eût à passer sa vie avec des cicatrices sur son visage. Et tout cela s'était produit pendant qu'elle était sous ma responsabilité.

Dans la salle des urgences de l'hôpital, on la fit voir immédiatement un médecin pour faire coudre sa plaie. L'attente me semblait longue. Craignant des complications, je demandai à l'infirmière pourquoi Donna n'était pas encore sortie. Elle répondit que le médecin de garde se trouvait être un spécialiste de la chirurgie plastique. Les nombreux petits points de suture qu'il faisait prenaient du temps. Cela signifiait également que les cicatrices seraient moins apparentes. Finalement, Dieu était peut-être à l'œuvre dans tout ce gâchis.

J'eus du mal à aller rendre visite à Donna à l'hôpital, de peur qu'elle ne fût fâchée contre moi et ne me blâmât. Comme c'était Noël, les médecins avaient renvoyé des patients à la maison et remis à plus tard les opérations non urgentes. Il n'y avait donc pas beaucoup de patients à l'étage de Donna. Je m'enquis auprès de l'infirmière de l'état de Donna. L'infirmière sourit et me dit qu'elle allait très bien, qu'elle était en fait un véritable rayon de soleil. Donna semblait heureuse, affirma-t-elle, et ne cessait de poser des questions sur les interventions médicales. L'infirmière me confia que le nombre réduit de patients permettait au personnel infirmier de prendre leur temps et de se trouver des excuses pour aller bavarder avec Donna !

J'allai voir Donna et lui dis à quel point j'étais navré de ce qui était arrivé. Elle écarta mes excuses et me dit qu'elle mettrait du fond de teint sur ses cicatrices. Puis, avec enthousiasme, elle m'expliqua le travail des infirmières et le pourquoi de leurs interventions. Les infirmières souriaient autour du lit. Donna semblait vraiment très contente. C'était son tout premier séjour à l'hôpital et tout l'intriguait.

Plus tard, à l'école, Donna devint le centre d'attraction tandis qu'elle décrivait encore et encore l'accident et son séjour à l'hôpital. Sa mère et sa sœur non seulement ne me blâmèrent pas, mais encore elles me remercièrent chaleureusement d'avoir pris soin des filles le soir de l'accident. En ce qui concerne Donna, elle n'était pas défigurée et, effectivement, le fond de teint dissimulait presque entièrement ses cicatrices. Je me sentais donc un peu mieux, mais j'avais encore de la peine pour elle. L'année d'après, je déménageai dans une autre ville et perdis contact avec Donna et sa famille.

Quinze ans plus tard, je fus invité de nouveau à l'église pour une série de services religieux. Le dernier soir, j'aperçus la mère de Donna qui attendait dans la file pour me dire au revoir. Je frissonnai au souvenir de l'accident, du sang et des cicatrices. Lorsque la mère de Donna fut devant moi, elle arbora un grand sourire. Elle riait presque en me demandant si je savais ce qui était advenu de Donna. Non, je ne savais pas. Est-ce que je me souvenais de l'intérêt qu'elle portait au travail des infirmières ? Oui, je m'en souvenais. Puis sa mère me raconta.

« Eh bien ! Donna a décidé de devenir infirmière. Elle a étudié dans ce domaine, a obtenu son diplôme avec mention honorable, s'est trouvé un bon emploi dans un hôpital et a rencontré un jeune médecin ; ils ont eu le coup de foudre, se sont mariés et ont eu deux beaux enfants. Elle voulait absolument que je vous dise que l'accident est la meilleure chose qui lui soit arrivée ! »

Robert J. McMullen Jr

De la bouche d'un petit garçon

En 1992, mon mari et moi participâmes à un échange culturel qui nous donna la chance d'aller en Allemagne et de séjourner dans trois merveilleuses familles. Quelques années plus tard, nous fûmes ravis d'apprendre qu'un des couples qui avaient été nos hôtes en Allemagne venait nous rendre visite dans l'Iowa.

Nos amis, Reimund et Toni, vivaient dans la région industrielle de la Ruhr en Allemagne, cible de violents bombardements durant la Seconde Guerre mondiale. Un soir, pendant leur séjour d'une semaine chez nous, mon mari, qui enseigne l'histoire, les invita à nous raconter ce qu'ils se rappelaient de leur enfance en Allemagne durant la guerre. Reimund nous fit alors un récit qui nous émut aux larmes.

Un jour, peu avant la fin de la guerre, Reimund vit deux aviateurs sauter en parachute d'un avion ennemi qui venait d'être abattu. Comme beaucoup d'autres citoyens curieux qui avaient vu les parachutistes tomber du ciel cet après-midi-là, Reimund, alors âgé de onze ans, se rendit sur la place centrale où des policiers allaient amener les prisonniers de guerre. Peu de temps après, deux policiers arrivèrent avec les prisonniers anglais et attendirent sur place qu'une voiture vînt chercher les deux aviateurs pour les conduire à la prison d'une ville voisine.

Lorsque la foule vit les prisonniers, des cris de colère rugirent : « Tuez-les ! Tuez-les ! » Non seulement la population se rappelait les terribles bombardements que les Anglais et leurs alliés avaient fait subir à leur ville, mais elle avait tout ce qu'il fallait pour passer aux actes. En effet, de nombreux citoyens étaient en train de jardiner lorsqu'ils avaient vu les deux ennemis en parachute, alors ils avaient apporté avec eux leurs fourches, leurs pelles et d'autres outils de jardinage.

Reimund regarda le visage des prisonniers anglais. Ils étaient très jeunes, peut-être âgés de dix-neuf ou vingt ans. Reimund voyait très bien qu'ils étaient terrifiés. Il voyait aussi que les deux policiers, dont le devoir consistait à protéger les prisonniers de guerre, ne faisaient pas le poids devant cette foule en colère armée de fourches et de pelles.

Reimund savait qu'il devait faire quelque chose, rapidement. Il courut sur la place et se mit entre les prisonniers et la foule. Puis, il cria aux gens d'arrêter. De peur de blesser le petit garçon, la foule se retint un moment, juste assez longtemps pour que Reimund leur dît ceci :

« Regardez ces prisonniers. Ce ne sont que de jeunes garçons ! Ils ne sont aucunement différents de vos propres fils. Ils font seulement la même chose que vos fils : se battre pour leur pays. Si vos fils étaient pris à l'étranger et qu'ils devenaient prisonniers de guerre, vous n'aimeriez sûrement pas que la population les tue. S'il vous plaît, ne leur faites pas de mal. »

Les concitoyens de Reimund écoutèrent avec étonnement, puis avec honte. Enfin, une femme dit : « Il a fallu un petit garçon pour nous dire ce qui est bien et ce qui est mal. » Et la foule se dispersa.

Reimund n'oubliera jamais l'intense regard de soulagement et de gratitude que posèrent sur lui les deux jeunes aviateurs. Aujourd'hui, il espère qu'ils ont vécu longtemps et heureux et qu'ils n'ont pas oublié le petit garçon qui leur a sauvé la vie.

Elaine McDonald

J'ai gagné parce que j'ai perdu

Jamais je ne remercierai assez Dieu de ne pas avoir exaucé toutes mes prières.

Jean Ingelow

Tout cela débuta par un rêve, il y a vingt-cinq ans. Mes héros avaient pour noms Shepard, Glenn et Grissom. Je les regardais à la télévision entrer dans des capsules pas plus grosses qu'une cabine téléphonique, puis se faire catapulter dans l'espace par une fusée crachant le feu. Ces astronautes exploraient une nouvelle frontière ; moi, j'amorçais l'exploration d'un nouveau rêve.

Mon avenir était tout tracé : je voulais devenir astronaute et voyager dans l'espace. Malheureusement, je ne possédais pas « l'étoffe des héros » : je n'avais ni diplôme universitaire, ni expérience de pilote d'essai. De plus, ce qui n'arrangeait rien, je n'avais que treize ans ! Rien, toutefois, ne pouvait m'empêcher de rêver.

Comme je venais d'une petite ville minière aux idées conservatrices et que ma vision du monde était plutôt limitée, je fis comme beaucoup d'autres jeunes de mon âge : j'étudiai, je décrochai un diplôme et je commençai à enseigner les sciences dans une école située à seulement treize kilomètres de ma ville natale. Mon rêve de voler dans l'espace refusait cependant de mourir ; de nouvelles missions et de nouveaux héros me tenaient en haleine devant l'écran de télévision chaque fois qu'on diffusait un vol spatial. Je m'imaginais sans cesse aux commandes de ces capsules s'élançant dans l'espace. Un jour, peut-être…

Les années passèrent, cependant, et je finis par revenir sur terre : mon rêve de voler dans l'espace ne se matérialiserait jamais. Comme j'enseignais les sciences, je me fixai un nouvel objectif : susciter chez mes élèves un intérêt pour l'exploration spatiale. En leur transmettant mon rêve, me disais-je, l'un d'eux allait peut-être un jour voler dans l'espace.

Puis, le miracle se produisit. Au début de l'année 1985, tel un retentissant coup de tonnerre, la Maison Blanche annonça que la NASA, sur ordre du président Reagan, se mettrait à la recherche d'un citoyen ordinaire qui participerait à une mission de la navette spatiale. Le président précisa même que le citoyen choisi allait être un enseignant. Je répondais aux deux critères ! Est-ce que cela signifiait que je possédais « l'étoffe des héros » ? Allais-je enfin avoir la chance de réaliser le rêve de ma vie ?

Deux semaines plus tard, les responsables de la NASA annoncèrent que tous les enseignants intéressés à soumettre leur candidature, en vue d'être le premier citoyen ordinaire et le premier enseignant à voler dans l'espace, devaient leur écrire pour obtenir un formulaire d'inscription. Le jour même, j'expédiai ma demande à Washington… par courrier express ! Je me demandais si d'autres enseignants caressaient le même rêve que moi.

Le formulaire d'inscription que je reçus était long et fastidieux à remplir. Pour un enseignant davantage habitué à faire passer des examens qu'à les subir, il ne fut pas facile de remplir ce document de vingt-cinq pages. Je consacrai des jours et des nuits à essayer de trouver les réponses qui correspondraient aux objectifs de la

NASA. Je répondis à chaque question comme si ma vie était en jeu – sans me douter que c'était le cas.

Après avoir posté mon formulaire dûment rempli, j'appris que j'étais loin d'être le seul enseignant à rêver de devenir un membre de l'équipage du vol 51-L de la navette Challenger : plus de quarante-trois mille personnes avaient écrit pour recevoir leur formulaire ! Quelles étaient mes chances ?

Chaque jour, je me précipitais sur la boîte aux lettres pour voir si j'avais survécu à l'examen minutieux de la NASA. L'agence spatiale mit plusieurs semaines à éplucher les onze mille formulaires remplis qu'elle avait reçus. Un jour, enfin, arriva une enveloppe à l'allure officielle qui arborait au coin supérieur gauche le logo de la NASA. Cette lettre que j'attendais depuis si longtemps se trouvait entre mes mains, mais j'hésitais à l'ouvrir. Et si les nouvelles étaient mauvaises ? Je priai pour que ce fût le contraire et, tout excité, je lus la lettre.

Mes prières étaient exaucées ! J'avais franchi la première étape ! La NASA désirait en savoir davantage sur moi. Ma confiance fit un bond prodigieux, tout comme le soutien de ma famille, de mes élèves et de mes concitoyens. Je me pinçai pour être certain que je ne rêvais pas !

Pendant les quelques semaines qui suivirent, tandis que la NASA me soumettait à une série de tests physiques et psychologiques, mon rêve sembla de plus en plus réalisable. Une fois ces tests terminés, il y eut une nouvelle période d'attente et de prières. Je sentais que je me rapprochais de mon rêve. J'imaginais très clairement mon nom écrit aux côtés des Dick Scobee, Judy Resnik, Michael Smith et des autres astronautes qui participeraient au vol de Challenger.

À chaque étape que je franchissais, je parlais de mes expériences avec ma famille, mes élèves et mes concitoyens. Plus approchait le moment de la sélection finale, plus mon enthousiasme devenait contagieux. Mes concitoyens me considéraient déjà comme celui qui allait faire connaître notre petite ville de deux mille habitants. Ce n'était plus uniquement mon rêve, mais aussi le leur. Je ne pouvais les laisser tomber.

Je reçus finalement le coup de fil pour lequel j'avais tant prié : la NASA m'invitait à participer au programme d'entraînement spécial pour astronautes du Kennedy Space Center ! L'affaire était dans le sac : j'avais atteint l'étape finale du processus de sélection. J'étais confiant comme jamais, persuadé que le premier enseignant à voyager dans l'espace ne serait nul autre que moi.

L'évaluation finale réunit une véritable élite. Sur les onze mille postulants qui partageaient le même rêve, il restait moins de cent hommes et femmes. Un seul d'entre nous serait appelé à réaliser ce rêve. Il fallait que ce soit moi, car ce rêve n'était plus seulement le *mien*, il appartenait à mes élèves, à ma famille et à ma communauté.

Si j'avais à décrire le climat au sein de notre petit groupe d'élus, je le qualifierais de sympathique quoique très compétitif. Nous restions sur nos gardes, car la NASA pouvait nous soumettre à tous moments et sans prévenir à des évaluations. Pour chacun de nous, les tâches les plus modestes se transformaient en défis. Aussi, en vue de déterminer lequel d'entre nous avait « l'étoffe des héros », la NASA nous fit subir toutes sortes de tests : simulateurs, épreuves de claustrophobie, exercices de dextérité et expériences du mal de mouvement. Qui parmi nous allait le mieux supporter ces ultimes épreuves ? Mon Dieu, priai-je, je vous en supplie, faites que ce soit moi. Je le désire tellement !

Une fois l'entraînement terminé, nous nous quittâmes en nous souhaitant mutuellement la meilleure des chances. Ainsi commença l'attente finale qui mènerait au dévoilement de l'heureux élu. Notre groupe sélect avait vécu une expérience que très peu de gens ont l'occasion de vivre dans leur vie. Un lien particulier nous unissait, un lien d'affection. Néanmoins, au plus profond de chacun de nous se cachait le désir ardent d'être choisi pour participer à la mission de la navette Challenger. Et j'étais convaincu que mon désir était le plus fort. Chacun de notre côté, nous rentrâmes à la maison pour attendre.

Puis me parvint la terrible nouvelle : je ne serais pas le premier enseignant à voler dans l'espace. La NASA avait choisi une enseignante de Concord, dans le New Hampshire, du nom de Christa McAuliffe. J'avais perdu. Le rêve de toute une vie s'envolait en fumée.

Mon euphorie laissa donc place à la dépression, à la perte de confiance, à la colère. Je remettais tout en question : Seigneur, pourquoi pas moi ? Quelle était cette fibre de « l'étoffe des héros » qui me faisait défaut ? Pourquoi la vie m'infligeait-elle une épreuve si cruelle ? Comment allais-je affronter mes élèves, ma famille, mes concitoyens ? Pourquoi mon rêve devait-il prendre fin alors que j'étais si près du but ?

Comme je l'avais fait si souvent lorsque j'étais enfant, je me tournai vers ma famille pour apaiser mon chagrin. Quand j'annonçai à mon père l'affreuse nouvelle, il me regarda comme le font les pères aimants et dit : « Toute chose a ses raisons. »

Quel réconfort croyait-il que cela me procurait ? Comment pouvait-il être aussi terre à terre à propos de mon rêve, alors que j'étais en train de mourir intérieurement ? Pourquoi ne s'efforçait-il pas de trouver mieux pour me consoler ? Pourquoi n'arrivait-il pas à chasser ma souffrance ? Je ne comprenais tout simplement pas.

Le mardi 28 janvier 1986, le jour dont j'avais rêvé pendant vingt-cinq ans, je me retrouvai en compagnie de ceux qui avaient partagé mon rêve maintenant déçu : mes élèves, ma famille et des concitoyens, ainsi que quelques journalistes. Nous étions rassemblés pour assister au vol historique de l'enseignante Christa McAuliffe. Nous observâmes la navette Challenger quitter la plateforme de lancement lors du décollage qui sembla parfait. En voyant Challenger s'élever dans le ciel, je repensai à mon rêve une dernière fois. J'aurais donné n'importe quoi pour être dans cette navette. Pourquoi cela m'avait-il été refusé ?

Soixante-treize secondes plus tard, Dieu répondit à toutes mes questions et dissipa tous mes doutes : Challenger explosa, tuant tous ses occupants, y compris l'enseignante Christa McAuliffe. Les paroles de mon père, « Toute chose a ses raisons », me revinrent immédiatement à l'esprit. Malgré mon désir et mes prières, on ne m'avait pas choisi pour ce vol parce que la divine providence entretenait d'autres desseins pour moi. J'avais une autre mission à accomplir dans ma vie. Je n'étais pas un perdant, mais un gagnant ! J'avais gagné parce que j'avais perdu.

Aujourd'hui, je voyage un peu partout à travers le monde pour donner des conférences aux adultes et aux jeunes. Je leur parle des enseignements que j'ai tirés de l'échec de mon rêve. Depuis l'expérience de Challenger, ma vie n'est plus la même. La déception et le chagrin que j'ai ressentis m'ont incité à aider les autres à puiser dans leurs propres ressources pour affronter les épreuves de la vie. La perte de sept amis dans cette catastrophe m'a poussé à bâtir sans cesse sur les bonnes choses qu'on peut retirer d'une épreuve.

Frank SLAZAK

6

Une question d'attitude

Le sens des choses réside non pas en elles-mêmes, mais dans notre attitude à leur endroit.

Antoine de SAINT-EXUPÉRY

Notre plus grande crainte

Nous ne craignons pas tant notre incompétence que notre incommensurable puissance.
C'est la luminosité de notre âme, et non ses ténèbres, qui nous effraie le plus.
Nous nous demandons : « Pourquoi serais-je, moi, un être brillant, magnifique, talentueux, formidable ? »
En réalité, pourquoi ne le seriez-vous PAS ?

Vous êtes un enfant de Dieu. Votre manque de grandeur ne sert pas le Monde.
Il n'y a aucune noblesse à rester médiocre pour rassurer les autres.
Nous sommes nés pour rendre manifeste la gloire de Dieu qui nous habite.
La grandeur n'est pas l'apanage de quelques élus ; elle se trouve en chacun de nous.
Lorsque nous laissons notre âme répandre sa lumière, nous permettons inconsciemment aux autres de révéler la leur.
Lorsque nous nous affranchissons de notre propre peur, notre présence libère automatiquement les autres.

Nelson MANDELA
Extrait de son discours inaugural, 1994

Valeureux dans le désastre

Si ta maison est en flammes, réchauffe-toi près du brasier.

Proverbe espagnol

En décembre 1914, le laboratoire de Thomas Edison fut pratiquement détruit par un incendie. Les dommages s'élevaient à plus de deux millions de dollars, mais la police d'assurance garantissait seulement deux cent trente-huit mille dollars, car les bâtiments étaient en béton et, en théorie, ignifuges. Une grande partie du travail de toute une vie s'envola en fumée ce jour-là.

Au plus fort de l'incendie, le fils de vingt-quatre ans d'Edison, Charles, chercha frénétiquement son père parmi les débris et la fumée. Il finit par le trouver, observant calmement la scène, son visage illuminé par les flammes, ses cheveux blancs flottant au vent.

« J'eus mal de le voir ainsi, raconta Charles plus tard. Il avait soixante-sept ans – un âge respectable – et voyait tout son travail disparaître. Lorsqu'il me vit, il cria : "Charles, où est ta mère ?" Je lui répondis que je ne le savais pas. Il me dit alors : "Trouve-la et amène-la ici. Elle ne verra jamais plus une chose pareille." »

Le lendemain matin, Edison regarda les décombres et dit : « Le désastre apporte une chose précieuse. Toutes nos erreurs sont effacées. Je remercie Dieu de pouvoir recommencer à zéro. »

Trois semaines après l'incendie, Edison réussit à présenter au monde sa nouvelle invention : le phonographe.

The Sower's Seeds

La bonne nouvelle

Un jour, Roberto De Vincenzo, le célèbre golfeur argentin, remporta un tournoi. Après avoir empoché son prix et souri aux caméras, il retourna au pavillon et se prépara à partir. Quelques minutes plus tard, tandis qu'il se dirigeait vers sa voiture garée dans le stationnement, une jeune femme s'approcha de lui. Elle le félicita de sa victoire, puis elle lui raconta que son enfant gravement malade allait mourir bientôt et qu'elle n'avait pas les moyens de payer le médecin et l'hôpital.

Son histoire émut De Vincenzo. Il prit un stylo et endossa pour elle le chèque qu'il venait de gagner au tournoi. « Cet argent vous aidera à prendre soin de votre bébé », dit-il en remettant le chèque à la femme.

La semaine suivante, lors d'un repas dans un club champêtre, un dirigeant de l'Association professionnelle de golf vint à la table de De Vincenzo. « Après le tournoi de la semaine dernière, des gars vous ont aperçu dans le stationnement en compagnie d'une jeune femme. » De Vincenzo acquiesça. « Eh bien ! je vais vous en apprendre une bonne, ajouta le dirigeant. Cette femme est un escroc. Elle n'a pas de bébé malade. Elle n'est même pas mariée. Elle vous a bien eu, mon ami.

— Vous voulez dire qu'il n'y a pas de bébé mourant ?, demanda De Vincenzo.

— C'est exact, confirma le dirigeant.

— C'est la meilleure nouvelle de la semaine », conclut De Vincenzo.

The Best of Bits & Pieces

Il n'y a pas de petits rôles

Chaque fois que je me sens déçue de ma vie, je prends une pause et je pense au petit Jamie Scott. Il y a quelques années, Jamie essayait de décrocher un rôle dans une pièce de théâtre à l'école. Cette pièce lui tenait beaucoup à cœur, m'avait raconté sa mère, qui craignait cependant qu'il ne fût pas choisi. Le jour de la distribution des rôles, j'allai avec elle chercher Jamie après la classe. Jamie courut jusqu'à elle, les yeux brillants de fierté et d'excitation.

« Devine, maman ! », cria-t-il avant de prononcer ces mots qui représentent, encore aujourd'hui, une leçon de vie pour moi :

« J'ai été choisi pour applaudir et crier bravo ! »

Marie CURLING

Johnny

Notre travail est l'œuvre de toute une vie. Chaque jour, nous sommes tous appelés à poursuivre sans relâche l'excellence. Les hommes ne sont pas tous destinés à des professions ou à des emplois spécialisés, très peu deviennent des génies dans le domaine des arts et des sciences, mais beaucoup sont ouvriers dans une manufacture, dans un champ ou dans la rue. Il n'y a pas de sot métier, cependant. Tout travail qui élève l'humanité est digne et important et devrait être accompli avec l'assiduité qui mène à l'excellence. Si un homme est destiné à balayer les rues, alors il devrait balayer avec autant d'ardeur que Michel-Ange, Beethoven et Shakespeare peignait, composait, écrivait. Son travail sera si bien fait que tous les Anges du ciel et de la terre s'arrêteront pour dire : « Voilà un grand balayeur de rues qui a bien fait son travail. »

Martin Luther KING Jr

L'automne dernier, on me demanda de donner une conférence aux trois mille employés d'une grande chaîne de supermarchés du Midwest au sujet de la fidélisation de la clientèle et de l'enthousiasme au travail.

Lors de cette conférence, j'insistai sur l'importance de mettre sa « touche » personnelle dans son travail. À une époque où les entreprises doivent faire face aux réductions de personnel, à la restructuration et à la révolution technologique, il est à mon avis essentiel que chacun de nous trouve le moyen de se sentir vraiment bien dans sa peau et son travail. Une des meilleures façons d'y parvenir est d'accomplir notre travail d'une manière qui nous distingue de toutes les autres personnes accomplissant le même travail que nous.

Je citai aux trois mille employés l'exemple d'un pilote de la United Airlines qui, lorsque tout est prêt dans son cockpit, se rend à l'ordinateur, choisit au hasard les noms de quelques passagers et leur écrit à la main une note les remerciant d'avoir choisi la compagnie United Airlines. Je donnai également l'exemple de ce graphiste avec lequel je travaille et qui joint toujours un morceau de gomme à mâcher sans sucre dans tout ce qu'il envoie à ses clients ; les gens ne jettent jamais le courrier qu'ils reçoivent de lui !

Je connais également un bagagiste, chez Northwest Airlines, qui a décidé lui aussi de mettre sa touche personnelle : il ramasse toutes les étiquettes qui tombent des valises des clients (étiquettes qu'on avait coutume de jeter auparavant) et, lorsqu'il a un peu de temps libre, il les renvoie aux clients en les remerciant d'avoir choisi Northwest Airlines. Et que dire de ce dirigeant d'entreprise, avec lequel j'ai déjà travaillé, qui joint un mouchoir de papier à ses notes de service lorsqu'il sait que leur contenu ne plaira pas aux destinataires...

Après avoir cité quelques autres exemples de gens qui personnalisent leur façon de travailler, je mis mon auditoire au défi d'exploiter leur imagination et de trouver leur propre touche personnelle.

Environ trois semaines après cette conférence, tard dans l'après-midi, le téléphone sonna. L'homme au bout du fil m'annonça qu'il s'appelait Johnny et qu'il travaillait comme ensacheur dans un des supermarchés de la chaîne. Il me raconta également qu'il était trisomique. Il dit : « Barbara, j'ai aimé ce que vous avez dit ! » Puis il me dit qu'à son retour du travail ce jour-là, il avait demandé à son père de lui montrer comment utiliser un ordinateur.

Johnny m'expliqua qu'avec l'aide de son père, il avait élaboré un programme. Chaque soir, maintenant, en rentrant du travail, il introduit dans son ordinateur une « pensée du jour ». Lorsqu'il n'en trouve pas, il en invente une ! Puis il écrit sa pensée, en fait imprimer plusieurs copies, les découpe et signe son nom au dos. Le lendemain, lorsqu'il ensache les provisions – « de façon personnalisée » – *il met une pensée du jour dans l'épicerie de chaque client*. C'est ainsi qu'il apporte une touche chaleureuse, amusante et créative.

Un mois plus tard, le directeur du supermarché où travaille Johnny me téléphona. Il dit : « Barbara, vous ne croirez pas ce qui est arrivé aujourd'hui. Lorsque je suis allé dans le magasin ce matin, la file d'attente au comptoir de Johnny était *trois fois plus longue* qu'aux autres comptoirs ! Je me suis empressé de crier : "Ces autres caisses sont ouvertes, Madame, Monsieur, changez de file !", mais les clients me répondaient : "Non, non ! Nous voulons être dans la file de Johnny, nous voulons la pensée du jour !" »

Le directeur me raconta aussi qu'une dame l'avait abordé et lui avait dit : « Avant, je venais ici seulement une fois par semaine. Maintenant, je viens faire des achats chaque fois que je passe devant le magasin, parce que je veux la pensée du jour. » (Imaginez l'incidence sur le bénéfice net...) Avant de raccrocher, le directeur me demanda : « D'après vous, qui est la *personne la plus importante* dans tout le magasin ? Johnny, évidemment ! »

Trois mois plus tard, il me téléphona de nouveau : « Vous et Johnny avez transformé mon magasin ! Maintenant, au rayon des fleurs, lorsque les employés ont une fleur cassée, ils vont dans les autres rayons, cherchent une dame âgée ou une petite fille, et épinglent la fleur à son vêtement. Aussi, un de nos emballeurs de viande adore Snoopy ; il a donc apporté cinquante mille autocollants Snoopy et, chaque fois qu'il emballe un morceau de viande, il met un autocollant sur le paquet. On s'amuse comme des fous. Et les clients aussi ! »

Voilà ce que j'appelle l'enthousiasme au travail !

Barbara A. GLANZ

Moins de peur, plus d'espoir ;
Moins de jérémiades, plus de souffle ;
Moins de mots, plus d'éloquence ;
Moins de haine, plus d'amour ;
Et le monde vous appartiendra.

Source anonyme

7

Vaincre les obstacles

Nul obstacle ne peut m'arrêter, car aucun obstacle ne résiste à une volonté farouche.

Léonard de VINCI

Si la douleur est inévitable, la souffrance, elle, est accessoire.

Source inconnue

C'est au plus profond de l'hiver que j'ai fini par découvrir en moi un été invincible.

Albert CAMUS

La quête passionnée du possible

Il faut chérir ses visions et ses rêves, car ils sont les enfants de l'âme, l'ultime projet d'accomplissement.

Napoleon HILL

Il y a plusieurs années, en découvrant un ancien tombeau égyptien, un archéologue trouva des semences cachées dans un morceau de bois. Une fois plantées, ces graines pourtant vieilles de plus de trois mille ans laissèrent sortir le potentiel qu'elles portaient ! La condition de l'être humain est-elle à ce point décourageante et négative qu'elle le destine – quel que soit son potentiel – à vivre une existence d'échecs et de désespoir silencieux ? Ou y a-t-il également en chacun de nous la vie en devenir, un désir de se réaliser si intense que même l'adversité ne peut empêcher de germer ? À ce propos, laissez-moi vous raconter l'histoire suivante, qui apparut sur le fil de presse de l'Associated Press le 23 mai 1984.

Enfant, Mary Groda n'apprit ni à lire ni à écrire. Les spécialistes l'étiquetèrent « retardée ». À l'adolescence, on ajouta à ce premier qualificatif celui d'« incorrigible » et on condamna Mary à passer deux ans dans une maison de correction. Ironiquement, c'est à cet endroit coupé du monde extérieur que Mary – se pliant aux exigences de l'apprentissage – se mit à la tâche et étudia jusqu'à seize heures par jour. Son travail acharné porta fruit : elle obtint son diplôme d'études secondaires.

Toutefois, le malheur n'en avait pas terminé avec Mary Groda. Après avoir quitté la maison de correction, elle tomba enceinte sans jouir des avantages du mariage. Deux ans plus tard, un deuxième accouchement se solda par un accident vasculaire cérébral qui effaça d'un seul coup les habiletés de lecture et d'écriture qu'elle avait durement acquises. Avec l'aide et le soutien de son père, Mary se retroussa les manches et récupéra ses apprentissages perdus.

Aux prises avec des difficultés financières, Mary devint bénéficiaire de l'aide sociale. Pour réussir à joindre les deux bouts, elle décida de prendre en charge sept enfants en famille d'accueil. C'est au cours de cette période qu'elle s'inscrivit au collège. Une fois ses études collégiales terminées, elle fut admise à l'école de médecine Albany, dans l'Oregon, et y étudia pour devenir médecin.

Au printemps 1984, Mary Groda Lewis – maintenant mariée – revêtit la toge pour recevoir son diplôme. Nul ne sait ce qui traversa l'esprit de Mary lorsqu'elle tendit la main pour recevoir le témoignage éloquent de sa persévérance et de sa foi en ses capacités. Son diplôme disait au monde entier : voilà quelqu'un qui a osé rêver de l'impossible et qui confirme la nature divine de l'être humain. Voilà Mary Groda Lewis, M.D.

James E. CONNER

Jamais nous ne lui avions dit qu'il en était incapable

Ils en sont capables parce qu'ils croient en être capables.

VIRGILE

À sa naissance, mon fils Joey avait les pieds tordus vers le haut, la plante des pieds reposant sur son ventre. Je trouvais qu'il avait l'air bizarre, mais comme c'était mon premier enfant, je ne savais pas vraiment ce que cela signifiait. Plus tard, j'appris que Joey avait les pieds bots. Les médecins affirmèrent que les traitements lui permettraient de marcher normalement, mais qu'il ne pourrait probablement jamais courir très bien. Les trois premières années de Joey furent une succession d'interventions chirurgicales, de plâtres et d'appareils orthopédiques. Après sept ou huit années de massages et d'exercices, il est vrai qu'on ne pouvait pas deviner, à le voir marcher, qu'il avait eu un problème.

Lorsqu'il parcourait de longues distances, à l'occasion d'une visite au parc d'attractions ou au zoo, par exemple, il se plaignait de fatigue et de douleur aux jambes. Nous faisions alors un arrêt et nous en profitions pour manger ou boire quelque chose et pour parler de ce que nous avions vu et de ce qu'il restait à voir. Nous ne lui avions jamais parlé de la cause de ses douleurs et de sa faiblesse aux jambes. Nous ne lui avions jamais dit qu'elles étaient dues à une difformité à sa naissance. Et comme nous ne lui avions jamais dit, il ne le savait pas.

Les enfants du voisinage couraient comme le font tous les enfants en s'amusant. Joey les observait et, bien entendu, il allait les rejoindre en courant. Jamais nous ne lui avions dit qu'il ne serait probablement pas capable de courir aussi bien que les autres enfants, qu'il était différent. Et comme nous ne lui avions pas dit, il ne le savait pas.

En commençant son cours secondaire, il décida de s'inscrire dans l'équipe de cross-country. Il s'entraîna quotidiennement avec l'équipe. On aurait dit que c'était lui qui s'exerçait et courait le plus. Peut-être sentait-il que les habiletés qui semblaient si naturelles chez les autres ne l'étaient pas pour lui. Jamais nous ne lui avions dit qu'il resterait probablement toujours derrière ses amis malgré sa capacité de courir, qu'il ne devait pas s'attendre à « faire l'équipe », qui comptait en ses rangs les sept meilleurs coureurs de l'école. Dans son équipe de cross-country, même si tous les membres de l'équipe couraient, seuls les sept plus rapides avaient le potentiel de marquer des points pour l'école. Nous ne lui avions pas dit qu'il ne ferait probablement pas partie de l'équipe, alors il ne le savait pas.

Il continua donc de courir six ou sept kilomètres par jour, tous les jours. Je n'oublierai jamais la fois où il faisait quarante de fièvre. Il refusa de rester au lit pour la simple raison qu'il avait un entraînement. Je me fis du souci pour lui toute la journée. Je m'attendais à tout moment à recevoir un coup de fil de l'école me demandant de venir le chercher pour le ramener à la maison. Personne ne téléphona.

Après l'école, je me rendis à l'endroit où s'entraînait l'équipe de cross-country. Je me disais que ma présence inciterait peut-être Joey à laisser tomber son entraînement ce soir-là. Une fois rendue à l'école, je l'aperçus qui courait, tout seul, le long d'une rue bordée d'arbres.

Je me rangeai sur le côté en ralentissant de façon à rouler à la même vitesse qu'il courait. Je lui demandai comment il se sentait. « Ça va », répondit-il. Il lui restait seulement quatre kilomètres à parcourir. Son visage était mouillé de sueur et ses yeux vitreux indiquaient qu'il faisait encore de la fièvre. Il regardait toutefois droit devant lui et courait. Jamais nous ne lui avions dit de ne pas courir six kilomètres quand il était brûlant de fièvre. Et comme nous ne lui avions jamais dit, il ne le savait pas.

Deux semaines plus tard, la veille de l'avant-dernière course de la saison, on dévoila les noms des coureurs de l'équipe. Le nom de Joey figurait au sixième rang sur la liste. Il avait été choisi. Il était le seul coureur âgé de treize ans ; tous les autres étaient plus vieux. Jamais nous ne lui avions dit qu'il ne ferait probablement pas partie de l'équipe. Jamais nous ne lui avions dit qu'il en serait incapable. Par conséquent, il ne le savait pas. C'est pourquoi il a réussi, tout simplement.

Kathy LAMANCUSA

Du cœur au ventre

Ma petite fille de dix ans, Sarah, est un exemple de cœur au ventre. À sa naissance, il lui manquait un muscle dans le pied. Elle porte en permanence un appareil orthopédique. Un jour, sous le soleil magnifique du printemps, elle revint de l'école en m'annonçant qu'elle venait de participer aux olympiades de l'école où s'étaient tenues toutes sortes de courses et de compétitions sportives.

Convaincu que son appareil orthopédique avait été un obstacle, j'essayai de trouver rapidement des mots d'encouragement, des mots susceptibles de lui remonter le moral, bref, le genre de discours que tiennent les entraîneurs aux joueurs qui viennent de perdre. Toutefois, Sarah s'exclama sans me laisser le temps d'ouvrir la bouche : « Papa, j'ai gagné deux courses ! »

Je n'en croyais pas mes oreilles ! C'est alors que Sarah ajouta : « Il faut dire que j'avais un avantage. »

Ah ! c'était donc ça ; on lui avait probablement permis de partir avant les autres, pensai-je, ou… Mais, de nouveau, Sarah me devança et dit : « Papa, ils ne m'ont pas permis de partir avant les autres. Mon seul avantage, c'est qu'il fallait que je fasse plus d'efforts que les autres ! »

S'il y a une personne qui a du cœur au ventre, c'est bien ma fille Sarah.

Stan FRAGER

Quatorze marches à monter

C'est dans l'adversité qu'on se découvre.

Anonyme

On raconte qu'un chat possède neuf vies. Cela doit être vrai, puisque je suis en train de vivre ma troisième vie et que je ne suis pas un chat.

Ma première vie commença par une froide journée ensoleillée du mois de novembre 1904. Je fus le sixième d'une famille de huit enfants qui vivait sur une ferme. Mon père mourut alors que j'avais quinze ans, et nous dûmes trimer dur pour survivre. Ma mère restait à la maison et préparait les repas – patates, fèves, maïs et légumes – pendant que nous allions travailler, habituellement pour un salaire de misère.

Mes frères et mes sœurs grandirent et se marièrent, nous laissant seuls, ma sœur et moi, pour prendre soin de notre mère et subvenir à ses besoins. Ma mère passa ses dernières années paralysée et mourut avant d'avoir atteint soixante-dix ans. Ma sœur se maria peu après et je suivis son exemple l'année suivante.

C'est à ce moment que je commençai à jouir de ma première vie. J'étais très heureux, en excellente santé et plutôt bon athlète. Ma femme et moi eûmes deux magnifiques filles. J'avais un bon emploi à San Jose et une belle maison dans la péninsule de San Carlos.

Ma vie était tel un rêve agréable.

Puis le rêve prit fin et se transforma en un de ces cauchemars horribles duquel on se réveille trempé de sueur au beau milieu de la nuit. J'étais atteint d'une maladie évolutive des nerfs moteurs. La maladie toucha d'abord ma jambe et mon bras droits, puis ma jambe et mon bras gauches.

Ainsi débuta ma deuxième vie.

En dépit de la maladie, je conduisais encore ma voiture chaque jour pour me rendre au travail, grâce à un équipement adapté que j'avais fait installer. Je parvenais tant bien que mal à préserver ma santé et mon optimisme, grâce à quatorze marches.

Cinglé ? Pas du tout.

Notre maison comportait deux niveaux. Quatorze marches séparaient le garage de la porte d'entrée. Ces marches étaient une jauge de vie. Elles étaient mon étalon de mesure, le défi que je devais relever pour continuer à vivre. Je me disais que le jour où je serais incapable de poser le pied sur la première marche pour ensuite traîner l'autre sur la deuxième marche en grimaçant de douleur – puis de répéter ces gestes à quatorze reprises jusqu'à ce que, complètement épuisé, j'aie monté l'escalier –, je pourrais alors m'avouer vaincu, m'étendre et mourir.

Je continuai donc sans relâche à monter et à remonter ces marches. Le temps passa. Mes filles entrèrent à l'université. Elles se marièrent. Et je restai seul avec ma femme dans notre belle résidence où se trouvaient les quatorze marches.

Vous pensez peut-être : quelle démonstration de courage et de force ! Vous vous trompez. J'étais un infirme boitillant et cruellement désillusionné, un homme qui se raccrochait à sa santé mentale, à sa femme, à sa maison et à son travail grâce à quatorze misérables marches qui reliaient son garage à sa porte d'entrée.

Lorsque je montais ces marches en traînant mes pieds l'un après l'autre – laborieusement, douloureusement, m'arrêtant souvent pour me reposer – je laissais parfois les souvenirs envahir mon esprit, me remémorant le baseball, le golf, les entraînements au gymnase, les randonnées, la natation, le jogging, le saut. Et voilà que j'arrivais à peine à monter quelques marches.

Ma désillusion et ma frustration s'intensifièrent avec l'âge. Je suis certain que ma femme et mes amis vivaient de pénibles moments lorsque je décidais de leur expliquer ma philosophie de vie. J'étais convaincu d'être le seul sur cette terre à qui on demandait de souffrir. Ma croix, je la portais depuis maintenant neuf ans, et tout indiquait qu'il en serait ainsi tant et aussi longtemps que je pourrais monter ces quatorze marches.

Je choisis d'ignorer ce passage réconfortant du premier épître de Paul aux Corinthiens : « Nous ne mourrons pas tous, mais tous nous serons transformés, en un instant, en un clin d'œil, au son de la trompette finale. » C'est donc ainsi que je vécus mes première et deuxième vies sur cette terre.

Puis, un jour du mois d'août 1971, j'amorçai ma troisième vie. Lorsque je quittai la maison ce matin-là, rien n'annonçait le changement radical qui allait se produire. Tout ce que je me rappelle, c'est que j'avais trouvé particulièrement difficile de *descendre* les marches et que j'appréhendais le moment où j'aurais à les gravir en revenant du travail.

Il pleuvait lorsque je sortis du bureau en fin de journée. Le vent soufflait en rafales et une pluie drue s'abattait sur ma voiture tandis que je roulais lentement sur une route peu fréquentée. Tout à coup, je perdis la maîtrise du volant et ma voiture fit une brusque embardée vers la droite. Au même moment, j'entendis le bruit inquiétant d'une crevaison. Je parvins à immobiliser la voiture sur l'accotement que la pluie avait rendu glissant, et c'est alors que je pris conscience de la gravité de la situation. J'étais incapable de changer un pneu ! Totalement incapable !

J'éliminai immédiatement la possibilité qu'un autre automobiliste vienne à mon secours. Pourquoi quelqu'un s'arrêterait-il ? Moi, je ne l'aurais pas fait ! Puis, je me souvins qu'un peu plus loin, sur une petite route secondaire, se trouvait une maison. Je démarrai, puis roulai lentement et bruyamment sur l'accotement jusqu'à ce que, grâce à Dieu, j'arrive sur la petite route de terre. J'aperçus de la lumière par les fenêtres de la maison ; je me garai dans l'entrée et klaxonnai.

La porte s'ouvrit et une petite fille apparut. Je baissai la fenêtre de ma voiture pour lui expliquer que mon pneu était crevé et que, à cause de ma béquille, j'avais besoin d'aide pour le changer.

Elle retourna dans la maison. Quelques instants après, elle réapparut, vêtue d'un imperméable et d'un chapeau, et accompagnée d'un homme qui me lança un salut amical.

Bien au sec et confortablement assis dans ma voiture, je me sentis désolé pour cet homme et cette fillette qui peinaient sous la pluie. Qu'à cela ne tienne, je leur donnerais un peu d'argent pour les remercier. Comme la pluie semblait tomber moins fort, j'ouvris complètement ma fenêtre pour les observer. Ils me paraissaient terriblement lents et je commençais à m'impatienter. Il y eut un bruit métallique à l'arrière de la voiture, puis j'entendis clairement la petite fille qui disait : « Tiens, grand-papa, la manivelle du cric. » Le murmure grave de l'homme lui répondit au même moment où la voiture commençait à pencher en se soulevant.

Puis se succédèrent plusieurs bruits, des secousses et des murmures. Enfin, le travail était terminé. Je sentis la voiture redescendre tandis qu'on enlevait le cric, puis le coffre arrière fut refermé. Mes deux bienfaiteurs s'approchèrent alors de ma fenêtre.

C'était un homme âgé, au dos voûté et à l'allure frêle sous son imperméable. La petite fille, âgée de huit ou neuf ans, me regardait en souriant d'un air joyeux.

L'homme dit : « Mauvaise soirée pour tomber en panne. Mais tout est réparé maintenant.

— Merci, répondis-je. Merci beaucoup. Combien vous dois-je ? »

L'homme secoua la tête : « Rien du tout. Cynthia m'a dit que vous étiez infirme, en béquilles. Heureux de vous avoir aidé. Je sais que vous auriez fait la même chose pour moi. Vous ne me devez rien, mon ami. »

Je lui tendis un billet de cinq dollars. « J'insiste pour vous dédommager. »

Il ne fit aucun geste pour prendre l'argent. C'est alors que la petite fille se rapprocha de moi et chuchota : « Grand-papa ne peut pas voir. »

Pendant quelques secondes qui semblèrent durer une éternité, un sentiment de honte mêlé d'horreur m'envahit ; je me sentis mal à l'aise comme jamais je ne l'avais été auparavant. Un aveugle et une enfant ! Les écrous et les outils, il les avait utilisés avec ses doigts mouillés et glacés en tâtonnant dans l'obscurité, une obscurité dans laquelle il vivrait probablement jusqu'à sa mort.

Ils avaient changé mon pneu, dans la pluie et le vent, tandis que j'étais demeuré confortablement assis dans ma voiture avec ma béquille. Mon cher handicap ! Je ne sais combien de temps je restai immobile après qu'ils furent partis ; tout ce que je sais, c'est que j'eus le temps de plonger à l'intérieur de moi-même, très profondément, et d'y trouver des choses troublantes.

Je pris conscience que je me complaisais dans l'apitoiement, l'égoïsme, l'indifférence aux besoins des autres et la négligence.

Je ne bougeai pas et je récitai une prière. En toute humilité, je priai pour avoir plus de force, pour mieux me comprendre, pour avoir une conscience plus aiguë de mes faiblesses et pour continuer de demander chaque jour, par la prière, l'aide spirituelle dont j'avais besoin pour surmonter mes faiblesses.

Je priai pour rendre grâce à cet aveugle et à sa petite-fille. Lorsque je repris la route, j'avais l'air d'un homme secoué qui venait de recevoir une leçon d'humilité.

« Ainsi, tout ce que vous voulez que les hommes fassent pour vous, faites-le vous-même pour eux : c'est la Loi et les Prophètes. » (Matthieu 7:12)

Les mois ont passé depuis. Aujourd'hui, cet avertissement contenu dans les écritures représente bien plus qu'un passage de la Bible. Il décrit une manière de vivre que j'essaie de faire mienne. Ce n'est pas toujours facile, cependant. Parfois, cette façon de vivre me frustre. Parfois, elle me coûte beaucoup, à la fois en temps et en argent, mais je sais qu'elle en vaut la peine.

Maintenant, j'essaie non seulement de monter quatorze marches par jour, mais aussi d'aider les autres à ma modeste façon. Un jour, peut-être, je changerai un pneu pour un homme aveugle assis dans sa voiture – quelqu'un d'aussi aveugle que je l'ai été.

Hal MANWARING

La douleur passe, la beauté reste

Même si Matisse avait presque vingt-huit ans de moins que Renoir, ces deux peintres célèbres étaient de proches amis qui se fréquentaient assidûment. Lorsque Renoir se trouva confiné chez lui pendant les dix dernières années de sa vie, à cause de ses problèmes de santé, Matisse allait lui rendre visite chaque jour. Renoir, que l'arthrite avait presque paralysé, s'acharnait à peindre malgré ses infirmités. Un jour que Matisse le regardait travailler dans son studio, luttant contre la douleur à chaque coup de pinceau, il ne put s'empêcher de lui demander : « Auguste, pourquoi t'obstines-tu à peindre alors que tu souffres le martyre ? »

Renoir se borna à répondre : « La douleur passe, la beauté reste. » Et c'est ainsi que Renoir continua, presque jusqu'à son dernier souffle, de peindre. Une de ses toiles les plus célèbres, *Les Baigneuses*, fut terminée à peine deux ans avant sa mort, quatorze ans après l'apparition de cette maladie invalidante.

The Best of Bits & Pieces

Le pont des miracles

Le pont Brooklyn qui enjambe la rivière séparant Manhattan de Brooklyn est un pur miracle d'ingénierie. C'est un ingénieur très créatif du nom de John Roebling qui, en 1883, eut l'idée de bâtir cet ouvrage spectaculaire. Les spécialistes en construction de ponts, toutefois, lui conseillaient d'oublier son projet qu'ils jugeaient irréalisable. Roebling persuada alors son fils Washington, un ingénieur plein d'avenir, de la faisabilité de son pont. Le père et le fils en conçurent donc les plans et trouvèrent des solutions aux obstacles. Ils réussirent même, on ne sait trop comment, à convaincre les banquiers de financer le projet. Puis, avec un enthousiasme et une énergie sans borne, ils embauchèrent leur équipe et commencèrent à construire le pont qu'ils avaient imaginé.

Le projet était en cours depuis quelques mois seulement lorsqu'un accident tragique survint sur le chantier, tuant John Roebling et blessant gravement son fils. Washington s'en sortit avec des lésions cérébrales importantes qui l'empêchaient de parler et de marcher. Tout le monde pensa que le projet tomberait à l'eau, puisque les Roebling étaient les seuls à pouvoir comprendre les plans du pont.

Si Washington Roebling était incapable de se déplacer et de parler, son esprit était clair comme jamais. Un jour, de son lit d'hôpital, il trouva un moyen avec lequel il pourrait communiquer. Comme il ne pouvait bouger qu'un seul doigt, il toucha le bras de sa femme avec ce doigt. Il lui fit comprendre son code de communication afin qu'elle puisse expliquer aux ingénieurs du projet comment poursuivre la construction du pont. Pendant treize ans, avec un seul doigt, Washington communiqua ainsi ses instructions, jusqu'à ce que le pont Brooklyn, ce splendide ouvrage, fût complètement terminé.

A Fresh Packet of Sower's Seeds

Viser toujours plus haut

À vaincre sans péril, on triomphe sans gloire.

CORNEILLE

C'est dans l'obscurité qu'on peut voir les étoiles.

Charles A. BEARD

Ses mains étaient moites. Il avait besoin de les essuyer pour garder une bonne poigne. Un verre d'eau glacée étancha sa soif mais refroidit à peine son ardeur. Le gazon sur lequel il était assis était aussi chaud que la compétition à laquelle il participait ce jour-là dans le cadre des Olympiques juniors nationaux des États-Unis. La barre était à 5,185 mètres, soit à 7,5 centimètres de plus que sa meilleure performance. Michael Stone vivait le plus grand défi de sa carrière de perchiste.

Même si la finale de la course était terminée depuis déjà une heure, quelque vingt mille spectateurs s'entassaient encore dans les estrades. Le saut à la perche est réellement l'épreuve la plus prestigieuse dans une compétition d'athlétisme. Il allie la grâce du gymnaste avec la force du culturiste. Le saut à la perche tient également du vol de l'oiseau, et l'idée de voler aussi haut qu'un édifice de deux étages est une pure fantaisie pour quiconque assiste à cette épreuve sportive. La compétition qui se déroulait ce jour-là était non seulement la réalité et le rêve de Michael Stone, c'était sa quête.

D'aussi loin qu'il pût se souvenir, Michael avait toujours rêvé de voler. Lorsqu'il était petit, sa mère lui lisait souvent des histoires sur les oiseaux, surtout celles qui décrivaient ce que les oiseaux aperçoivent du haut du ciel. Grâce à l'enthousiasme et à la passion de sa mère pour les détails, les rêves de Michael étaient pleins de couleur et de beauté. Il y en avait d'ailleurs un qu'il faisait souvent. Dans ce rêve, il courait sur un chemin de campagne bordé de champs de blé doré, et il sentait sous ses pieds les cailloux et les mottes de terre. Il arrivait toujours à dépasser des locomotives qui passaient au loin. Et à cet instant, il respirait profondément, ses pieds quittaient le sol et il montait en flèche comme un aigle.

Les endroits qu'il survolait alors correspondaient toujours à ceux que sa mère lui décrivait. Grâce à elle, il pouvait voir comme un oiseau et se sentir aussi libre que lui. En revanche, son père, Bert Stone, n'était pas un rêveur. C'était un réaliste pur et dur. Il croyait au labeur. Sa devise : *Si tu veux une chose, mérite-la !*

Dès l'âge de quatorze ans, Michael suivit ce mot d'ordre. Il commença un programme d'haltérophilie de manière consciencieuse et disciplinée. Il s'entraînait tous les deux jours aux poids et haltères ; les autres jours, il pratiquait la course. Le programme était supervisé de très près par son père qui lui servait également d'entraîneur et d'instructeur. Michael faisait preuve d'un dévouement, d'une détermination et d'une discipline que tout instructeur aurait aimé trouver chez un élève. En plus de figurer au tableau d'honneur de l'école, Michael, enfant unique, trouvait le temps d'aider ses parents dans les travaux de la ferme. La persistance avec laquelle il poursuivait l'excellence était non seulement une obsession, mais une passion.

Mildred Stone, la mère de Michael, aurait aimé le voir se détendre davantage et donner libre cours à sa nature de jeune rêveur. Elle essaya d'ailleurs une fois de discuter de ce sujet avec son fils et son époux, mais Bert l'interrompit tout de suite, sourit et dit : « *Si tu veux une chose, mérite-la !* »

Michael avait alors dix-sept ans. Tous les sauts qu'il faisait aujourd'hui semblaient récompenser ses efforts. Personne ne sut comment Michael se sentit lorsqu'il réussit le saut de 5,185 mètres, car aussitôt qu'il retomba sur le matelas de l'autre côté de la barre, sous les clameurs de la foule, il commença à préparer sa prochaine envolée. Le fait qu'il venait de battre son record personnel par plus de sept centimètres paraissait le laisser indifférent, tout autant que le fait d'être un des deux perchistes en finale des Olympiques juniors nationaux.

Lorsque Michael survola la barre à 5,235 mètres puis à 5,285 mètres, il ne manifesta encore aucune émotion. Il était une véritable boule de concentration et de détermination. Peu après, couché sur le dos, il entendit le grondement de déception de la foule et comprit que l'autre perchiste venait de rater son dernier saut. Le moment était venu de faire le sien. Et comme l'autre perchiste avait raté moins de sauts, Michael devait, pour gagner, franchir la barre. S'il manquait son coup, il devrait se contenter de la deuxième place. Rien de honteux, bien sûr, mais Michael refusa de penser à autre chose qu'à la première place.

Il se tourna sur le ventre et, comme à son habitude, fit trois pompes (*push-ups*) sur le bout des doigts, trois pompes telles qu'on les faisait dans l'armée. Il prit sa perche, se releva et s'installa sur la piste d'élan qui allait le conduire au plus grand défi de sa vie.

La piste d'élan lui fit un drôle d'effet ; il tressaillit l'espace d'un bref instant. Puis soudain, la réalité le frappa telle une gifle : la hauteur de la barre était à 5,335 mètres, 23,5 centimètres plus élevée que son précédent record personnel. Seulement 2,5 centimètres de moins que le record national américain, songea-t-il. L'intensité du moment permit à l'angoisse de s'engouffrer dans son esprit. Il essaya de chasser la tension. Rien à faire, il devenait de plus en plus tendu. Pourquoi cela lui arrivait-il en ce moment précis, se demanda-t-il. Il sentit la nervosité monter. La peur, pour être plus exact. Qu'allait-il faire ? Il n'avait jamais ressenti cette émotion. Puis, de façon tout à fait inattendue, au plus profond de son être, il pensa à sa mère. Pourquoi penser à sa mère en pareil moment ? La réponse est simple. Lorsqu'il se sentait tendu, anxieux ou craintif, sa mère avait coutume de lui dire de respirer à fond.

Et c'est ce qu'il fit. Il secoua les jambes pour faire tomber la tension et déposa doucement la perche à ses pieds. Il étira ensuite ses bras et son torse. La brise qui soufflait tout à l'heure avait disparu et Michael sentit couler dans son dos un filet de sueur froide. Il prit de nouveau sa perche. Son cœur battait si fort contre ses côtes que Michael était convaincu que la foule s'en rendait compte. Le silence était très lourd. Lorsqu'il entendit le chant de quelques merles volant au loin, il comprit qu'il devait lui aussi s'envoler.

Quand il se mit à courir sur la piste d'élan, un sentiment merveilleusement différent et familier à la fois s'empara de lui. La piste qui défilait sous ses pieds lui procurait la même sensation que le chemin de campagne de son rêve : les cailloux, les mottes de terre et le spectacle des champs de blé doré remplirent toutes ses pensées. Au moment même où il respira à fond, le miracle se produisit : il s'envola, ses pieds quittant la piste sans effort. Maintenant, Michael Stone volait, exactement comme dans ses rêves d'enfant. Seulement, il savait cette fois que ce n'était pas un rêve, mais la réalité. Tout bougeait au ralenti. L'air autour de lui était le plus pur et le plus frais qui fût. Michael s'élançait tel un aigle majestueux.

Ce fut soit le rugissement de la foule dans les estrades, soit le bruit de la chute de son corps sur le matelas qui ramena Michael sur terre. Couché sur le dos, le soleil lui chauffant délicieusement le visage, la seule chose qu'il put s'imaginer était le sourire de sa mère. Bien sûr, il savait que son père souriait probablement lui aussi, et même riait. Quand Bert était très content, il avait l'habitude de sourire, puis de lâcher quelques gloussements. Ce que Michael ne savait pas, c'est qu'en ce moment même son père pleurait dans les bras de sa mère. Exactement. Bert « Si-tu-veux-une-chose-mérite-la » Stone pleurait comme un enfant dans les bras de sa femme. Mildred ne l'avait jamais vu pleurer ainsi, mais elle savait qu'il pleurait les plus belles larmes du monde : celles de la fierté. Michael fut presque immédiatement accueilli par des gens qui lui donnaient l'accolade et le félicitaient de la plus grande réalisation de sa vie. Plus tard dans la même journée, il franchit la barre à 5,35 mètres, un nouveau record des Olympiques juniors nationaux et internationaux.

Certes, l'attention des médias, les nombreuses offres de commandite et les tonnes de félicitations méritées que Michael reçut transformèrent sa vie. Mais cette gloire ne provenait pas seulement du fait qu'il avait gagné les Olympiques juniors nationaux et établi un nouveau record, ni même du fait qu'il venait d'améliorer de vingt-cinq centimètres sa meilleure performance. Elle découlait du fait que Michael Stone est aveugle.

David NASTER

Matière à réflexion

La fabuleuse richesse de l'expérience humaine y perdrait en joie méritée s'il n'y avait aucun obstacle à franchir. Les moments passés au sommet seraient deux fois moins euphorisants s'il n'y avait pas de vallées obscures à traverser avant d'y arriver.

Helen KELLER

Pensez un peu à ce qui suit :

- L'instructeur de ski Pete Seibert passa pour un fou lorsqu'il dévoila son rêve de construire une station de ski sur le sommet d'une montagne dans le Colorado. Seibert voulut réaliser ce rêve qu'il caressait depuis l'âge de douze ans et réussit à convaincre les autres que c'était possible. Son rêve est devenu réalité et s'appelle Vail.
- Le jeune Dr Ignatius Piazza, fraîchement diplômé d'une école de chiropractie, voulait ouvrir un bureau dans la belle région de Monterey Bay en Californie. Les gens de la place tentèrent de l'en dissuader en disant que les bureaux de ce genre étaient déjà très nombreux dans la région et que la clientèle était insuffisante. Pendant les quatre mois qui suivirent, Piazza passa dix heures par jour à faire du porte à porte et à se présenter comme nouveau chiropraticien. Il frappa à douze mille cinq cents portes, parla à six mille cinq cents personnes et les invita à la journée portes ouvertes qu'il allait bientôt tenir. Grâce à sa persévérance et à sa détermination, il reçut deux cent trente-trois

nouveaux patients et gagna soixante-douze mille dollars lors de son premier mois de pratique !

- Au cours de sa première année en affaires, Coca-cola vendit seulement quatre cents bouteilles de Coke.

- Quand il était jeune, l'étoile de basket-ball Michael Jordan fut retranché de l'équipe de basket-ball de son école.

- À l'âge de dix-sept ans, Wayne Gretzky était un athlète remarquable qui voulait faire carrière dans le soccer ou le hockey. Il préférait le hockey, mais lorsqu'il essaya d'entrer chez les professionnels, on lui dit : « Tu es trop petit. À soixante-quinze kilos, tu pèses presque vingt-trois kilos de moins que la moyenne des joueurs. Tu seras incapable de te frayer un chemin sur la patinoire. »

- Sheila Holzworth perdit la vue lorsqu'elle avait dix ans : le dispositif cranio-cervical de traction qu'elle portait, rattaché à un appareil orthodontique intra-buccal, se cassa et lui creva les yeux. Malgré sa cécité, elle devint une athlète de calibre international qui a, entre autres, gravi le sommet glacé du mont Rainier en 1981.

- Rafer Johnson, le champion de décathlon, avait un pied bot à la naissance.

- Le premier livre pour enfants du Dr Seuss, *And to Think that I Saw It on Mulberry Street*, fut refusé par vingt-sept éditeurs avant d'être publié. Le vingt-huitième éditeur, Vanguard Press, l'accepta et en vendit six millions d'exemplaires.

- Richard Bach fit une seule année d'études universitaires avant de suivre une formation de pilote d'avion à réaction dans l'armée. Vingt mois après

4

La mort et les mourants

Ne viens pas pleurer sur ma tombe.
Je n'y repose pas.
Je suis toujours vivant.
Je suis le vent qui se lève.
Je suis la neige qui scintille.
Je suis le soleil qui mûrit le grain.
Je suis la pluie d'automne.
Lorsque tu t'éveilles dans le silence du matin,
Je suis le tourbillon vif et réjouissant
des oiseaux qui virevoltent dans le ciel.
Je suis les étoiles qui brillent dans la nuit.
Ne viens pas pleurer sur ma tombe.
Je n'y repose pas.
Je suis toujours vivant.

Auteur inconnu

avoir reçu son brevet de pilote, il démissionna. Il devint ensuite directeur d'un magazine d'aviation qui fit faillite. La vie semblait ne lui réserver que des échecs. Même pendant qu'il écrivait *Jonathan le Goéland*, il croyait sa vie fichue. Le manuscrit de ce livre resta d'ailleurs dans un tiroir durant huit ans avant que Bach ne se décide à le terminer… pour finalement essuyer un refus auprès de dix-huit éditeurs. Toutefois, une fois publié, il vendit sept millions d'exemplaires dans plusieurs langues et devint un écrivain respecté et connu partout dans le monde.

- William Kennedy écrivit plusieurs manuscrits qui furent tous refusés par de nombreux éditeurs. Il connut finalement un succès immédiat avec son roman *Iron-weed*, rejeté par treize éditeurs avant d'être publié.

- Lorsque nous avons écrit *Bouillon de poulet pour l'âme*, trente-trois éditeurs l'ont refusé avant que Health Communications accepte de le publier. Toutes les grandes maisons d'édition de New York trouvaient notre livre trop « fleur bleue » et disaient que « personne ne voudrait lire un recueil de courtes histoires ». Depuis ce temps, on a vendu, partout dans le monde et dans vingt-huit langues, plusieurs millions d'exemplaires de cet ouvrage.

- En 1935, le critique du *New York Herald Tribune* déclara que *Porgy and Bess*, le classique de George Gershwin, était une œuvre d'une « absurdité consommée ».

- En 1902, un jeune homme de vingt-huit ans envoya au magazine *Atlantic Monthly* des poèmes qu'il avait écrits. Le directeur littéraire du magazine les lui retourna avec cette note : « Votre poésie vigoureuse n'a pas sa place dans notre magazine. » Le jeune poète en question s'appelait Robert Frost.

- En 1889, Rudyard Kipling reçut la lettre de refus suivante du journal *San Francisco Examiner* : « Nous sommes désolés, M. Kipling, mais vous ne savez tout simplement pas manier la langue. »

- Alex Haley, lorsqu'il était écrivain en herbe, reçut une lettre de refus par semaine pendant quatre ans. Plus tard dans sa carrière, Haley faillit abandonner son projet *Racines* et laisser tomber l'écriture. Après neuf ans de travail sur ce projet, il se sentit si incompétent qu'il voulut se jeter d'un cargo au beau milieu de l'océan Pacifique. Lorsqu'il fut sur le pont du navire, prêt à se jeter en bas, il entendit la voix de ses ancêtres qui disait : « Va accomplir ce que tu dois accomplir, car ils sont tous là à t'observer. N'abandonne pas. Tu peux y arriver. Nous comptons sur toi ! » Dans les semaines qui suivirent, il écrivit la version finale de *Racines*.

- John Bunyan écrivit *Le Voyage du pèlerin* alors qu'il croupissait en prison à cause de ses idées religieuses. Sir Walter Raleigh écrivit son *Histoire du monde* au cours d'une captivité qui dura treize années. Martin Luther traduisit la Bible pendant qu'il était détenu au château de la Wartburg.

Un des secrets de la réussite est de ne pas se laisser abattre par les revers de fortune.

Mary KAY

- Lorsque Thomas Carlyle prêta le manuscrit de son *Histoire de la révolution française* à un ami et que le serviteur de cet ami l'utilisa pour allumer un feu, Carlyle se remit tranquillement au travail et récrivit son œuvre.

- En 1962, quatre jeunes femmes désiraient faire carrière dans le domaine de la chanson. Elles se mirent à chanter à leur église et à donner des concerts modestes. Puis elles enregistrèrent un disque qui fut un échec total. Plus tard, elles enregistrèrent un autre disque. Les ventes furent un pur fiasco. Elles continuèrent ainsi et firent neuf disques qui échouèrent l'un après l'autre. Au début de 1964, le *Dick Clark Show* les embaucha. Clark leur donna à peine de quoi payer leurs dépenses et aucun contrat ne résulta de leur performance sur le réseau national. Quelques mois plus tard, au cours de l'été, elles enregistrèrent *Where Did Our Love Go ?* Cette chanson se hissa aux premiers rangs du palmarès. Diana Ross et les Supremes devenaient enfin des vedettes.

- Winston Churchill fut refusé par les prestigieuses universités Oxford et Cambridge parce qu'il « ne connaissait pas bien les classiques ».

- James Whistler, un des plus grands peintres américains, fut expulsé du collège West Point parce qu'il avait saboté son cours de chimie.

- En 1905, l'université de Bern refusa une thèse de doctorat jugée non pertinente et fantaisiste. L'auteur de cette thèse était un jeune étudiant de physique du nom d'Albert Einstein, qui fut déçu, mais non vaincu.

Jack CANFIELD et Mark Victor HANSEN

Savoir saisir sa chance

Si la chance ne frappe pas à votre porte, trouvez une autre porte.

Source inconnue

Chaque fibre de mon petit corps d'enfant de sept ans tremblait de peur lorsque nous nous présentâmes aux douanes pour expliquer le but de notre voyage. Agrippé à la robe de ma mère qui était enceinte, je l'entendis dire : « Nous allons passer nos vacances à Miami ». Ses mots me parvinrent très clairement, mais je savais que jamais plus je ne reverrais ma maison.

Les communistes prenaient rapidement le contrôle du système de libre entreprise de Cuba, et mon père, un homme d'affaires prospère, avait conclu qu'il était temps de fuir et d'emmener sa famille vers une terre où les mots liberté, promesse et possibilité avaient encore un sens. Lorsque j'y repense, cette décision est une des plus courageuses dont j'aie été témoin.

Comme le régime castriste surveillait très étroitement mon père, ma mère dut d'abord partir seule avec mon frère et moi. Mon père nous rejoignit quelques semaines après. L'aéroport international de Miami m'impressionna. Les gens parlaient une langue étrangère qui m'était incompréhensible. Nous n'avions ni argent ni famille. Les vêtements que nous portions étaient nos seuls biens.

Quelques mois plus tard, nous prenions l'avion en direction de Joliet, dans l'Illinois. C'est une organisation religieuse qui avait défrayé les coûts du voyage.

Nous atterrîmes à l'aéroport international O'Hare de Chicago. Une fois à l'extérieur de l'aéroport, nous fûmes accueillis par une bouffée d'air glacé du célèbre hiver de 1961, dont on parle encore aujourd'hui d'ailleurs. Il était tombé plus d'un mètre de neige. Entre deux bourrasques, nous aperçûmes, à côté d'une grosse camionnette, un jeune prêtre venu nous accueillir pour nous conduire à notre nouvelle maison. Pour un jeune Cubain qui n'avait jamais vu de neige, la scène était saisissante.

Mon père était un homme instruit qui possédait une chaîne de stations-service ainsi qu'une concession automobile à Cuba. Même s'il ne parlait pas un mot d'anglais, il trouva rapidement du travail comme mécanicien ; de plus, grâce à la St. Patrick Church, nous réussîmes à trouver un appartement modeste, mais confortable, dans un quartier convenable. Nous étions pauvres en biens, mais riches en même temps : nous nous aimions les uns les autres et mon père brûlait d'un ardent désir de réussir.

C'est à cette époque que mon père, au moyen d'un exemplaire élimé du livre de Dale Carnegie, *How to Win Friends and Influence People*, m'enseigna une des plus grandes leçons de vie. Il me répéta inlassablement : « Ton nom, ton origine et la couleur de ta peau n'ont aucune importance. Tu peux devenir tout ce que ton esprit peut imaginer. » Ces mots me réconfortèrent et furent pour moi une source d'inspiration à cette époque où mon frère et moi plongions dans le grand melting-pot de Chicago.

Comme nous ne parlions pas l'anglais, mon frère et moi éprouvions des difficultés à l'école. Souvent, aussi, les autres enfants nous affublaient de noms peu flatteurs, nous rejetaient quand venait le moment de former une équipe ou nous volaient nos bicyclettes d'occasion.

Mais les mots de mon père continuaient de résonner dans mon esprit. Nous rencontrâmes également des gens absolument merveilleux qui nous aidèrent à traverser cette période d'adaptation à un nouvel environnement. J'entretiens encore aujourd'hui des liens d'amitié avec plusieurs d'entre eux.

Quand j'avais quatorze ans, mon père m'enseignait déjà les grands principes de la libre entreprise. Il me donnait dix-huit dollars pour chaque groupe de soupapes et de culasses que je nettoyais et polissais (ce que nous appelions « job de soupapes »). Plus tard, il m'enseigna comment embaucher des gens pour faire ce travail à ma place ; je pus alors partir à la recherche de nouveaux clients, recouvrer l'argent qui nous était dû, bref, apprendre à diriger un commerce. J'ignorais alors qu'il m'enseignait à devenir un homme d'affaires. L'Amérique est réellement une terre remplie de promesses.

J'eus également la chance de naître dans une famille douée pour la musique. Je me souviens avoir entendu tout au long de mon enfance ma mère nous chanter de magnifiques chansons espagnoles. Cette influence m'incita à faire partie de la chorale de l'église comme soprano et amena mon frère Ed à fonder son propre groupe de rock contemporain. J'assistais à toutes les répétitions de son groupe et, la nuit, ma mère se joignait à nous pour chanter en harmonie. Plus tard, après avoir reçu une bourse d'études et travaillé comme manœuvre dans une carrière de pierre, j'étudiai l'opéra et la musique à l'université Southern Illinois. Après deux ans de cours, je retournai travailler à la carrière de pierre. Je pus ainsi économiser l'argent qu'il me fallait pour aller en Californie.

En déménageant en Californie, j'espérais amorcer une carrière dans la musique et enregistrer mes propres disques. La réalité me rattrapa rapidement. Pour subvenir à mes besoins, je dus vendre des cartes de membre pour un centre de culture physique. J'étais découragé, sans le sou, ne sachant que faire de ma vie. C'est à ce moment que je rencontrai Tom Murphy, un des propriétaires du centre.

Mon père m'avait toujours dit que pour devenir riche, il fallait imiter les gens riches ; je demandai donc à M. Murphy de venir prendre un café avec moi afin qu'il m'explique le secret de sa réussite. Il s'avéra que M. Murphy était un des associés de Tom Hopkins, un champion de la vente aux États-Unis. Évidemment, M. Murphy me recommanda de m'inscrire à des séminaires sur la vente, de lire des ouvrages sur la croissance personnelle et d'écouter des audiocassettes sur l'art de la vente. Il me présenta également des gens d'affaires prospères et me parla des livres que ces gens avaient écrits. Mon désir de réussir était si intense que je devins très bientôt le meilleur représentant de commerce de l'entreprise. Mais je désirais davantage. En économisant le plus possible, j'investis dans mon propre centre de culture physique. Je finis par posséder neuf centres de culture physique et de médecine sportive parmi les plus prospères aux États-Unis. Toutefois, mon objectif d'enregistrer mon propre disque n'était pas encore atteint.

L'enregistrement de mon premier montage sonore fut une expérience à la fois excitante et décourageante. Toutes les maisons de disques auxquelles je le proposai me donnèrent invariablement la même réponse : non. Refusant de jeter l'éponge, j'enregistrai un autre montage sonore, cette fois en espagnol, puis je retournai voir les maisons de disques. Même résultat. Sur le point d'abandonner, je téléphonai à mon père pour discuter de ce qui m'arrivait. Il me dit : « Omar, tu t'en tires très bien sur le plan financier, n'est-ce pas ? » Je répondis oui.

« Pourquoi alors ne pas acheter une maison de disques et produire tes propres disques ? »

Voulant mettre un baume sur mon ego blessé, je retournai à la maison de disques que j'envisageais d'acquérir et je demandai une fois de plus aux membres de la direction d'enregistrer mon disque. Ils répondirent : « Omar, nous ne pouvons pas. Pourquoi ne pas tenter ta chance à Broadway ? Tu ferais un malheur là-bas. » Vous auriez dû voir leur expression lorsque j'annonçai que j'allais être leur nouveau patron.

C'est ainsi que je pus financer, enregistrer et produire mon premier disque en espagnol. Depuis, j'ai été nommé « Meilleur interprète de langue espagnole » et « Artiste de l'année » en 1986, 1987 et 1988 pour « CHIN de PLATA » et « OTTO ».

Aujourd'hui, je remporte beaucoup de succès en travaillant comme conférencier et formateur pour l'entreprise Tom Hopkins International. C'est une sensation formidable de pouvoir aider les autres à apprendre comment saisir les occasions pour atteindre leurs objectifs de carrière. Je sais maintenant que mon père avait raison : on peut devenir tout ce qu'on imagine.

Omar PERIU

La dernière croisade

Dieu aide ceux qui s'aident.

Benjamin FRANKLIN

Voici l'histoire d'une femme ordinaire qui, en demandant une chose extraordinairement simple aux autorités municipales, contribua à transformer un quartier mal famé et à changer les rapports entre la ville de Roanoke, en Virginie, et ses citoyens. Peut-être même que cette femme aura également contribué à changer les rapports de l'Amérique avec son gouvernement.

Florine Thornhill, soixante-treize ans, se rendit donc un jour à l'hôtel de ville et demanda à un employé méfiant si elle pouvait emprunter une tondeuse à gazon pour nettoyer un terrain abandonné. En faisant cela, elle avait l'intention d'apporter sa modeste contribution dans le but d'améliorer son environnement.

Pendant des années, elle s'était promenée dans son quartier en essayant de ne pas voir la dégradation : les maisons en ruine, le trafic de drogues, les épaves humaines. Un dimanche de 1979 où elle se rendait à l'église pour chanter dans la chorale, elle passa à côté d'une femme inconsciente qui gisait dans les broussailles d'un terrain vague. Se disant qu'il s'agissait sûrement d'une toxicomane, elle poursuivit son chemin. Cependant, l'image de cette pauvre femme ne la quittait plus.

Elle se demanda alors ce que Jésus lui demanderait de faire, puis elle retourna à la maison pour demander à son fils de l'aider à emmener la femme dans un endroit sûr. Madame Thornhill ne sut jamais le nom de cette personne ni la raison de son état, mais cet incident la sensibilisa à la tristesse et à la pauvreté qu'elle avait essayé pendant si longtemps d'ignorer.

C'est ainsi que cette mère de neuf enfants (dont un atteint de troubles mentaux) décida de faire quelque chose. Elle emprunta une tondeuse et nettoya un terrain abandonné.

Ses voisins, d'abord piqués de curiosité, finirent par se joindre à elle. Peu après, quinze résidents, jeunes et vieux, se mirent eux aussi à ramasser des détritus et à tondre la pelouse d'autres terrains vagues durant les fins de semaine.

À l'hôtel de ville, on remarqua que le quartier Gilmer autrefois décrépit commençait à avoir fière allure. En 1980, les autorités municipales de Roanoke demandèrent à madame Thornhill et à ses voisins de prendre part à un projet pilote mené conjointement avec trois autres quartiers de la ville. Florine Thornhill et ses concitoyens allaient donc avoir l'occasion de donner des objectifs à leur ville et de montrer aux dirigeants qu'on peut transformer des zones urbaines défavorisées.

Grâce à madame Thornhill et à d'autres citoyens ordinaires comme elle, l'expérience fut un grand succès. Aujour-d'hui, vingt-cinq quartiers participent au projet en vue d'améliorer Roanoke, sans compter les autres villes de la Virginie qui suivent leur exemple. En fait, le modèle de Roanoke est étudié partout en Amérique, là où les dirigeants gouvernementaux essaient d'inciter les citoyens à apporter leur contribution. Madame Thornhill et son groupe, qui font partie de la Northwest Neighborhood Environmental Organization, ont remporté en 1994 le prix *Volunteer Action*, remis par le président Clinton pour récompenser les initiatives bénévoles qui améliorent des collectivités.

Florine Thornhill affirme cependant que sa véritable réussite ne se mesure pas à la reconnaissance de la Maison-Blanche. Ce qui la rend fière, ce sont les enfants qui jouent dans des parcs adéquatement équipés qui, autrefois, servaient de marchés à ciel ouvert aux trafiquants de drogues. Ce sont aussi les maisons que son groupe et elle ont pu acheter et reconstruire grâce aux subventions qu'ils ont demandées et obtenues avec l'aide des autorités municipales.

Ce sont les gens d'affaires qu'ils ont réussi à faire revenir dans le quartier Gilmer grâce à des taux d'intérêt intéressants, de même que l'employé à temps partiel qu'ils ont pu embaucher pour aider à organiser les activités du quartier et à obtenir plus de subventions. « C'est tout simplement merveilleux de voir les enfants rentrer à la maison », dit Florine. « Je sais qu'ils se soucient de leur quartier maintenant et qu'ils en prendront soin longtemps, même lorsque je ne serai plus là. »

Toni WHITT

Fonce !

On passe à côté de beaucoup de choses, faute d'avoir demandé.

Proverbe anglais

Lorsque ma fille Janna était à l'école secondaire, elle fut acceptée pour participer à un programme d'échange d'étudiants en Allemagne. J'étais ravie qu'elle prenne part à une telle expérience, mais l'organisation qui s'occupait du programme m'informa qu'il fallait débourser des frais de quatre mille dollars, payables le 5 juin, c'est-à-dire deux mois plus tard.

À cette époque, j'étais divorcée et mère de trois adolescents. L'idée de trouver quatre mille dollars me mettait complètement à l'envers. Financièrement parlant, j'arrivais déjà à peine à joindre les deux bouts. Je n'avais pas d'économies, ma situation ne me permettait pas de contracter un emprunt et aucun membre de ma parenté ne pouvait me prêter l'argent. Je me sentais donc aussi impuissante que si j'avais eu à amasser quatre millions de dollars !

Heureusement, j'avais récemment assisté à un des séminaires de Jack Canfield, à Los Angeles, au sujet de l'estime de soi. De cette conférence, j'avais retenu trois choses : demandez ce que vous désirez, utilisez des affirmations et passez à l'action.

Je décidai donc de mettre en pratique ces trois conseils. Tout d'abord, j'écrivis une affirmation qui disait : « Je recevrai avec joie quatre mille dollars avant le 1er juin pour le voyage de Janna en Allemagne. » J'affichai l'affirmation sur le miroir de la salle de bains et j'en mis une copie dans mon sac à main de façon à la lire chaque jour. Ensuite, je fis un vrai chèque de quatre mille dollars et le plaçai sur le tableau de bord de mon automobile. Comme je passais beaucoup de temps dans ma voiture chaque jour, ce chèque me rappelait sans cesse mon souhait. Je pris aussi une photographie d'un billet de cent dollars, l'agrandis et le collai au plafond de la chambre de Janna, juste au-dessus de son lit ; c'était donc la première chose qu'elle voyait en se réveillant, et la dernière avant de s'endormir.

Janna, une adolescente de quinze ans comme les autres, n'appréciait guère ces idées pour le moins « bizarres ». Je lui expliquai ce qu'il en était et lui suggérai de rédiger sa propre affirmation.

Maintenant que j'avais affirmé ce que je voulais, il me restait à agir, c'est-à-dire à demander. J'avais toujours été une femme très autonome et indépendante qui n'avait besoin de l'aide de personne. Je me sentais très mal à l'aise à l'idée de demander de l'argent à ma famille et à mes amis, et encore plus à des inconnus. Mais je décidai de foncer. Après tout, je n'avais rien à perdre.

Je fabriquai un prospectus sur lequel figuraient la photo de Janna et un court texte de son cru décrivant pourquoi elle voulait aller en Allemagne. La partie inférieure du prospectus comportait un coupon que les gens pouvaient détacher et me retourner, accompagné d'un chèque, avant le 1er juin. Le prospectus demandait une contribution de cinq dollars, vingt dollars, cinquante dollars ou cent dollars, et il y avait une case libre pour ceux qui désireraient donner un montant différent. Je postai donc ce prospectus à tous mes amis, à tous les membres de ma parenté et à tous ceux que je connaissais ne serait-ce qu'un peu. Je distribuai également des prospectus dans l'entreprise où je travaillais et j'en envoyai au journal local et à la station de télévision de ma région. Je trouvai les adresses d'une trentaine d'organisations de services de la région et leur postai aussi des prospectus. J'écrivis même aux lignes aériennes pour leur demander un billet d'avion gratuit pour l'Allemagne.

Le journal local ne publia aucun article là-dessus, la station de télévision ne diffusa pas de reportage et les lignes aériennes refusèrent ma demande, mais je continuai de demander et de mettre des prospectus à la poste. Janna commença à rêver que des inconnus lui donnaient de l'argent. Dans les semaines qui suivirent, l'argent se mit à arriver. Le premier don s'élevait à cinq dollars. Des amis et des membres de la parenté nous envoyèrent un chèque commun qui représentait la contribution la plus élevée que nous reçûmes : huit cents dollars. La plupart des dons étaient de vingt dollars ou de cinquante dollars et provenaient en partie de gens de ma connaissance, en partie d'étrangers.

Mon idée enthousiasmait de plus en plus Janna, qui commença à croire que son rêve pouvait se réaliser. Un jour, elle me demanda : « Penses-tu que ce moyen fonctionnerait pour mon permis de conduire ? » Je lui assurai qu'une affirmation pourrait marcher. Elle essaya et obtint son permis. Le 1er juin, nous avions amassé un total de trois mille sept cent cinquante dollars. Nous étions aux anges ! Cependant, malgré notre succès, il manquait encore deux cent cinquante dollars. J'avais jusqu'au 5 juin pour trouver ce montant. Le 3 juin, le téléphone sonna. C'était une employée d'une organisation de services de la région : « Je sais que la date limite est passée ; est-ce trop tard pour faire un don ?

— Non, répondis-je.

— Bon, nous aimerions vraiment aider Janna, mais nous pouvons donner seulement deux cent cinquante dollars. »

Au total, deux organisations et vingt-trois personnes offrirent des dons et aidèrent ma fille à réaliser son rêve. Janna eut donc la chance de participer à un programme d'échange d'étudiants à Viersen, en Allemagne, du mois de septembre au mois de mai. Tout au long de son année à l'étranger, elle écrivit à tous ces gens pour leur raconter ses expériences. Lorsqu'elle revint d'Allemagne, elle fut invitée à donner une allocution dans deux organisations. L'expérience merveilleuse qu'elle vécut l'aida à élargir ses horizons, à mieux apprécier le monde et les gens qui l'habitent, et à voir au-delà de la petite vie tranquille qu'elle avait eue auparavant.

Depuis ce temps, elle a voyagé partout en Europe, a travaillé un été en Espagne et un autre en Allemagne. Elle a reçu son diplôme universitaire avec mention d'honneur et a travaillé deux ans dans le Vermont au sein de l'organisme VISTA dans le cadre d'un projet sur le sida. Elle fait actuellement sa maîtrise en administration de la santé publique.

L'année suivant son premier voyage en Allemagne, j'ai rencontré l'homme de ma vie, de nouveau grâce à des affirmations. Peu après notre rencontre lors d'une conférence sur l'estime de soi, nous nous sommes mariés et avons participé à un séminaire sur le couple. À ce séminaire, nous avons rédigé des affirmations ensemble, dont une qui exprimait notre désir de voyager. Au cours des sept dernières années, nous avons vécu dans plusieurs États, dont l'Alaska, et passé trois ans en Arabie Saoudite. Nous vivons présentement en Orient.

Comme Janna, j'ai découvert de nouveaux horizons et enrichi merveilleusement ma vie parce que j'ai appris à demander, à affirmer et à agir, bref, à foncer pour réaliser mes rêves.

Claudette HUNTER

Marquée pour la vie

J'ai appris à utiliser le mot impossible avec parcimonie.

Wernher von BRAUN

Il y a environ deux ans, je vécus une expérience qui transforma si radicalement mon système de croyances que ma vision du monde ne fut plus jamais la même. À l'époque, j'étais inscrit à un programme de LifeSpring, une organisation qui s'occupait de croissance personnelle. Nous étions une cinquantaine à participer au programme de formation « Leadership », d'une durée de trois mois. Mon moment de vérité débuta à une de nos rencontres hebdomadaires, lorsque les responsables du programme nous mirent au défi de faire l'impossible : en effet, ils nous demandèrent de servir le déjeuner à mille itinérants du centre-ville de Los Angeles, de trouver des vêtements à distribuer gratuitement et, surtout, d'accomplir tout cela sans sortir un seul sou de nos poches.

Étant donné qu'aucun de nous n'avait travaillé dans la restauration ou réalisé une mission qui ressemblait de près ou de loin à celle qui nous était confiée, ma première réaction fut : « Seigneur ! Nous ne sommes pas sortis du bois ! » Or, les responsables du programme n'avaient pas terminé : « Dernière chose, nous voulons que tout soit prêt pour samedi matin. » Comme nous étions déjà jeudi soir, mon pronostic s'assombrit immédiatement : I-M-P-O-S-S-I-B-L-E, songeai-je, et je crois que je n'étais pas le seul à penser ainsi.

En regardant autour de moi, je vis une cinquantaine de visages blêmir. La vérité, c'est que personne n'avait la moindre idée de ce qu'il fallait faire pour ne serait-ce qu'amorcer pareille tâche. Toutefois, une chose extraordinaire se produisit : comme aucun de nous n'osait admettre son incapacité de relever le défi, tous déclarèrent en chœur : « OK. Bien sûr. On va le faire. Pas de problème. »

Puis, un participant dit : « Bon, nous devons nous diviser en équipes. L'une des équipes se chargera de trouver la nourriture, tandis que l'autre s'occupera de dénicher l'équipement pour la cuisson. » Un autre ajouta : « Je possède un camion ; on pourra s'en servir pour transporter l'équipement. »

Tous les participants répondirent : « Excellent ! »

Ensuite, quelqu'un d'autre apporta son idée : « Nous devons former une équipe qui planifiera le divertissement et la distribution des vêtements que nous aurons recueillis. » Avant même de m'en apercevoir, j'étais devenu responsable de l'équipe des communications.

À deux heures du matin, après avoir dressé une liste de toutes les tâches à faire, nous nous quittâmes pour aller prendre un peu de repos. Je me rappelle qu'en posant ma tête sur l'oreiller, je pensai : « Mon Dieu, je ne sais pas du tout comment nous allons nous y prendre, je n'en ai pas la moindre idée. Mais nous allons faire de notre mieux ! »

À six heures du matin, le vendredi donc, la sonnerie de mon réveille-matin se déclencha. Quelques minutes plus tard, deux de mes coéquipiers se pointèrent. Avec les autres membres de notre équipe, nous disposions de vingt-quatre heures pour trouver le moyen de nourrir mille personnes.

Nous prîmes l'annuaire téléphonique et commençâmes à téléphoner à tous ceux dont le nom figurait sur notre liste et qui pourraient peut-être nous aider. J'appelai d'abord le siège social d'une chaîne de supermarchés. J'expliquai le but de notre appel. On me répondit qu'il fallait soumettre une demande écrite pour obtenir de la nourriture et, ensuite, attendre deux semaines pour recevoir une réponse. J'expliquai patiemment que nous ne pouvions pas attendre deux semaines, que nous en avions besoin le jour même, de préférence avant la nuit. La directrice régionale m'assura qu'elle me rappellerait dans une heure.

J'appelai ensuite la pâtisserie Western Bagel et plaidai ma cause. À mon grand étonnement, le propriétaire répondit : « D'accord. » Puis, tandis que j'avais au bout du fil l'entreprise Zacky Farms, tentant de les convaincre de nous donner quelques poulets et des œufs, j'eus un « appel en attente ». C'était un des membres de l'équipe qui m'annonçait qu'il avait fait un saut chez Hansen Juices, qui était disposé à donner une pleine cargaison de jus de carottes, de melons et d'autres variétés de jus fraîchement pressés. Cette bonne nouvelle fut accueillie par des tapes dans les mains.

Quant à la directrice régionale de la chaîne de supermarchés, elle rappela et me dit qu'elle avait obtenu toutes sortes de denrées pour nous, dont six cents miches de pain. Dix minutes plus tard, un membre de l'équipe téléphona pour annoncer qu'il avait obtenu un don de cinq cents burritos. En fait, à tout bout de champ, un membre de l'équipe appelait pour annoncer quelque contribution. « Wow ! On dirait qu'on va finir par y arriver ! »

Finalement, à minuit, après avoir travaillé sans relâche pendant dix-huit heures, je me rendis au restaurant Winchell's Donuts pour prendre livraison des huit cents beignes qu'on nous donnait. Je les rangeai soigneusement dans un coin du coffre de ma voiture, laissant de l'espace pour les douze cents bagels que je devais aller chercher cinq heures plus tard.

Après quelques heures de repos bien mérité, je sautai dans ma voiture, fonçai chez Western Bagel et chargeai les bagels dans ma voiture, qui dégageait maintenant la douce odeur des pâtisseries. Je me dirigeai ensuite vers le centre-ville de Los Angeles. Nous étions samedi et j'étais gonflé à bloc. Lorsque je garai ma voiture dans le stationnement, à 5 h 15 du matin, j'aperçus les autres membres de l'équipe qui installaient d'énormes barbecues industriels, gonflaient des ballons à l'hélium et mettaient en place les toilettes portatives. (Nous avions pensé à tout.)

Je sortis tout de suite de la voiture pour décharger les sacs de bagels et les boîtes de beignes. À sept heures, une file commença à se former à l'entrée du stationnement. Lorsque la rumeur se répandit et que les gens défavorisés du quartier apprirent que nous servions gratuitement des déjeuners chauds, la file s'allongea jusqu'à la rue, puis s'étendit sur tout un pâté de maisons.

À 7 h 45, des hommes, des femmes et même de jeunes enfants arrivaient et repartaient avec des assiettes débordantes de poulet rôti, d'œufs brouillés, de burritos, de bagels, de beignes et de toutes sortes de bonnes choses. Derrière eux se trouvaient les piles de vêtements soigneusement pliés qui allaient s'envoler d'ici la fin de la journée. Tandis que les haut-parleurs placés dans le kiosque de l'animateur crachaient le refrain émouvant de la chanson *We Are the World*, je regardai cette mer de visages épanouis de toutes les couleurs et de tous les âges qui dévoraient gaiement leurs déjeuners. Lorsqu'il ne resta plus de nourriture, à onze heures du matin, nous avions réussi à nourrir mille cent quarante sans-abri.

Par la suite, mes coéquipiers se mirent à danser avec les itinérants au son de la musique. C'était une joyeuse célébration, toute spontanée. Pendant la danse, deux clochards vinrent me voir pour me dire que ce déjeuner était la chose la plus gentille qu'on n'eût jamais faite pour eux et que c'était la première fois qu'un repas de ce genre ne donnait lieu à aucune bagarre. Lorsqu'ils me serrèrent la main, ma gorge également se serra. Nous avions réussi. Nous avions nourri plus de mille itinérants avec moins de quarante-huit heures d'avis. Ce fut une expérience personnelle qui me marqua profondément.

Dorénavant, lorsque des gens me disent qu'ils aimeraient bien faire quelque chose, mais que cela leur semble impossible, je me dis en moi-même : « Je vois ce que vous voulez dire. Je pensais comme vous il n'y a pas si longtemps… »

Michael JEFFREYS

L'impossible prend juste un peu plus de temps

Je ne connais personne d'assez savant pour dire avec certitude ce qui est possible et ce qui ne l'est pas.

Henry FORD

À vingt ans, j'étais aussi heureux qu'on pût l'être. Physiquement très actif, je participais à des compétitions de ski nautique et de ski alpin, en plus de jouer au golf, au tennis, et au volley-ball. Je faisais même partie d'une équipe de bowling. Je faisais aussi du jogging presque tous les jours. Par ailleurs, comme je venais tout juste de démarrer une entreprise en construction de courts de tennis, mon avenir financier s'annonçait très prometteur. Pour couronner le tout, j'étais fiancé à la plus belle des femmes.

Puis survint la tragédie – c'est du moins ainsi que plusieurs qualifièrent cet événement. Je fus tiré du sommeil par des bruits de métal tordu et de verre cassé. Mais le fracas disparut aussi soudainement qu'il m'avait réveillé. J'ouvris les yeux, mais tout n'était que ténèbres autour de moi. En reprenant mes sens, je sentis la chaleur du sang qui dégoulinait sur mon visage. Puis la douleur. Une douleur atroce et insupportable. Ensuite, j'entendis des voix qui disaient mon nom et je sombrai dans l'inconscience.

Par un beau soir de Noël, j'avais laissé ma famille en Californie pour me rendre dans l'Utah en compagnie d'un ami. J'allais passer là-bas le reste des fêtes de fin d'année avec ma fiancée, Dallas. Nous étions censés en profiter pour terminer la préparation de notre mariage, prévu pour la fin janvier. Comme j'avais conduit pendant les huit premières heures du voyage, que j'étais fatigué et que mon compagnon s'était reposé, je lui cédai ma place. Je pris place du côté du passager, j'attachai ma ceinture et nous repartîmes. Après une heure et demie de conduite, mon ami s'endormit au volant. La voiture heurta violemment un pilier de béton, se souleva et fit plusieurs tonneaux sur le côté de la route.

Lorsque la voiture s'immobilisa, je n'y étais plus. J'avais été éjecté de l'auto et je gisais sur le sol, le cou cassé. J'étais paralysé à partir de la taille. Une ambulance me transporta jusqu'à un hôpital de Las Vegas, au Nevada, où un médecin m'annonça que j'étais maintenant tétraplégique.

Je perdis dans cet accident l'usage de mes jambes et de mes pieds. Je perdis l'usage de mes muscles abdominaux et de deux des trois principaux muscles thoraciques. Je perdis l'usage de mon triceps droit. Je perdis presque tout l'usage de mes épaules et de mes bras. Et je perdis complètement l'usage de mes mains.

Voilà comment débuta ma nouvelle vie.

Les médecins me dirent que j'allais devoir entretenir d'autres rêves et nourrir d'autres pensées. Ils m'annoncèrent également que mon nouvel état physique ne me permettrait plus jamais de travailler. J'étais particulièrement emballé par cette idée même si, précisèrent-ils, 7 % des tétraplégiques continuent de travailler... Ils me dirent aussi que je ne conduirais plus jamais de voiture et que pour le restant de mes jours, je dépendrais entièrement d'autrui pour manger, m'habiller et même me déplacer. Ils m'expliquèrent que je ne devrais pas espérer me marier car... qui voudrait de moi ? Enfin, ils affirmèrent que je ne pourrais plus jamais pratiquer une activité sportive ou athlétique, quelle qu'elle fût. Pour la première fois de ma jeune vie, j'avais véritablement peur. J'avais peur que leur pronostic fût exact.

Couché dans mon lit d'hôpital à Las Vegas, je me demandais où étaient passés tous mes espoirs et tous mes rêves. Je me demandais si j'allais pouvoir un jour me sentir entier de nouveau. Je me demandais si j'allais travailler, me marier, fonder une famille et jouir de tout ce que la vie m'avait jusque-là apporté.

Durant cette période particulièrement éprouvante où je fus, il va sans dire, envahi par les ténèbres ainsi que par le doute et la peur, ma mère vint à mon chevet et me chuchota : « Art, les choses difficiles prennent du temps... et les choses impossibles prennent juste un peu plus de temps. » Soudain, la noirceur qui m'habitait céda la place à la lumière de la foi et à l'espoir de jours meilleurs.

Ma mère a prononcé ces mots il y a onze ans. Aujourd'hui, je dirige ma propre entreprise. Je suis conférencier professionnel et auteur du livre *Some Miracles Take Time*. Je parcours plus de trois cent mille kilomètres par année pour transmettre mon message, « Les choses impossibles prennent juste un peu plus de temps », à de grandes entreprises, à des associations nationales, à des organisations de vente et à des groupes de jeunes. Mes auditoires dépassent parfois les dix mille personnes. En 1992, la Small Business Administration m'a nommé « jeune entrepreneur de l'année » dans ma région qui compte six États. En 1994, j'ai figuré dans le magazine *Success* parmi les gens qui avaient fait un retour remarqué cette année-là. Voilà les rêves qui se sont réalisés dans ma vie. Ces rêves se sont concrétisés non pas en dépit de ma situation... mais, peut-être, grâce à celle-ci.

Depuis ce jour, j'ai appris à conduire. Je vais où je veux et je fais ce que je veux. Je suis parfaitement autonome et capable de prendre soin de ma personne. Depuis ce jour, j'ai recouvré une certaine partie de ma sensibilité et de l'usage de mon triceps droit.

J'ai épousé cette belle et merveilleuse Dallas un an et demi après l'accident fatidique. En 1992, Dallas a été élue Miss Utah et a terminé au troisième rang du concours Miss USA ! Nous avons deux enfants qui nous comblent de bonheur : une fillette de trois ans nommée McKenzie Raeanne et un fils de un mois appelé Dalton Arthur.

Je suis également revenu au sport. J'ai appris à nager, à faire de la plongée sous-marine et à pratiquer le parachutisme ascensionnel. À ma connaissance, je suis le premier tétraplégique qui fait du parachutisme ascensionnel. J'ai également appris à skier, de même qu'à jouer au rugby plein-contact. Je me dis que rien ne peut plus m'abîmer ! Je participe aussi, en fauteuil roulant, à des courses de dix kilomètres et à des marathons. Le 10 juillet 1993, j'ai été le premier tétraplégique au monde à courir cinquante kilomètres en sept jours entre Salt Lake City et St-George, dans l'Utah (sûrement pas la plus brillante de mes initiatives, mais sans aucun doute la plus difficile).

Pourquoi ai-je fait tout cela ? Parce qu'il y a longtemps, j'ai choisi d'écouter la voix de ma mère et celle de mon cœur, plutôt que le chœur de pessimistes qui m'assommaient et dont faisait partie le personnel médical. J'ai décidé que je n'allais pas abandonner mes rêves à cause de mon état. J'ai trouvé une raison d'espérer. J'ai appris que les rêves ne meurent jamais à cause des circonstances. Les rêves naissent dans le cœur et l'esprit, et c'est seulement là qu'ils peuvent mourir. Car les choses difficiles prennent du temps, et les choses impossibles prennent juste un peu plus de temps.

Art E. BERG

Ma rencontre avec Daniel

Une vie de dévouement est une vie qui vaut la peine d'être vécue.

Annie DILLARD

Chaque homme a sa propre destinée ; il ne peut que la suivre et l'accepter, où qu'elle le mène.

Henry MILLER

Fie-toi au Seigneur de tout ton cœur et ne t'appuie pas sur ton intelligence. Dans toute ta conduite sache Le reconnaître et Lui dirigera tes démarches.

Proverbes 3: 5-6

C'était une journée inhabituellement froide pour le mois de mai. Même si le printemps était revenu et que la nature renaissait et reprenait ses couleurs, un front froid venant du Nord avait ramené l'hiver. Je me trouvais dans un restaurant charmant, assis avec deux amis près d'une grande fenêtre. Ce jour-là était tout particulièrement agréable. Pendant que nous discutions, je regardai par la fenêtre et vis quelque chose qui capta mon attention, de l'autre côté de la rue. Un homme, arrivant d'on ne sait où et portant sur son dos ce qui semblait être toutes ses possessions, se promenait le long du parc. Il tenait une pancarte usée qui disait : « Je cherche du travail pour manger. »

Ma gorge se serra. J'attirai l'attention de mes amis sur l'homme en question et je remarquai que d'autres gens autour de nous avaient aussi cessé de manger pour l'observer. Il y eut plusieurs hochements de tête exprimant à la fois la tristesse et l'incrédulité. Nous continuâmes notre repas, mais l'image de l'homme subsistait dans mon esprit.

Après le repas, nous nous quittâmes. Je sortis rapidement, car j'avais des commissions à faire. Je jetai un coup d'œil dans le parc, cherchant sans trop le vouloir l'étrange visiteur. J'avais peur, car je savais qu'en le revoyant, j'allais me sentir forcé de faire quelque chose.

Je me promenai un peu partout en ville sans le voir nulle part. Je fis quelques achats dans un magasin, puis je repris la route. Dans mon esprit, j'entendis alors la voix de Dieu qui me disait : « Ne retourne pas au bureau avant de faire au moins une fois encore le tour du parc. »

Non sans hésiter, je cherchai l'homme à la pancarte. Au moment où je contournais le troisième coin du parc, je l'aperçus. Assis sur les marches de pierre de l'église, il fouillait dans son sac. J'arrêtai la voiture et l'observai, déchiré entre le désir de lui parler et l'envie de repartir. Il y avait un espace libre pour me garer juste à côté, et cela me parut être un signe de Dieu. Je me garai donc, sortis et abordai le nouvel arrivant.

« Cherchez-vous le pasteur ?, lui demandai-je.

— Pas vraiment, dit-il. Je me repose un peu.

— Avez-vous mangé aujourd'hui ?

— Oh ! j'ai mangé un petit quelque chose tôt ce matin.

— Aimeriez-vous dîner en ma compagnie ?

— Avez-vous du travail pour moi ?

— Non, pas du tout, lui répondis-je. Je passais par ici avant de m'en retourner au bureau et j'aimerais vous inviter à dîner.

— Bien sûr ! », répondit-il en souriant. Pendant qu'il rassemblait ses affaires, je lui posai quelques questions superficielles.

« Où allez-vous ?

— St-Louis.

— Et d'où venez-vous ?

— Oh... de partout ; surtout de la Floride.

— Vous marchez depuis combien de temps ?

— Quatorze ans », rétorqua-t-il.

Je sus alors que je venais de faire la connaissance d'un homme très particulier.

Je retournai avec lui dans le restaurant où j'avais mangé quelques minutes plus tôt. Nous nous assîmes l'un en face de l'autre. L'homme avait de longs cheveux raides, une barbe brune bien taillée, la peau très basanée, des yeux à la fois sombres et clairs, un visage qui lui donnait un peu plus que ses trente-huit ans, ainsi qu'un discours étonnamment éloquent et articulé. Lorsqu'il enleva sa veste, je vis son tee-shirt rouge vif qui portait l'inscription suivante : « L'histoire de Jésus n'a pas de fin. »

Daniel me raconta alors son histoire. Il avait vécu de durs moments dans sa vie. Il avait pris de mauvaises décisions et en avait payé le prix. Il y a quatorze ans, au cours d'un voyage à travers le pays, il s'était arrêté sur une plage à Daytona. Il avait essayé de se faire embaucher par des hommes qui installaient une grande tente et de l'équipement. Ils préparent la place pour un concert, avait-il pensé. Ces hommes l'avaient embauché. Cependant, la tente ne servit pas à un spectacle, mais à des célébrations du renouveau religieux. Ces célébrations aidèrent Daniel à voir la vie plus clairement. Il décida alors de faire don de sa vie à Dieu.

« Rien n'a plus jamais été pareil. J'ai senti que Dieu me disait de continuer à marcher, et c'est ce que je fais depuis quatorze ans.

— Avez-vous jamais pensé à arrêter ?, lui demandai-je.

— Oh ! de temps en temps, quand je me sens vidé. Mais Dieu m'a chargé de cette mission. Je distribue des bibles. Mon sac est plein de bibles. Je travaille pour manger et pour acheter des bibles, puis je les distribue là où le Seigneur me conduit. »

J'étais bouche bée. Mon ami itinérant n'était pas sans itinéraire. Il poursuivait une mission et vivait ainsi par choix. Je lui posai alors une question qui me brûlait les lèvres depuis un moment :

« Comment c'est ?

— Quoi ?

— Comment c'est, se promener dans une ville avec toutes ses affaires sur le dos et cette pancarte à la main ?

— Oh ! au début, c'était humiliant. Les gens me fixaient et faisaient des remarques. Un jour, quelqu'un m'a lancé un morceau de pain à moitié mangé et a fait un geste qui n'avait rien d'invitant. Mais lorsque je me suis rendu compte que Dieu se servait de moi pour toucher les gens et changer leur façon de voir les types dans mon genre, mon mode de vie est devenu une leçon d'humilité. »

Ma façon de le voir était en train de changer, elle aussi.

Après le dessert, il rassembla ses affaires. Lorsque nous fûmes sur le trottoir, il s'arrêta, se tourna vers moi et me dit : « Que Dieu mon Père te bénisse et te donne le royaume que j'ai préparé pour toi ; car lorsque j'avais faim, tu m'as donné à manger, lorsque j'avais soif, tu m'as donné à boire, et lorsque je suis arrivé chez toi en étranger, tu m'as ouvert ta porte. »

J'avais l'impression que nous nous trouvions en lieu saint.

« Avez-vous besoin d'une autre bible ? », lui demandai-je. Il répondit qu'il avait une préférence pour une certaine édition, légère et qui supportait bien le voyage. C'était celle qu'il préférait.

« Je l'ai lue quatorze fois d'un bout à l'autre, me dit-il.

— Je ne sais pas si nous avons les mêmes, mais allons voir à l'église s'ils en ont. »

Finalement, je trouvai une bible qui sembla faire son bonheur. Il se montra très reconnaissant.

« Où avez-vous l'intention de vous rendre, maintenant ?, lui demandai-je.

— Eh bien… j'ai trouvé cette petite carte routière au dos de ce bon de réduction offert par un parc d'attractions.

— Avez-vous l'intention de rester longtemps là-bas ?

— Non, mais je sens que je devrais m'y rendre. J'ai l'impression que quelqu'un se trouvant juste sous cette étoile là-haut a besoin d'une bible ; c'est donc là que je vais aller. »

Il sourit, avec toute la chaleur qui rayonnait de l'authenticité de sa mission. Je le ramenai au parc où je l'avais rencontré deux heures plus tôt. En cours de route, il se mit à pleuvoir. Je garai la voiture et déchargeai ses affaires.

« Pourriez-vous signer mon carnet d'autographes ?, m'offrit-il. J'aime bien conserver les messages des gens que je rencontre. »

J'écrivis dans son carnet que son dévouement m'avait touché et que je lui souhaitais de rester fort. Je terminai mon message par un verset de la Bible, dans Jérémie 29:11: « Moi, je sais les projets que j'ai formés à votre sujet – oracle du Seigneur –, projets de prospérité et non de malheur : je vais vous donner de l'avenir et de l'espérance.

— Merci, vieux. Je sais que nous venons à peine de nous rencontrer et que nous sommes encore des étrangers l'un pour l'autre, mais je t'aime, me dit-il.

— Je sais. Je t'aime aussi, répondis-je.

— Le Seigneur est bon.

— Oui, Il l'est. À quand remonte la dernière fois qu'on t'a étreint ?, lui demandai-je.

— Ça remonte à très loin », répondit-il.

C'est ainsi qu'à ce carrefour très achalandé et sous une pluie battante, j'étreignis mon nouvel ami, éprouvant la sensation profonde d'avoir été transformé.

Daniel remit son sac sur son dos, sourit triomphalement et dit : « Au plaisir de te revoir dans le Nouveau Jérusalem !

— J'y serai ! », rétorquai-je.

Il s'éloigna pour reprendre la route, sa pancarte suspendue à son tapis de couchage, lui-même enroulé sur son sac à dos. Puis il se retourna vers moi et cria : « Si tu vois une chose qui te fait penser à moi, prieras-tu pour moi ?

— Tu peux compter sur moi, lui criai-je à mon tour.

— Que Dieu te bénisse !

— Que Dieu te bénisse ! »

Et je ne le revis jamais plus.

Lorsque je quittai le bureau, tard dans la soirée, un vent fort soufflait. La ville était maintenant envahie par le froid. Je m'emmitouflai et courus jusqu'à ma voiture. Au moment de m'asseoir et d'empoigner le frein à main, j'aperçus deux vieux gants de travail soigneusement placés sur la poignée du frein. Je les pris et je pensai à mon ami. Je me demandai si ses mains resteraient bien au chaud sans ces gants par un soir si frisquet. Je me rappelai ses mots : « Si tu vois une chose qui te fait penser à moi, prieras-tu pour moi ? »

Aujourd'hui, ses gants sont posés sur mon bureau. Je les laisse là. Ils m'aident à voir le monde et les gens d'un œil nouveau, à me remémorer les deux heures que j'ai passées avec cet ami unique et à prier pour son ministère.

« Au plaisir de te revoir dans le Nouveau Jérusalem », m'avait-il dit.

Oui, Daniel, tu peux compter sur moi.

Richard RYAN

8

Sagesse éclectique

La sagesse tient plus du vécu que du savoir.

Source anonyme

Le travail de Dieu

Danny Sutton, huit ans, écrivit ceci pour son enseignante de catéchisme qui avait demandé à ses élèves d'expliquer Dieu :

L'une des principales tâches de Dieu est de faire les gens. Il les fait pour remplacer ceux qui meurent ; comme ça, il y a toujours assez de gens pour prendre soin des choses sur terre. Il ne fait pas des grandes personnes, seulement des bébés. Je pense que c'est parce qu'ils sont plus petits et donc plus faciles à faire. En s'y prenant de cette manière, il n'a pas à leur apprendre à marcher et à parler. Il n'a qu'à les confier aux papas et aux mamans. Je crois que ça fonctionne très bien.

La deuxième tâche la plus importante de Dieu est d'écouter les prières. Cela doit lui prendre beaucoup de temps, car certaines personnes, comme les pasteurs et d'autres, ne prient pas seulement avant de dormir ; sans compter grand-papa et grand-maman qui prient chaque fois qu'ils mangent, sauf aux collations. À cause de cela, Dieu n'a pas le temps d'écouter la radio ou de regarder la télévision. Et comme Dieu entend tout, il doit y avoir beaucoup de bruit dans ses oreilles, à moins qu'il ait trouvé une façon de baisser le volume des prières.

Dieu voit tout, entènd tout et est partout, ce qui veut dire qu'il est très occupé. Vous ne devriez donc pas gaspiller son temps en lui demandant des choses sans importance ou que vos parents vous ont déjà refusées. Ça ne fonctionne pas de toute façon.

Dan SUTTON, Christ Church
ST-Michael, Maryland
Histoire soumise par Vanessa HEWKO

La sagesse d'un seul mot

Une seule conversation avec un sage vaut tout un mois d'étude livresque.

Proverbe chinois

N'est-il pas étonnant de voir à quel point une seule personne peut changer le cours de votre vie par une simple idée exprimée au bon moment et au bon endroit ? C'est exactement ce qui m'arriva. Un jour, quand j'avais quatorze ans, je faisais de l'auto-stop à El Paso. J'étais parti de Houston, au Texas, pour me rendre en Californie. Je poursuivais le rêve de ma vie, voyageant au rythme du soleil. Aux prises avec des difficultés d'apprentissage, j'avais décroché de l'école et décidé d'aller faire du surf sur les plus grosses vagues du monde, d'abord en Californie, puis à Hawaii où je voulais m'installer plus tard.

En me rendant au centre-ville d'El Paso, je rencontrai un vieil homme dans la rue. Un clochard. Il m'avait vu me promener et m'avait abordé pour me demander, probablement à cause de mon très jeune âge, si j'avais fugué de la maison. Je lui répondis : « Pas exactement, Monsieur. » Car mon père m'avait lui-même conduit près de l'autoroute à Houston et souhaité bon voyage en disant : « C'est important de suivre ton rêve et ton cœur, mon fils. »

Le clochard me demanda ensuite s'il pouvait m'offrir un café. « Non, Monsieur, mais vous pourriez m'offrir une boisson gazeuse », répondis-je. Nous allâmes donc dans un restaurant. Assis sur des tabourets pivotants, nous dégustâmes nos boissons.

Après une conversation de quelques minutes, le clochard amical me demanda de le suivre, parce qu'il avait, disait-il, quelque chose d'extraordinaire à me montrer. Après avoir parcouru quelques pâtés de maisons, nous arrivâmes à la bibliothèque municipale d'El Paso. Nous montâmes les marches de l'édifice, puis nous nous arrêtâmes à un petit kiosque d'information. Le clochard demanda à la vieille dame qui tenait le kiosque de surveiller mes affaires un moment, le temps que lui et moi allions à la bibliothèque. Je les laissai donc à cette dame qui avait l'allure d'une bonne grand-mère, puis j'entrai dans ce magnifique temple du savoir.

Le clochard m'entraîna d'abord vers une table. Il me demanda de m'asseoir et de l'attendre pendant qu'il allait chercher un trésor sur les étagères. Quelques instants plus tard, il revint avec quelques vieux livres qu'il déposa sur la table. Il s'assit ensuite à côté de moi et parla. Les premières phrases qu'il prononça me touchèrent et changèrent ma vie. Il me dit : « Fiston, il y a deux choses que je veux t'enseigner :

« Premièrement, ne juge jamais un livre à sa reliure, car celle-ci peut être trompeuse. » Il continua : « Je parie que tu me prends pour un clochard, pas vrai ? »

Je répondis : « Euh... ben... je pense que oui, Monsieur.

— Eh bien, jeune homme, je vais te surprendre. Je suis un des hommes les plus riches du monde. Je possède probablement tout ce qu'un homme pourrait désirer. Je viens du nord-est et j'ai toutes les choses que l'argent peut acheter. Toutefois, il y a un an, ma femme est décédée, que Dieu ait son âme ; depuis ce temps, j'ai beaucoup réfléchi à la vie. Je me suis rendu compte que certaines choses manquaient à mon expérience. Par exemple, je ne savais pas à quoi ressemblait la vie d'un clochard. Je me suis donc engagé à vivre comme un itinérant pendant un an. Au cours de la dernière année, donc, j'ai erré de ville en ville. Comme tu vois, il ne faut pas juger un livre à sa reliure, car celle-ci peut être trompeuse.

« Deuxièmement, tu dois apprendre à lire, mon garçon, car il y a une seule chose que personne ne pourra jamais t'enlever : ta sagesse. » À cet instant, il prit ma main droite dans la sienne et la plaça sur les livres qu'il avait posés devant nous : les œuvres de Platon et d'Aristote, d'anciens classiques immortels.

Le clochard me ramena ensuite dehors. Nous descendîmes l'escalier et retournâmes à l'endroit où nous nous étions rencontrés. En guise d'au revoir, il me demanda de ne jamais oublier ce qu'il m'avait enseigné.

Je ne l'ai pas oublié.

R. John F. DEMARTINI

Le paradis et l'enfer

Un vieux moine était assis sur le bord de la route, les yeux fermés, les jambes croisées, les mains posées sur les genoux. Il restait assis là, méditant profondément. Soudain, son *zazen* fut interrompu par la voix rauque et revendicatrice d'un samouraï. « Vieil homme ! Dis-moi à quoi ressemblent le paradis et l'enfer ! »

Sur le coup, le moine n'eut pas la moindre réaction. Mais peu à peu, il ouvrit les yeux, releva imperceptiblement les commissures de ses lèvres, comme pour sourire, tandis que le samouraï restait planté là, impatient, de plus en plus agité.

« Tu désires connaître les secrets du paradis et de l'enfer ? », demanda finalement le moine. « Toi, avec ton allure négligée, avec tes mains et tes pieds couverts de boue, avec tes cheveux ébouriffés, avec ton épée rouillée et tordue, toi, tu me demandes de te parler du paradis et de l'enfer ? »

Le samouraï jura vilainement. Il sortit son épée et la souleva au-dessus de sa tête. Son visage devint cramoisi et les veines de son cou se gonflèrent tandis qu'il s'apprêtait à couper la tête du moine.

« Cela, c'est l'enfer », lui dit doucement le vieux moine, juste au moment où l'épée commençait à redescendre. Le samouraï resta bouche bée de stupéfaction, de respect, de compassion et d'amour devant cet homme aimable qui avait risqué rien de moins que sa vie pour lui prodiguer cet enseignement. Il arrêta son épée à mi-chemin et ses yeux se remplirent de larmes de gratitude.

« Et cela, c'est le paradis », dit le moine.

R. John W. GROFF Jr

Le visage du courage

Je sais à quoi le courage ressemble. J'ai vu son visage lors d'un voyage en avion il y a six ans. Il m'a fallu tout ce temps pour que je puisse enfin en parler sans pleurer.

Lorsque le vol L1011 quitta l'aéroport d'Orlando ce vendredi matin-là, nous formions un groupe plein de gaieté et d'énergie. Ce vol matinal accueillait surtout des gens d'affaires qui allaient à Atlanta pour un jour ou deux. Autour de moi se trouvaient donc plusieurs habitués des voyages d'affaires, tirés à quatre épingles et transportant des porte-documents en cuir qui en disaient long sur leur statut. Je m'installai confortablement pour lire quelques magazines en attendant d'arriver à Atlanta.

Tout de suite après le décollage, il était évident que quelque chose n'allait pas. Des secousses ébranlaient l'avion de toutes parts. Les voyageurs avertis que nous étions affichèrent un air entendu. Nous nous regardâmes les uns les autres en sachant très bien que nous avions déjà fait l'expérience de ces petits problèmes de turbulence. Lorsqu'on prend souvent l'avion, on finit par s'habituer à ce genre de choses, par devenir blasé.

Eh bien ! croyez-moi, personne ne resta blasé longtemps. Quelques minutes après le décollage, l'avion se mit à descendre dangereusement pendant qu'une des ailes penchait vers l'avant. L'avion remonta un peu, mais cette brève ascension n'arrangea rien. Rien. Le pilote s'adressa alors aux passagers sur un ton grave.

« Nous éprouvons quelques difficultés, dit-il. En ce moment, il semble que le train avant ne réponde plus. Nos indicateurs disent que le circuit hydraulique ne fonctionne pas non plus. Nous allons donc retourner à l'aéroport d'Orlando. Étant donné que le système hydraulique est hors d'usage, nous ne sommes pas certains que le train d'atterrissage se bloquera ; les agents de bord vont donc vous préparer à un atterrissage cahoteux. Aussi, si vous regardez par les hublots, vous verrez que l'avion laisse sortir son carburant. C'est parce qu'il vaut mieux en avoir le moins possible dans les réservoirs lorsqu'on atterrit brusquement. »

En d'autres mots, nous allions nous écraser. Nous n'avions jamais rien vu d'aussi effrayant : des dizaines et des dizaines de litres de carburant s'échappaient des réservoirs en passant près de ma fenêtre. Les agents de bord nous aidèrent à s'installer de façon sécuritaire et rassurèrent les passagers qui étaient dans tous leurs états.

En regardant de nouveau les visages autour de moi, je fus stupéfait de voir à quel point leur expression avait changé. Plusieurs avaient manifestement peur. Même ceux qui avaient pris leur air le plus blasé avaient maintenant la face sombre et terreuse. Vraiment, leur visage était carrément gris, une chose que je n'avais jamais vue. *Personne n'entrevoit la mort sans avoir peur*, pensai-je. Tout le monde avait perdu son sang-froid.

Je commençai à chercher parmi les passagers quelqu'un qui avait peut-être réussi à garder ce calme que seuls le véritable courage ou la foi inébranlable permettent de maintenir en pareil instant. Je ne vis personne.

Puis, quelques rangées à ma gauche, j'entendis la voix douce et paisible d'une femme. Elle parlait d'un ton parfaitement normal et totalement dénué de tremblement ou de nervosité, un ton agréable et constant. Il fallait que je sache d'où provenait cette voix.

Partout autour de moi, des gens pleuraient. Beaucoup d'autres gémissaient ou hurlaient. Parmi les hommes, quelques-uns tentaient de garder leur sang-froid en s'accrochant aux appuie-bras et en serrant les dents, mais la peur était écrite sur leur front.

Ma foi m'empêchait de céder à l'hystérie, mais je n'aurais jamais pu parler aussi calmement et aussi aimablement que cette femme que j'entendais. Finalement, je la vis.

Au milieu de tout ce chaos, une mère parlait à son enfant, tout simplement. Dans la trentaine et d'allure tout à fait ordinaire, cette femme regardait intensément le visage de sa petite fille, qui devait avoir environ quatre ans. La fillette écoutait attentivement, comme si elle sentait l'importance des mots de sa mère. Grâce au regard intense de sa mère, elle ne semblait aucunement troublée par la panique qui envahissait l'avion.

J'eus soudain le souvenir d'une autre petite fille qui avait récemment survécu à un terrible accident d'avion. On avait raconté qu'elle avait survécu parce que sa mère avait attaché son propre corps sur le sien afin de la protéger. La mère mourut. Les journaux avaient ensuite relaté comment les psychologues avaient rencontré la petite fille à plusieurs reprises pour l'empêcher d'éprouver la culpabilité et la dévalorisation qui hantent souvent les survivants. Les psychologues lui avaient sans cesse répété qu'elle n'était pas responsable de la mort de sa mère. J'espérais que notre situation connaîtrait un dénouement différent.

J'essayai de saisir ce que la femme disait à son enfant. Il fallait absolument que j'entende ses paroles. J'en avais besoin.

Par miracle, en me penchant un peu plus, je pus distinguer ses paroles douces et rassurantes. Encore et encore, elle répétait : « Je t'aime tellement. Sais-tu vraiment que je t'aime plus que tout au monde ?

— Oui, maman, disait la petite fille.

— Quoi qu'il arrive, souviens-toi que je t'aimerai toujours. Et que tu es une bonne petite fille. Parfois, il se passe des choses dont tu n'es pas responsable. Tu resteras toujours une bonne petite fille et je t'aimerai toujours. »

Puis, la mère s'assit devant sa fille, attacha leurs deux corps avec la ceinture et attendit que l'avion s'écrase.

Étonnamment, le train d'atterrissage tint bon et l'atterrissage ne fut pas la tragédie à laquelle nous nous attendions. En quelques secondes, le cauchemar était fini.

La voix que j'entendis ce jour-là n'avait pas bronché, n'avait pas une seconde laissé passer le doute, avait gardé une imperturbabilité qui me paraissait impossible, tant émotionnellement que physiquement. Au sein du groupe de gens d'affaires endurcis que nous formions, pas un seul n'aurait réussi à parler sans trembler. Seul un courage magnifique, soutenu par un amour encore plus magnifique, pouvait permettre à cette mère de tenir le coup et de ne pas succomber à la panique.

Cette femme reste pour moi une véritable héroïne, car pendant les quelques minutes de ce cauchemar, elle me permit de voir le visage du courage.

Casey HAWLEY

L'ange au chapeau rouge

Un jour que j'étais attablée dans un café situé en face de la clinique Mayo, j'avais très peur sans pouvoir l'admettre. Le lendemain, en effet, j'y serais admise pour subir une intervention chirurgicale à la colonne vertébrale. C'était une opération risquée, mais ma foi était solide. Quelques semaines auparavant, j'avais assisté aux funérailles de mon père. Il était un phare pour moi, et il était parti au paradis. « Ô Père céleste, en ce moment éprouvant, envoie-moi un ange. »

Au moment d'aller payer au comptoir, je levai la tête et vis une vieille dame qui se dirigeait très lentement vers le même endroit. J'attendis derrière elle, surprise de son allure très élégante : une robe rouge et pourpre à motif cachemire, un foulard, une broche et un ingénieux petit chapeau écarlate. « Excusez-moi, Madame. Je veux seulement vous dire à quel point vous êtes belle. Ma journée s'en trouve illuminée. »

Elle prit ma main et me dit : « Ma chère enfant, que Dieu te bénisse ; car vois-tu, j'ai un bras artificiel et une plaque dans l'autre, et j'ai aussi une jambe artificielle. Il me faut beaucoup de temps pour m'habiller. J'essaie de faire de mon mieux, mais on dirait qu'avec les années, les gens ne portent plus attention à cela. Tes paroles me font très plaisir. J'espère que le Seigneur prendra soin de toi, car tu dois être un de ses petits anges. » Lorsqu'elle s'éloigna, je fus incapable de prononcer un seul mot. Ses paroles m'avaient si profondément atteinte que je sentis sur-le-champ qu'elle était l'ange que j'attendais.

Tami Fox

Il n'est jamais trop tard

Il y a plusieurs années, dans un cours de communication, je fis l'expérience d'un processus très singulier. Le professeur nous demanda de faire une liste de toutes nos actions passées qui faisaient naître en nous la honte, la culpabilité, le remords ou l'impression d'une tâche inachevée. La semaine suivante, il invita des étudiants à lire leur liste à voix haute. Ce qu'il demandait était quelque chose de très personnel, mais il y a toujours quelque brave âme qui se porte volontaire dans ces moments-là. Chaque fois que des étudiants lisaient leur liste, la mienne s'allongeait. Après dix semaines, j'avais cent une actions sur ma liste. Le professeur nous suggéra ensuite de trouver des moyens de corriger ces choses, de s'excuser auprès des gens concernés ou d'accomplir un geste qui effacerait nos mauvaises actions. Je me demandai alors comment tout cela pourrait bien améliorer mes compétences en communication, et je me voyais déjà en train de m'aliéner à peu près tout mon entourage.

La semaine suivante, l'homme assis derrière moi leva sa main et nous lut cette histoire :

En faisant ma liste, je me suis rappelé un incident qui s'est passé à l'école quand j'étais adolescent. J'ai grandi dans une petite ville. Il y avait un shérif que nous, les enfants, n'aimions pas. Un soir, mes deux camarades et moi avions décidé de jouer un sale tour au shérif Brown. Après avoir bu quelques bières, nous avons trouvé de la peinture rouge, escaladé le haut réservoir d'eau de la ville et écrit en grosses lettres rouges sur le réservoir : Le shérif Brown est un fils de p…

Le jour suivant, toute la ville a pu admirer notre graffiti. Au cours de la matinée, le shérif nous a fait venir dans son bureau. Mes camarades ont avoué, mais moi j'ai menti et nié la vérité. Personne ne l'a su.
Presque vingt ans plus tard, le nom du shérif Brown est apparu sur ma liste. Je ne savais même pas s'il était encore vivant. La fin de semaine dernière, j'ai téléphoné dans ma région natale pour obtenir son numéro. Il y avait effectivement un Roger Brown dans l'annuaire. Je lui ai téléphoné. Au bout de quelques sonneries, j'ai entendu : « Allo ? » J'ai dit : « Shérif Brown ? » Il y a eu un silence. « Ouais ? – Euh… C'est Jimmy Calkins à l'appareil. Je veux que vous sachiez que c'était moi le coupable. » Il y a eu encore un silence. « Je le savais ! », s'est-il exclamé. Nous avons ri et discuté joyeusement. Avant de me dire au revoir, il m'a dit : « Jimmy, j'ai toujours trouvé cela un peu triste pour toi, car tes amis ont avoué alors que toi, tu as eu cet incident sur la conscience pendant toutes ces années. Je te remercie sincèrement d'avoir téléphoné… par égard pour toi-même. »

Jimmy m'a incitée à mettre de l'ordre dans ma vie et à corriger les cent une actions que j'avais sur ma liste. Il m'a fallu deux ans pour le faire, mais cette expérience a été un tremplin et une véritable inspiration pour ma carrière de médiatrice. Quel que soit le degré de difficulté d'un conflit ou d'une situation de crise, je me rappelle toujours qu'il n'est jamais trop tard pour mettre de l'ordre dans sa vie passée et faire la paix.

Marilyn MANNING

Terminus

On a tous, enfoui dans son subconscient, un mirage. On se voit faire un long voyage à travers le continent. On se trouve dans un train. Par la fenêtre, on regarde le spectacle qui défile : les voitures sur les autoroutes à côté, les enfants qui saluent à un passage à niveau, les vaches qui broutent sur une colline éloignée, les usines qui crachent leur fumée, les rangs interminables de maïs et de blé, les vallées et les plaines, les montagnes et les coteaux onduleux, le profil des grandes villes, les toits des maisons dans les villages.

Les pensées que l'on a, cependant, sont tournées vers la destination finale. Un certain jour à une certaine heure, on débarquera au terminus. Des fanfares joueront sous les drapeaux. Une fois rendu, des rêves merveilleux se réaliseront et les morceaux de notre vie s'assembleront parfaitement tel un casse-tête. Avec quelle impatience on arpente les couloirs du train, maudissant les minutes de s'écouler aussi interminablement ! On attend le terminus, encore et encore.

« Lorsqu'on arrivera au terminus, ce sera fait ! » s'écrie-t-on. « Lorsque j'aurai dix-huit ans… » « Lorsque j'aurai ma nouvelle Mercedes Benz… » « Lorsque notre petit dernier sera à l'université… » « Lorsqu'on aura fini de payer l'hypothèque… » « Lorsque j'aurai une promotion… » « Lorsque je prendrai ma retraite, je vivrai heureux pour toujours ! »

Tôt ou tard, on se rend compte qu'il n'y a pas de terminus, pas de dernière station à laquelle on arrive enfin et pour toujours. Le véritable plaisir de vivre se prend au cours même du voyage. Le terminus n'est qu'un mirage. Il nous distance toujours.

« Jouissez du moment présent » est une sage devise, surtout lorsqu'on l'accompagne du psaume 118:24: «Voici le jour que le Seigneur a fait : qu'il soit notre bonheur et notre joie ! » Ce ne sont pas les fardeaux d'aujourd'hui qui nous rendent fous. Ce sont les regrets du passé et la peur de demain. Les regrets et la peur sont deux voleurs qui nous dépouillent du présent.

Par conséquent, cessez d'arpenter les couloirs et de calculer la distance qu'il reste à parcourir. Au lieu de cela, escaladez des montagnes plus souvent, mangez de la crème glacée plus souvent, marchez pieds nus plus souvent, plongez dans les rivières plus souvent, contemplez le lever du soleil plus souvent, riez plus souvent, pleurez moins souvent. La vie doit se vivre au moment où elle nous est donnée. Le terminus viendra bien assez vite.

Robert J. HASTINGS

À propos de Jack Canfield

Jack Canfield est un des meilleurs spécialistes américains du développement du potentiel humain et d'efficacité personnelle. Conférencier dynamique et coloré, il est également un conseiller très en demande pour son extraordinaire capacité d'instruire ses auditoires et de les amener à vouloir améliorer leur estime de soi et leur rendement.

Auteur et narrateur de plusieurs audiocassettes et vidéocassettes, dont *Chicken Soup for the Soul – Live, Self-Esteem and Peak Performance, How to Build High Self-Esteem* et *Self-Esteem in the Classroom*, on le voit régulièrement dans des émissions télévisées telles que *Good Morning America, 20/20, Eye to Eye* et *NBC Nigthly News*. En outre, il est le coauteur de dix livres, dont *Bouillon de poulet pour l'âme, Chicken Soup for the Soul Cookbook, Dare to Win* et *The Aladdin Factor* (tous avec Mark Victor Hansen), et *100 Ways to Build Self-Concept in the Classroom* (avec Harold C. Wells).

Jack prononce des conférences devant plus de cent groupes chaque année. Parmi ses clients figurent des associations professionnelles, des commissions scolaires, des organismes gouvernementaux, des entreprises du secteur de la vente et des corporations. Sa liste de clients corporatifs comprend des noms comme American Management Association, AT&T, Campbell Soup, Clairol, Domino's Pizza, G.E., ITT Hartford Insurance, Johnson & Johnson, NCR, New England Telephone, Re/Max, Scott Paper, Sunkist, Supercuts, TRW et Virgin Records. Jack est également associé à deux écoles pour entrepreneurs : Income Builders International et Life Success Academy.

Tous les ans, Jack organise un programme de formation de huit jours qui s'adresse à ceux qui œuvrent dans le domaine de l'estime de soi et du rendement. Ce programme attire des éducateurs, des conseillers, des formateurs dans l'art d'être parent, des agents de formation en entreprise, des conférenciers professionnels, des ministres du culte et des gens qui désirent améliorer leurs talents d'orateur et d'animateur.

À propos de Mark Victor Hansen

Mark Victor Hansen est un conférencier professionnel qui, au cours des vingt dernières années, s'est adressé à plus d'un million de personnes dans trente-deux pays, pour un total de plus de mille présentations portant sur l'excellence et les stratégies dans le domaine de la vente, ainsi que sur l'appropriation (*empowerment*) et le développement personnel.

Mark a consacré toute sa vie à une mission: déclencher des changements profonds et positifs dans la vie des gens. Tout au long de sa carrière, non seulement a-t-il su inciter des centaines de milliers de gens à se bâtir un avenir meilleur et à donner un sens à leur vie, mais il les a aidés à vendre des milliards de dollars de produits et services.

Mark a écrit de nombreux livres, dont *Future Diary*, *How to Achieve Total Prosperity*, *The Miracle of Tithing* et *Dare to Win* (en collaboration avec son meilleur ami, Jack Canfield), tous des best-sellers.

En plus d'écrire et de donner des conférences, Mark a réalisé une collection complète d'audiocassettes et de vidéocassettes qui ont permis aux gens de découvrir et d'utiliser toutes leurs ressources dans leur vie personnelle et professionnelle. Le message qu'il transmet a fait de lui une personnalité de la radio et de la télévision. On a notamment pu le voir sur les réseaux ABC, NBC, CBS, CNN et HBO.

Mark a également fait la page couverture de nombreux magazines, dont *Success* et *Changes*. Dans son numéro d'août 1991, le magazine *Success* faisait état de ses nombreuses réalisations.

C'est un homme au grand coeur et aux grandes idées, un modèle pour tous ceux et celles qui cherchent à s'améliorer.

Autorisations

Nous aimerions remercier tous ceux et celles qui nous ont donné l'autorisation de reproduire leurs textes. (Remarque : Les histoires de source anonyme, celles qui appartiennent au domaine public et celles écrites par Jack Canfield ou Mark Victor Hansen ne figurent pas dans cette liste.)

Redevable au centuple, reproduit avec l'autorisation de *The Middlesex News*, © 1993 Brian Keefe.

Pourboire compris, extrait de *The Best of Bits & Pieces*, autorisé par The Economics Press, Inc., © 1994 The Economics Press, Inc.

Le souvenir de l'amour, reproduit avec l'autorisation de Marion Schoeberlein, © 1995 Marion Schoeberlein.

Le tour de magie et *Marquée pour la vie*, reproduits avec l'autorisation de Michael Jeffreys, © 1995 Michael Jeffreys.

Manuel Garcia, reproduit avec l'autorisation de David Roth, © 1986 David Roth.

La véritable liberté, reproduit avec l'autorisation de Barbara Rogoff, © 1994 Barbara Rogoff.

Un regard de compassion, extrait de *The Sower's Seed*, autorisé par Paulist Press, © 1994 Brian Cavanaugh.

Un peu de chaleur humaine, reproduit avec l'autorisation de Mastermedia Book Publishing, © 1995 Scott Gross.

Un acte de bonté, extrait de *The Best of Bits & Pieces*, autorisé par The Economics Press, Inc., © 1994 The Economics Press, Inc.

Des visiteurs dans la nuit, reproduit avec l'autorisation de Robert Gass, © 1995 Robert Gass.

Un après-midi avec Dieu, reproduit avec l'autorisation de Julie A. Manhan, © 1995 Julie A. Manhan.

Reviens, Paco, reproduit avec l'autorisation de Alan Cohen, © 1995 Alan Cohen.

La composition de Tommy, reproduit avec l'autorisation de Jane Lindstrom, © 1975 Jane Lindstrom.

Almie Rose, reproduit avec l'autorisation de Michelle Lawrence, © 1995 Michelle Lawrence.

Un dinosaure à la boutonnière, extrait de *Pursuit Magazine*, autorisé par Dan Shcaeffer, © 1993 Dan Schaeffer.

Le plus chic papa du monde, reproduit avec l'autorisation de Angie K. Ward-Kucer, © 1995 Angie K. Ward-Kucer.

L'ouvrier, reproduit avec l'autorisation de International Union of Operating Engineers.

Gratis, mon fils, reproduit avec l'autorisation de M. Adams, © 1995 M. Adams.

Un cœur courageux, reproduit avec l'autorisation de Patty Hansen, © 1995 Patty Hansen.

Le sens de l'adoption, extrait de *The Best of Bits & Pieces*, autorisé par The Economics Press, Inc., © 1994 The Economics Press.

Les retrouvailles, reproduit avec l'autorisation de Lynne C. Gaul, © 1995 Lynne C. Gaul.

Le présent, reproduit avec l'autorisation de Renee R. Vroman, © 1995 Renee R. Vroman.

La rentrée de Beth, reproduit avec l'autorisation de Dick Abrahamson, © 1984 Dick Abrahamson.

Le monde selon M. Washington, extrait de *Mentors, Masters and Mrs MacGregor*, autorisé par Health Communications, Inc., © 1995 Jane Bluestein.

Foi, espoir et amour, reproduit avec l'autorisation de Peter Spelke, © 1995 Peter Spelke.

Les souliers à lacets, reproduit avec l'autorisation de National Education Association par Paul E. Mawhinney, directeur, division de l'éducation et de la psychologie, Southeast Missouri State College, Cape Girardeau, Missouri, © 1966 *NEA Journal*.

Tête de bois, reproduit avec l'autorisation de Larry Terherst, © 1995 Larry Terherst.

Des empreintes dans mon cœur, reproduit avec l'autorisation de Laura D. Norton, © 1995 Laura D. Norton.

La grue d'or, extrait de *Mature Outlook*, autorisé par Patricia Lorenz, © 1994 Patricia Lorenz.

La dernière lettre du camionneur, reproduit avec l'autorisation de Rud Kendall, © 1983 Rud Kendall.

Pour l'amour d'un enfant, reproduit avec l'autorisation de Thea Alexander, © 1995 Thea Alexander.

La dernière danse, reproduit avec l'autorisation de Rick Nelles, © 1995 Rick Nelles.

Papa, reproduit avec l'autorisation de Kelly J. Watkins, © 1995 Kelly J. Watkins.

Le paradis des moineaux, reproduit avec l'autorisation de Casey Kokoska, © 1995 Casey Kokoska.

Je veux qu'on m'habille en rouge, reproduit avec l'autorisation de Cindy Dee Holms, © 1995 Cindy Dee Holms.

Ne crains rien, tout ira bien, reproduit avec l'autorisation de Janice Hunt, © 1995 Janice Hunt.

L'éternel optimiste, reproduit avec la permission de Beth Dalton, © 1995 Beth Dalton.

En souvenir de moi, reproduit avec l'autorisation de Andre Test, © Robert N. Test.

Garde ta fourchette, reproduit avec l'autorisation de Roger William Thomas, © 1994 Roger William Thomas.

Le paradis sur terre, reproduit avec l'autorisation de D. Trinidad Hunt, © 1995 D. Trinidad Hunt.

Le voleur de biscuits, reproduit avec l'autorisation de Valerie Cox, © 1993 Valerie Cox.

L'histoire authentique d'Arbutus et de la Mouette, reproduit du *The Boston Globe.*

Madame, êtes-vous riche ?, extrait de *The Bigness of the Fellow Within,* du Dr. B.J. Palmer, autorisé par Palmer College of Chiropractic.

Une fleur dans les cheveux, reproduit avec l'autorisation de Bettie B. Youngs, © 1995 Bettie B. Youngs.

L'avalanche, reproduit avec l'autorisation de Robert G. Allen, © 1995 Robert G. Allen.

Vous très bonne, vous très rapide, reproduit avec l'autorisation de Kathi M. Curry, © 1995 Kathi M. Curry.

L'accident, reproduit avec l'autorisation de Robert J. McMullen Jr, © 1995 Robert J. McMullen Jr.

De la bouche d'un petit garçon, reproduit avec l'autorisation de Elaine McDonald, © 1995 Elaine McDonald.

J'ai gagné parce que j'ai perdu, reproduit avec l'autorisation de Frank Slazak, © 1995 Frank Slazak.

Notre plus grande crainte, extrait de *A Return to Love,* de Marianne Williamson, © 1992 Marianne Williamson. Reproduit avec l'autorisation de HarperCollins Publishers, Inc.

Valeureux dans le désastre, extrait de *The Sower's Seeds*, autorisé par Paulist Press, © 1994 Brian Cavanaugh.

La bonne nouvelle, extrait de *The Best of Bits & Pieces*, autorisé par The Economics Press, © 1994 The Economics Press.

Johnny, reproduit avec l'autorisation de Barbara A. Glanz, © 1995 Barbara A. Glanz.

La quête passionnée du possible, reproduit avec l'autorisation de James E. Conner, © 1984 James E. Conner.

Jamais nous ne lui avions dit qu'il en était incapable, reproduit avec l'autorisation de Kathy Lamancusa, © 1995 Kathy Lamancusa.

Du cœur au ventre, reproduit avec l'autorisation de Stan Frager, © 1995 Stan Frager.

Quatorze marches à monter, publié initialement dans le magazine *Ensign* de l'Église de Jésus-Christ des saints des derniers jours, reproduction autorisée.

La douleur passe, la beauté reste, extrait de *The Best of Bits & Pieces*, autorisé par The Economics Press, © 1994 The Economics Press.

Le pont des miracles, extrait de *A Fresh Packet of Sower's Seeds*, autorisé par Paulist Press, © 1994 Brian Cavanaugh.

Viser toujours plus haut, reproduit avec l'autorisation de David Naster, © 1995 David Naster.

Savoir saisir sa chance, reproduit avec l'autorisation de Omar Periu, © 1995 Omar Periu.

La dernière croisade, extrait de *The Virginia Pilot & Ledger-Star*, © 1995 *The Virginia Pilot & Ledger-Star*.

Fonce !, reproduit avec l'autorisation de Claudette Hunter, © 1995 Claudette Hunter.

L'impossible prend juste un peu plus de temps, reproduit avec l'autorisation de Art E. Berg, © 1995 Art E. Berg.

Ma rencontre avec Daniel, reproduit avec l'autorisation du Rev. Richard Ryan du *The Christian Reader*, © 1995 Rev. Richard Ryan.

Le travail de Dieu, reproduit avec l'autorisation de Christ Church, St. Michael's, Maryland.

La sagesse d'un seul mot, reproduit avec l'autorisation de John F. Demartini, © 1995 John F. Demartini.

Le paradis et l'enfer, reproduit avec l'autorisation de John W. Groff Jr, extrait de « A Proper Hell », publié dans le numéro juillet/septembre 1994 du *Christian New Age Quarterly*, P.O. Box 276, Clifton, NJ 07011-0276.

Le visage du courage, reproduit avec l'autorisation de Casey Hawley, © 1995 Casey Hawley.

L'ange au chapeau rouge, reproduit avec l'autorisation de Tami Fox, © 1995 Tami Fox.

Il n'est jamais trop tard, reproduit avec l'autorisation de Marilyn Manning, Ph.D., © 1995 Marilyn Manning, Ph.D.

Terminus, reproduit avec l'autorisation de *The Station and Other Gems of Joy,* de Robert J. Hastings.

Bien-être, des livres qui vous font du bien

Psychologie, santé, sexualité, vie familiale, diététique... : la collection Bien-être apporte des réponses pratiques et positives à chacun.

Psychologie

Thomas Armstrong
Sept façons d'être plus intelligent - n° 7105

Anne Bacus & Christian Romain
Libérez votre créativité ! - n° 7124
Murmures sur l'essentiel – Conseils de vie d'une mère à ses enfants - n° 7225

Simone Barbaras
La rupture pour vivre - n° 7185

Martine Barbault & Bernard Duboy
Choisir son prénom, choisir son destin - n° 7129

Deirdre Boyd
Les dépendances - n° 7196

Nathaniel Branden
Les six clés de la confiance en soi - n° 7091
Maître de ses choix, maître de sa vie - n° 7127

Sue Breton
La dépression - n° 7223

Jack Canfield et Mark Victor Hansen
Bouillon de poulet pour l'âme - n° 7155
Bouillon de poulet pour l'âme 2 - n° 7241

Richard Carlson
Ne vous noyez pas dans un verre d'eau - n° 7183
Ne vous noyez pas dans un verre d'eau... en famille ! - n° 7219

Steven Carter & Julia Sokol
Ces hommes qui ont peur d'aimer - n° 7064

Chérie Carter-Scott
Dix règles pour réussir sa vie - n° 7211

Loly Clerc
Je dépense, donc je suis ! - n° 7107

Guy Corneau
N'y a-t-il pas d'amour heureux ? - n° 7157

Lynne Crawford
La timidité - n° 7195

Christophe Fauré
Vivre le deuil au jour le jour - n° 7151

Daniel Goleman
L'intelligence émotionnelle - n° 7130
L'intelligence émotionnelle 2 - n° 7202

Nicole Gratton
L'art de rêver - n° 7172

John Gray
Les hommes viennent de Mars, les femmes viennent de Vénus - n° 7133
Une nouvelle vie pour Mars et Vénus - n° 7224
Mars et Vénus, les chemins de l'harmonie - n° 7233
Mars et Vénus, 365 jours d'amour - n° 7240

Marie Haddou
Savoir dire non - n° 7178

Evan Imber-Black
Le poids des secrets de famille - n° 7234

Sam Keen
Être un homme - n° 7109

Barbara Killinger
Accros du boulot - n° 7116

Jean-Claude Liaudet
Dolto expliquée aux parents - n° 7206

Dr Gérard Leleu
La Mâle Peur - n° 7026
Amour et calories - n° 7139
La fidélité et le couple - n° 7226

Christine Longaker
Trouver l'espoir face à la mort - n° 7179

Ursula Markham
Le deuil - n° 7230
Les traumatismes infantiles - n° 7231

Bernard Martino
Le bébé est une personne - n° 7094

Alan Loy McGinniss
Le pouvoir de l'optimisme - n° 7022

Pia Mellody
Vaincre la dépendance - n° 7013

Yannick Noah
Secrets, etc. - n° 7150

Robin Norwood
Ces femmes qui aiment trop – 1 - n° 7020
Ces femmes qui aiment trop – 2 - n° 7095

Vera Peiffer
Soyez positifs ! - n° 7118

Xavier Pommereau
Quand l'adolescent va mal - n° 7147

Anthony Robbins
Pouvoir illimité - n° 7175

Henri Rubinstein
La dépression masquée - n° 7214

Jacques Salomé
Papa, maman, écoutez-moi vraiment - n° 7112
Apprivoiser la tendresse - n° 7134

Barbara Sher et Barbara Smith
Vous êtes doué et vous ne le savez pas - n° 7141

Elaine Sheehan
Anxiété, phobies et paniques - n° 7213

Deborah Tannen
Décidément, tu ne me comprends pas ! - n° 7083

Nita Tucker
Le grand amour pour la vie - n° 7099

Isabelle Yhuel
Mère et fille, l'amour réconcilié - n° 7161
Quand les femmes rompent - n° 7201

Rika Zaraï
Ces émotions qui guérissent - n° 7114

Santé

Joanna Bawa
Santé et ordinateur : le guide quotidien - n° 7207

Dr R. Aron-Brunetière
La beauté et les progrès de la médecine - n° 7006

Dr Martine Boëdec
L'homéopathie au quotidien - n° 7021

Dr Jacques Boulet
Se soigner par l'homéopathie - n° 7165

Julia Buckroyd
Anorexie et boulimie - n° 7191

Dr Jean-Pierre Cahané et Claire de Narbonne
Nourritures essentielles - n° 7168

Chantal Clergeaud
Un ventre plat pour la vie - n° 7136

Dr Julien Cohen-Solal
Comprendre et soigner son enfant – I - n° 7096
Comprendre et soigner son enfant – II - n° 7097

Bruno Comby
Tabac, libérez-vous ! - n° 7012

Dr Lionel Coudron
Stress, comment l'apprivoiser - n° 7027
Mieux vivre par le yoga - n° 7115

Dr J.G. Drevet & Dr C. Gallin-Martel
Bien vivre avec son dos - n° 7002

Dr David Elia
Comment rester jeune après 40 ans
Version hommes - n° 7110
Comment rester jeune après 40 ans
Version femmes - n° 7111
Le bonheur à 50 ans - n° 7184

Pierre Fluchaire
Bien dormir pour mieux vivre - n° 7005
Plus jamais fatigué ! - n° 7015

Chris Jarmey
Le shiatsu - n° 7242

Henri Loo & Henri Cuche
Je suis déprimé mais je me soigne - n° 7009

Dr E. Maury
La médecine par le vin - n° 7016

Maurice Mességué
C'est la nature qui a raison - n° 7028

Dr Sylvain Mimoun
Des maux pour le dire - n° 7135

Stewart Mitchell
Initiation au massage - n° 7119

Peter Mole
L'acupuncture - n° 7189

Lionelle Nugon-Baudon
Maisons toxiques - n° 7229

Pierre Pallardy
Les chemins du bien-être - n° 7001
La forme naturelle - n° 7007
Le droit au plaisir - n° 7063

Jean-Louis Pasteur
Toutes les vitamines pour vivre sans médicaments - n° 7081

Jean-Yves Pecollo
La sophrologie - n° 3314
La sophrologie au quotidien - n° 7101

Vicki Pitman
La phytothérapie - n° 7212

Dr Hubert Sacksick
Les hormones - n° 7205

Jon Sandifer
L'acupression - n° 7204

Debbie Shapiro
L'intelligence du corps - n° 7208

Sidra Shaukat
La beauté au naturel - n° 7222

Dr Bernie S. Siegel
Vivre la maladie - n° 7131

Rochelle Simmons
Le stress - n° 7190

Dr Nadia Volf
Vos mains sont votre premier médecin - n° 7103

Andrew Weil
Le corps médecin - n° 7210
Huit semaines pour retrouver une bonne santé - n° 7193

Diététique

Agnès Beaudemont-Dubus
La cuisine de la femme pressée - n° 7017

Marie Binet & Roseline Jadfard
Trois assiettes et un bébé - n° 7113

Dr Alain Bondil & Marion Kaplan
Votre alimentation - n° 7010
L'alimentation de la femme enceinte et de l'enfant - n° 7089
L'âge d'or de votre corps - n° 7108

Sonia Dubois
Maigrissons ensemble ! - n° 7120
Restons minces ensemble ! - n° 7187

Annie Hubert
Pourquoi les Eskimos n'ont pas de cholestérol - n° 7125

Dr Catherine Kousmine
Sauvez votre corps ! - n° 7029

Marianne Leconte
Maigrir - Le nouveau bon sens - n° 7221

Colette Lefort
Maigrir à volonté - n° 7003

Michel Montignac
Je mange donc je maigris… et je reste mince ! - n° 7030
Recettes et menus Montignac - n° 7079
Comment maigrir en faisant des repas d'affaires - n° 7090
La méthode Montignac Spécial Femme - n° 7104
Mettez un turbo dans votre assiette - n° 7117
Je cuisine Montignac - n° 7121
Restez jeune en mangeant mieux - n° 7137

Recettes et menus Montignac (2) - n° 7164
Boire du vin pour rester en bonne santé - n° 7188

Lionelle Nugon-Baudon
Toxic-bouffe Le dico - n° 7216

Philippe Peltriaux et Monique Cabré
Maigrir avec la méthode Peltriaux - n° 7156

Nathalie Simon
Mangez beau, mangez forme - n° 7126

Thierry Souccar
La révolution des vitamines - n° 7138

Sexualité

Dr Éric Dietrich & Dr Patrice Cudicio
Harmonie et sexualité du couple - n° 7061

Régine Dumay
Comment bien faire l'amour à une femme - n° 7227
Comment bien faire l'amour à un homme - n° 7239

Céline Gérent
Savoir vivre sa sexualité - n° 7014

Françoise Goupil-Rousseau
Sexualité : réponses aux vraies questions des femmes - n° 7025

John Gray
Mars et Vénus sous la couette - n° 7194

Barbara Keesling
Comment faire l'amour toute la nuit - n° 7140
Le plaisir sexuel - n° 7170

Brigitte Lahaie
Les chemins du mieux-aimer - n° 7128

Dr Gérard Leleu
Le traité des caresses - n° 7004
Le traité du plaisir - n° 7093
Le traité du désir - n° 7176

Dagmar O'Connor
Comment faire l'amour à la même personne... pour le reste de votre vie - n° 7102

Jean Paccalin
Une pilule nommée désir - n° 7180

Vie familiale

Edwige Antier
J'aide mon enfant à se concentrer - n° 7232

Etty Buzyn
Papa, maman, laissez-moi le temps de rêver - n° 7132

Béatrice Cakiroglu
Les droits du couple - n° 7018

Roberta Cava
Réussir et être heureuse au travail - n° 7082

Françoise Civeyrel
Consommez bien. Dépensez mieux - n° 7098

Dr Julien Cohen-Solal
Être heureux à l'école ? - n° 7173
Les deux premières années de la vie - n° 7203

Carolyn Cowan et Philip A. Pape Cowan
1+1 = 3 - n° 7065

Brian A. Grosman avec Allan Reznik
Protégez votre emploi - n° 7085

Brigitte Hemmerlin
Maman Solo - n° 7100

Vicki Iovine
Grossesse, le guide des copines - n° 7176

Hélène de Leersnyder
Laissez-les faire des bêtises - n° 7106

Gerry Marino & Francine Fortier
La nouvelle famille - n° 7122

Anne-Marie Mouton
500 conseils pour réussir votre grossesse - n°7023

Jocelyne de Rotrou
La mémoire en pleine forme - n°7087

Nancy Samalin
Savoir l'entendre, savoir l'aimer - n°7062
Conflits parents-enfants - n°7198

Dr Marie Thirion
Les compétences du nouveau-né - n°7123

Chantal de Truchis-Leneveu
L'éveil de votre enfant - n°7146

Marie-France Vigor
Enfants : comment répondre à leurs questions ! - n°7011

Cuisine

Paul Bocuse
Bocuse dans votre cuisine - n°7145

Jean-Pierre Coffe
Comme à la maison (1) - n°7148
Le marché - n°7154
Au bonheur des fruits - n°7163
Comme à la maison (2) - n°7177

Christine Ferber
Mes confitures - n°7162
Mes tartes sucrées et salées - n°7186
Mes aigres-doux, terrines et pâtés - n°7237

Nadira Hefied
130 recettes traditionnelles du Maghreb - n°7174

Peta Mathias
Fêtes gourmandes - n°7200

Christian Parra
Mon cochon de la tête aux pieds - n°7238

Marie Rouanet
Petit traité romanesque de cuisine - n°7159

Denise Verhoye
Les recettes de Mamie - n°7209

Loisirs

Sonia Dubois & Marielle Couësmes
La couture - n°7144

Harmonies

Karen Christensen
La maison écologique - n°7152

Karen Kingston
L'harmonie de la maison par le Feng Shui - n°7158

Marjorie Harris
Un jardin pour l'âme - n°7149

Jane Thurnell-Read
Les harmonies magnétiques - n°7228

Jean Vernette
Les nouvelles thérapies - n°7220

Christine Wildwood
L'aromathérapie - n°7192

Nature

John Fisher
Comprendre et soigner son chien - n°7160

Daniel Gélin
Le jardin facile - n°7143

Louis Giordano
Aux jardiniers débutants 500 conseils et astuces - n°7215

Jean-Marie Pelt
Des fruits - n°7169
Des légumes - n°7217

Roger Tabor
Comprendre son chat - n°7153

7241

Composition Nord Compo
Achevé d'imprimer en Europe (France)
par Maury-Eurolivres – 45300 Manchecourt
le 18 décembre 2001.
Dépôt légal décembre 2001. ISBN 2-290-31614-8

Éditions J'ai lu
84, rue de Grenelle, 75007 Paris
Diffusion France et étranger : Flammarion